RAINHA CHARLOTTE

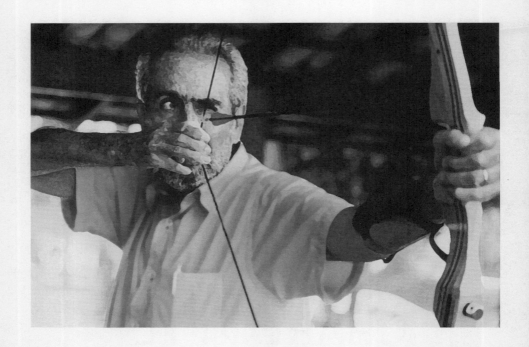

O Arqueiro

GERALDO JORDÃO PEREIRA (1938-2008) começou sua carreira aos 17 anos, quando foi trabalhar com seu pai, o célebre editor José Olympio, publicando obras marcantes como *O menino do dedo verde*, de Maurice Druon, e *Minha vida*, de Charles Chaplin.

Em 1976, fundou a Editora Salamandra com o propósito de formar uma nova geração de leitores e acabou criando um dos catálogos infantis mais premiados do Brasil. Em 1992, fugindo de sua linha editorial, lançou *Muitas vidas, muitos mestres*, de Brian Weiss, livro que deu origem à Editora Sextante.

Fã de histórias de suspense, Geraldo descobriu *O Código Da Vinci* antes mesmo de ele ser lançado nos Estados Unidos. A aposta em ficção, que não era o foco da Sextante, foi certeira: o título se transformou em um dos maiores fenômenos editoriais de todos os tempos.

Mas não foi só aos livros que se dedicou. Com seu desejo de ajudar o próximo, Geraldo desenvolveu diversos projetos sociais que se tornaram sua grande paixão.

Com a missão de publicar histórias empolgantes, tornar os livros cada vez mais acessíveis e despertar o amor pela leitura, a Editora Arqueiro é uma homenagem a esta figura extraordinária, capaz de enxergar mais além, mirar nas coisas verdadeiramente importantes e não perder o idealismo e a esperança diante dos desafios e contratempos da vida.

JULIA QUINN
— E —
SHONDA RHIMES

RAINHA CHARLOTTE

Inspirado na série original Rainha Charlotte, criada para a Netflix pela Shondaland

Título original: *Queen Charlotte*
Copyright © 2023 por Julie Cotler Pottinger e Shonda Rhimes
Copyright da tradução © 2023 por Editora Arqueiro Ltda.

Todos os direitos reservados. Nenhuma parte deste livro pode ser utilizada ou reproduzida sob quaisquer meios existentes sem autorização por escrito dos editores.

tradução: Livia de Almeida
preparo de originais: Sheila Louzada
revisão: Carolina Rodrigues e Taís Monteiro
projeto gráfico e diagramação: Ana Paula Daudt Brandão
adaptação de capa: Natali Nabekura
fotografia de capa: © Netflix 2023. Usado com permissão
imagem de capa: © Drunaa / Trevillion Images (fundo), © Shutterstock
impressão e acabamento: Associação Religiosa Imprensa da Fé

CIP-BRASIL. CATALOGAÇÃO NA PUBLICAÇÃO
SINDICATO NACIONAL DOS EDITORES DE LIVROS, RJ

Q64r

    Quinn, Julia, 1970-
    Rainha Charlotte / Julia Quinn, Shonda Rhimes ; [tradução Livia de Almeida]. - 1. ed. - São Paulo : Arqueiro, 2023.
    352 p. ; 23 cm.

    "Inspirado na série original Rainha Charlotte, criada para a Netflix pela Shondaland."
    Tradução de: Queen Charlotte
    ISBN 978-65-5565-486-8

    1. Ficção americana. I. Rhimes, Shonda. II. Almeida, Livia de. III. Título.

23-82993	CDD: 813
	CDU: 82-3(73)

Gabriela Faray Ferreira Lopes - Bibliotecária - CRB-7/6643

Todos os direitos reservados, no Brasil, por
Editora Arqueiro Ltda.
Rua Funchal, 538 – conjuntos 52 e 54 – Vila Olímpia
04551-060 – São Paulo – SP
Tel.: (11) 3868-4492 – Fax: (11) 3862-5818
E-mail: atendimento@editoraarqueiro.com.br
www.editoraarqueiro.com.br

Para Lyssa Keusch.
Só não vou ficar com saudade pois ainda seremos amigas.
E também para Paul. Vou dizer bem aqui:
FOI TUDO IDEIA SUA.

– J. Q.

Para minhas filhas. Cada uma de vocês é uma rainha.

– S. R.

Querido e amável leitor,

Esta é a história da rainha Charlotte da série Bridgerton.
*Não é uma aula.
É ficção inspirada por fatos.
Todas as liberdades tomadas pelas autoras foram intencionais.*

Aproveite.

Querido leitor,

A época mais fria do ano se tornou ainda mais fria com a triste notícia da morte da princesa real. A neta dos queridos rei George III e rainha Charlotte faleceu no parto, assim como o bebê.

Embora nossos corações sofram pela perda da princesa real, nossas mentes sofrem ainda mais pelo futuro da própria monarquia. Pois a Coroa precisa agora enfrentar uma crise. Uma crise que imagino que a rainha Charlotte considere bastante penosa depois de dominar com punho de ferro os esforços casamenteiros da alta sociedade e do mercado matrimonial.

Esta autora, assim como toda a Inglaterra, só pode esperar que a rainha finalmente canalize suas energias casamenteiras para sua própria família. Afinal de contas, Sua Majestade tem treze filhos e, até o momento, nenhum herdeiro real foi por eles gerado. Isto é, nenhum legítimo.

É de se pensar: será que não passa de conversa todo o conhecimento da rainha sobre como fazer um bom casamento?

Crônicas da Sociedade de Lady Whistledown,
10 de novembro de 1817

Cinquenta e seis anos antes...

CHARLOTTE

*Essex, Inglaterra
London Road
8 de setembro de 1761*

Como todos os membros da aristocracia alemã, a princesa Sophia Charlotte de Mecklenburg-Strelitz era detentora de numerosos nomes. Sophia era o nome da avó materna, Sophia Albertine de Erbach-Erbach, condessa por nascimento e duquesa por casamento. Charlotte era uma homenagem ao pai, Charles Louis Frederick de Mecklenburg-Strelitz, que fora o segundo filho, mas morrera antes de assumir a posição de chefe da família. E havia as numerosas terras e propriedades com nomes duplos que compunham a herança da princesa. Mecklenburg-Strelitz e Erbach-Erbach, naturalmente, mas também Hildburghausen, Schwarzburg-Sondershausen e, se alguém quisesse ir ainda mais longe na linhagem, Waldeck-Eisenberg.

Ela apreciava todos os nomes e tinha orgulho de cada um deles, mas o que mais prezava era o apelido Lottie.

Lottie. Bem simples, mas não era a isso que se devia sua preferência. Afinal de contas, dificilmente poderia ser descrita como uma mulher de gostos simples. Adorava perucas bem altas e vestidos exuberantes e tinha a convicção de que ninguém em sua família admirava tanto as complexidades da música ou da arte quanto ela.

Não era uma criatura simples.

Não mesmo.

Mas gostava de ser chamada de Lottie. Gostava porque quase ninguém usava aquele nome. Era preciso *conhecê-la* para chamá-la assim.

Era preciso saber, por exemplo, que na primavera sua sobremesa preferida era torta de damasco com framboesa e, no inverno, strudel de maçã. Na verdade, adorava frutas e doces, de modo que qualquer doce à base de frutas tinha sua predileção máxima.

Quem a chamava de Lottie também sabia que, quando menina, ela adorava nadar no lago próximo de sua casa (quando fazia um pouco de calor, o que raramente acontecia). Sabia também que, quando a mãe proibira esse hábito (declarando que a garota estava crescida demais para algo tão frívolo), Charlotte ficou três semanas sem falar com ela. A paz só foi restabelecida depois que Charlotte redigiu um documento legal surpreendentemente minucioso que delineava os direitos e as responsabilidades de todas as partes envolvidas. A mãe não se deixou persuadir de imediato pelos seus argumentos, mas Adolphus, o irmão mais velho, interveio na situação. Charlotte tinha feito uma boa argumentação. Demonstrara lógica e inteligência e com certeza deveria ser recompensada por isso.

Tinha sido Adolphus quem a apelidara de Lottie. E esse era o verdadeiro motivo para que o apelido fosse sua forma de tratamento preferida. Tinha sido concedido por seu irmão preferido.

Quer dizer, o irmão que *um dia* foi seu preferido.

– Que cara de estátua é essa? – comentou Adolphus, sorrindo, como se ela não tivesse passado as últimas três semanas implorando para não se casar com um desconhecido.

Charlotte queria ignorá-lo. Mais do que isso, gostaria de nunca mais ter que dirigir uma única palavra a ele pelo resto da vida, mas até ela reconhecia que era uma teimosia vã. Além do mais, os dois se encontravam dentro de uma carruagem, no sudeste da Inglaterra, com um longo caminho pela frente, mesmo depois de já terem percorrido um grande trecho dele.

Estava entediada e furiosa, o que nunca era uma boa combinação.

– Estátuas são obras de arte – respondeu ela num tom gélido. – A arte é bela.

O irmão sorriu. Maldito fosse.

– Arte é algo belo de contemplar – disse ele, com certo bom humor. – Já você está apenas ridícula.

– Por que diz isso? – retorquiu Charlotte.

Ele deu de ombros.

– Você está absolutamente imóvel há seis horas.

Ah, não. *Ah, não.* Ele não deveria ter tocado naquele assunto. Charlotte encarou-o com seus olhos escuros transmitindo uma ferocidade aterrorizante.

– Estou usando seda de Lyon. Incrustada com safiras da Índia. Com uma sobreposição de rendas de dois séculos atrás.

– E está linda. – Ele estendeu o braço para bater de leve no joelho da irmã, mas retirou a mão com pressa ao ver a expressão dela.

Uma expressão assassina.

– Aparentemente, o excesso de movimento pode fazer com que as safiras rasguem a renda – grunhiu Charlote. Literalmente grunhiu. – Você quer que eu rasgue a renda? *Quer?*

Ela não esperou uma resposta. Ambos sabiam que a pergunta havia sido retórica.

– Como se não bastasse – prosseguiu Charlotte –, meu espartilho foi feito com barbatanas de baleia.

– Barbatanas de baleia?

– Sim, de baleia, meu irmão. Barbatanas de baleia. *Baleias morreram por minha aparência.*

Adolphus soltou uma gargalhada.

– Lottie...

– Não ouse. Não me chame de Lottie como se você se importasse comigo.

– Você sabe que me importo, *Liebchen*.

– Ah, é? Porque não parece. Parece que amarraram meus braços e pernas como se eu fosse uma porca após a engorda e estivesse prestes a ser colocada no altar como sacrifício.

– Charlotte...

Ela arreganhou os dentes.

– Vai colocar uma maçã na minha boca?

– Charlote, *pare*. Você foi escolhida por um rei. É uma grande honraria.

– Aí está – disparou Charlotte. – É por *isso* que estou zangada. As mentiras. Você não para de mentir.

Ela não suportava aquilo, a infinidade de mentiras. Aquilo não era honraria nenhuma. Ela não sabia como classificar a situação, mas, definitivamente, honraria não era.

O rei George III da Grã-Bretanha e Irlanda tinha aparecido do nada (ou melhor, os *representantes* do rei; ele não havia se dignado a fazer uma aparição) e decidira, de forma inexplicável, que ela, Sophia Charlotte de Mecklenburg-Strelitz, seria sua próxima rainha.

Mecklenburg-Strelitz. A comitiva real tinha ido até a distante *Mecklenburg-Strelitz*. Charlotte amava aquele lugar, seu lar, com seus lagos plácidos e gramados verdejantes, mas estava ciente de que Mecklenburg-Strelitz era considerado um dos estados menos importantes de todo o Sacro Império Romano-Germânico.

Isso sem falar da distância. Os conselheiros do rei precisaram navegar um grande trecho, passando por dezenas de ducados e principados (e suas dezenas de duquesas e princesas), para chegar a Mecklenburg-Strelitz.

– Eu não minto para você, Charlotte – disse Adolphus. – É um fato: você foi escolhida.

Se conseguisse se mexer dentro daquele espartilho de barbatanas de baleia, Charlotte teria se virado para encará-lo. Como não era possível, foi obrigada a lançar apenas um olhar glacial de esguelha para o irmão.

– E foi muito difícil ser escolhida? – questionou ela. – Do que eles precisam? Nada de especial. Alguém que possa gerar muitos filhos. Alguém que saiba ler. Alguém que domine as regras sociais. Alguém com sangue real. É só isso que exigem.

– Isso não é pouco, *Liebchen*.

– Isso *não é* uma grande honraria. E você poderia ter mandado escolherem outra. Alguma moça estúpida a ponto de desejar isso.

– Eles não queriam uma estúpida. Queriam você.

Deus do céu, não era possível que ele fosse tão burro.

– Adolphus, pense – implorou Charlotte. – Por que eu? Ele poderia ter escolhido qualquer uma. Mas não. Atravessaram o continente à minha procura. Deve haver uma razão.

– Porque você é especial.

– Especial?

Charlotte não conseguia acreditar em tamanha ingenuidade. Não, Adolphus não era ingênuo. Estava apenas tentando acalmá-la como se ela fosse uma criança boba, cega ou estúpida, incapaz de reconhecer a teia de perfídia tecida a seu redor.

– Sou uma desconhecida para eles. E eles são desconhecidos para nós. Você não pode achar que sou tão ingênua assim. Há um motivo para quererem a mim, uma desconhecida. E não pode ser coisa boa. Sei que não pode ser bom porque você não olhou nos meus olhos desde que me deu a notícia.

Adolphus levou um momento para falar. E, quando enfim falou, suas palavras foram vazias.

– É uma coisa boa, Lottie. Você vai ser feliz.

Ela fitou aquele homem a quem pensava conhecer melhor do que ninguém. Era seu irmão, o chefe da família desde a morte do pai, nove anos antes. Ele tinha jurado protegê-la. Tinha lhe dito que ela era boa e digna, e Charlotte *acreditara*.

Ela deveria ter imaginado. Adolphus era homem e, como todos os homens, via as mulheres como peões a serem movidos por toda a Europa, sem jamais pensar na felicidade delas.

– Você não sabe de nada – murmurou Charlotte.

Ele ficou em silêncio.

– Proclama que serei feliz como se fosse possível saber o futuro. Como se suas simples palavras pudessem garantir minha felicidade. Você alguma vez me perguntou qual era minha vontade? Não.

Adolphus soltou o ar com exasperação. Charlotte percebia que estava testando os limites da paciência dele. Mas não se importou, e sua fúria a tornou imprudente.

– Mande a carruagem dar meia-volta – anunciou ela. – Não vou me casar.

Adolphus assumiu uma expressão dura ao ouvir isso.

– Eu assinei o contrato de noivado. Você vai se casar, sim.

– Não vou.

– Vai.

– Irmão. – Ela tentou dar um sorriso insuportavelmente agradável. – Mande a carruagem dar meia-volta, senão vou me sacudir. Quer saber o que acontecerá se eu fizer isso?

– Aposto que vai me dizer.

– Esse meu espartilho, feito com as melhores e mais caras barbatanas de baleia do mercado, é um tanto delicado. É também muito, muito afiado. E, claro, estou no auge da moda, então este espartilho está bem apertado. – Charlotte cutucou a barriga para enfatizar, mas acabou ficando ainda mais desolada ao perceber que tinha perdido toda a sensibilidade. Era como se estivesse batendo numa parede

– Gostaria de afrouxá-lo? – sugeriu Adolphus.

– Não, não vamos afrouxá-lo – sibilou ela em resposta. – Preciso chegar impecável para ser exibida, o que significa que preciso continuar amarrada a esta monstruosidade. E isso significa que, se estou com a aparência de uma estátua, ridícula a seus olhos, é porque não consigo me mexer. Ou melhor: *não ouso* me mexer. Meu vestido é tão elegante que se eu me mexer demais corro o risco de morrer fatiada e perfurada pela minha roupa de baixo.

Adolphus apenas a encarou sem nada dizer.

– Que felicidade é ser uma dama – resmungou ela.

– Você está chateada.

Ela teve vontade de matá-lo.

– Charlotte...

– É uma opção viável – disse ela. – Me mexer. Pensei nisso. Escolher ser morta pela minha roupa de baixo. Deve haver alguma ironia na situação, embora confesse que ainda não a perceba. Humor, sim. Ironia... não sei muito bem.

– Charlotte, estou falando sério. Pare com isso.

Mas ela não podia parar. Sua mente estava em chamas. Sua fúria era justificada, e ela estava morrendo de medo, e a cada quilômetro era arremessada em direção a um futuro que não compreendia. Sabia o que estava acontecendo, mas não sabia por quê. E por isso se sentia burra e pequena.

– Temos quanto tempo? Uma hora? – insistiu ela. – Se eu for diligente com os movimentos, acredito que conseguiria morrer antes de chegarmos a Londres.

Adolphus conteve um gemido.

– Como disse, você está chateada. Emotiva. Compreendo que...

– Você compreende? Jura? Eu adoraria ouvir sobre isso. Porque não estou chateada. Nem emotiva. Estou com ódio. E não consigo respirar. E tudo graças a você, meu irmão.

Ele cruzou os braços.

– É o que eu vou fazer – ameaçou ela. – Vou me sacudir e me deixar empalar por este espartilho ridículo e sangrar até morrer.

– *Charlotte!*

Naquele momento, ela finalmente calou a boca. Adolphus raramente falava com ela naquele tom. Na verdade, talvez fosse a primeira vez.

Diante de seus olhos, o irmão simpático desapareceu, sendo substituído por um duque de Mecklenburg-Strelitz poderoso e austero. Era desconcertante. Enfurecedor. E fez a garotinha que ainda morava bem no fundo do coração de Charlotte ter vontade de chorar.

– Sei que deveria ter sido mais firme com você quando nossos pais morreram – disse ele. – Permiti que lesse demais e atendi a todos os seus caprichos e desejos frívolos. Por isso, assumo toda a responsabilidade por você ser tão teimosa e achar que pode tomar decisões. Não pode. Eu dou as ordens. Você vai se casar.

– Não sei por que você não pode simplesmente...

– Porque eles são o Império Britânico e nós somos uma província minúscula na Alemanha! – rugiu ele em resposta.

Charlote se encolheu. Só um pouquinho.

– Não tivemos escolha – continuou ele. – *Eu* não tive escolha. Quer um motivo? Muito bem. Não tenho motivos. Não existe uma boa razão. Na verdade, a razão pode ser terrível. Sei que ninguém como você ou como eu nunca se casou com uma dessas pessoas. Nunca. Mas não posso questionar! Porque não posso transformar em inimiga a nação mais poderosa do mundo. Está feito. – Ele se inclinou para a frente, exalando raiva, impaciência e até mesmo resignação. – Então cale a boca, cumpra seu dever com nosso país e *seja feliz*!

Charlotte estremeceu. Porque finalmente Adolphus não estava mentindo. Sua pele era marrom. Marrom como chocolate, como madeira escura, intensa. Ela não precisava pôr os olhos sobre o rei George III da Grã-Bretanha e Irlanda para saber que a pele dele não era igual à dela.

Então por quê? *Por que* ele estava fazendo aquilo? Sabia o que europeus de pele clara diziam sobre pessoas como ela. Por que ele "poluiria" sua linhagem com uma moça de antepassados mouros? Sua árvore genealógica levava até a África e não era preciso recuar muitas gerações para chegar até lá.

Por que ele a queria?

O que estava escondendo?

– *Liebchen* – disse Adolphus. Ele suspirou e sua expressão se suavizou. Voltara a ser apenas seu irmão mais velho. – Sinto muito. Mas existem destinos piores do que se casar com o rei da Inglaterra.

Charlotte engoliu em seco e pôs-se a observar a paisagem campestre inglesa que desfilava por sua janela. Era verde e transbordante de vida. Campos e florestas, pequenos vilarejos com igrejinhas e ruas pitorescas. Não parecia tão diferente de sua terra natal, embora não tivesse visto um único lago.

Será que era demais querer um lago?

– Algum dia voltarei a Schloss Mirow? – perguntou ela, baixinho.

O olhar do irmão ficou melancólico, talvez até um pouco triste.

– É improvável – admitiu ele. – Você não vai querer. Dentro de um ano vai nos considerar rústicos demais para seu gosto.

Charlotte teve a estranhíssima sensação de que, se estivesse em outro lugar, com outra pessoa, talvez chorasse. No dia anterior, suas lágrimas teriam escorrido. Quentes e zangadas, com toda a intensidade de sua juventude.

Agora, porém, estava prestes a se tornar uma rainha. Não chorou. O que quer que existisse dentro das pessoas que formasse as lágrimas, levando ao choro, tinha sido desligado.

– Recoste-se – disse ela, então pousou as mãos com firmeza no colo. – Está colocando meu vestido em perigo. Preciso estar perfeita na chegada, esqueceu?

Seu palácio a esperava.

GEORGE

Palácio de St. James
Londres
8 de setembro de 1761

Na maior parte do tempo, George não se incomodava de ser o rei.

As vantagens eram evidentes. Tinha mais dinheiro do que era possível gastar, inúmeros palácios que lhe serviam de lar e um verdadeiro esquadrão de criados e conselheiros, todos ávidos por satisfazer cada capricho seu.

Chocolate quente pela manhã com exatas três colheres de açúcar? Aqui está, Vossa Majestade, servido num prato com friso prateado.

Um exemplar de *História das plantas suculentas*, de Richard Bradley? Mas é claro. Não importa que tenha sido publicado há mais de 20 anos, vamos providenciar imediatamente!

Um pequeno elefante? Talvez leve alguns meses, mas vamos começar a busca agora mesmo.

É bom registrar que George não solicitara um elefante. Nem pequeno nem grande. Mas ele bem que se animava em saber que poderia fazer isso.

Então, sim, ser rei era, em grande parte do tempo, delicioso. Não sempre. Só que ele não podia se queixar, porque só um *patife* sairia por aí reclamando de ser rei.

Mas também tinha seus inconvenientes. A ausência quase absoluta de privacidade, por exemplo. Como agora mesmo. Um homem normal poderia talvez apreciar o momento de ser barbeado por seu criado pessoal sem ouvir nada além do canto dos pássaros que vinha pela janela aberta. O quarto de vestir de George, porém, tinha sido invadido tanto por sua mãe quanto por um de seus conselheiros.

E nenhum dos dois demonstrava a menor disposição de calar a boca.

– Ela estava experimentando o vestido quando a deixei – disse a princesa Augusta.

– Tudo está correndo como deve – murmurou lorde Bute.

– Ela queria usar alguma monstruosidade de Paris. De Paris!

Bute assentiu, um movimento um tanto diplomático que não indicava concordância nem discordância.

– Acredito que a capital francesa seja reconhecida como um centro da moda.

George fechou os olhos. Era estranho, realmente, mas as pessoas pareciam falar com mais liberdade em sua presença quando ele estava de olhos fechados, como se assim ele não fosse *ouvi-las*.

Não era um artifício que George tivesse condições de empregar com frequência. Não podia fechar os olhos sentado no trono ou ao receber chefes de Estado, por exemplo, mas em ocasiões como aquela, recostado com uma toalha quente no rosto e no pescoço enquanto esperava que o criado chegasse com sabão e uma navalha afiada, podia ser uma experiência bem reveladora.

Pois a discussão de sua mãe com lorde Bute girava em torno da noiva de George, algo que não seria tão notável não fosse pelo fato de que George ainda não a conhecia e de que o casamento se daria dali a seis horas.

Era assim a vida de um rei. Seria de imaginar que um ser ungido por Deus tivesse o direito de pôr os olhos em sua noiva antes de se casar com ela, mas não. Um rei se casava por seu país, e não para satisfazer os anseios de seu coração ou suas partes baixas. Não era imprescindível que ele visse Sophia Charlotte de Mecklenburg-Strelitz antes de pronunciarem os votos. Na verdade, poderia ser até melhor não vê-la.

Mesmo assim, ele estava curioso.

– Ela está se casando com um rei inglês, precisa usar um vestido inglês – dizia a mãe. – Viu o que ela usava essa manhã quando foi apresentada a mim?

– Infelizmente não notei, senhora.

– Enfeites e babados. Um exagero para uma visita matinal. E safiras. Em plena luz do dia. E renda feita por freiras. Freiras! Será que ela acha que somos católicos?

– Estou certo de que ela só queria causar uma boa impressão em sua futura sogra – insistiu Bute.

A princesa Augusta bufou.

– Essa gente do continente... São muito cheios de si.

George se permitiu um sorriso. A mãe nascera sob o nome de Augusta de Saxe-Gotha-Altenburg. E não havia nada tão plantado no meio do continente quanto Gotha.

Mas Augusta era princesa da Grã-Bretanha havia 25 anos. Mais de metade da vida. Deveria ter se tornado rainha, mas tal honra lhe foi negada quando o pai de George, então príncipe de Gales, foi atingido no peito por uma bola de críquete, morrendo pouco depois. A Coroa então saltou uma geração, passando de avô para neto, e, não tendo marido para se tornar rei, Augusta não poderia ser rainha.

No entanto, ela se devotara àquele país. Tinha dado à luz nove príncipes e princesas, todos falantes do inglês como língua materna. George julgava compreensível que a mãe tivesse passado a se considerar britânica por inteiro.

– Mas a moça é bela – disse Bute. – Um rosto deveras agradável. E ela se portou muito bem. Pode-se dizer que tem uma postura régia.

– Sim, claro – concordou Augusta. – Mas ela é muito marrom.

George abriu os olhos. Aquilo era inesperado.

– A terra é marrom – disse ele.

A mãe se voltou para ele.

– O que a terr...– começou a mãe, depois de uma pausa que não pareceu longa o suficiente para capturar toda a extensão do raciocínio de George. – O que isso tem a ver com a situação?

– Amo a terra – respondeu George, achando que era explicação suficiente.

– Como todos nós – murmurou Bute.

George o ignorou. Ele não se *incomodava* com Bute. Era um sujeito muito prestativo e os dois tinham em comum o amor pela filosofia natural e pelas ciências. Mas também era irritante com certa frequência.

– A terra é marrom – repetiu George. – Dela desponta toda a vida, toda a esperança. É marrom. E bela.

A mãe ficou olhando para ele. Bute ficou olhando para ele. George apenas deu de ombros.

– Bem – insistiu a mãe –, o fato é que ninguém nos *contou* que ela era tão marrom.

– E isso é um problema? – perguntou George.

Ele voltou a fechar os olhos. Reynolds, o criado, tinha chegado com a navalha e era mais relaxante ficar assim. Se bem que, pensando racionalmente, talvez não devesse se sentir relaxado *demais* com uma navalha no pescoço.

– Claro que não – respondeu ela, depressa. – *Eu* não me importo em absoluto com a cor dela.

– Certamente se importaria se ela fosse roxa.

Silêncio. George sorriu por dentro.

– Você está me fazendo ficar com enxaqueca – disse por fim a mãe.

– Há numerosos médicos no palácio – respondeu George, muito prestativo.

E era verdade. Havia muito mais médicos do que seria necessário a qualquer pessoa.

Exceto se essa pessoa fosse um rei, aparentemente. Um rei exigia numerosos médicos. Ainda mais *aquele* rei.

– Ora, você sabe que não estou com enxaqueca de verdade – disse a mãe, contrariada. – Mas falemos sério, George: poderia permitir que eu termine?

Ele fez um gesto de anuência com a mão. Era um trejeito régio. Havia aprendido aquilo ainda bem jovem e serviu bem ao momento.

– Não estamos preparados para uma moça tão marrom – disse a mãe.

– De fato – opinou lorde Bute, o que não acrescentava nada à conversa.

– E não sai.

George abriu os olhos de repente.

– O quê?

– Não sai – repetiu a princesa. – Eu esfreguei o rosto dela para ter certeza.

– Por Deus, mãe – disse George, quase se levantando.

Reynolds deu um salto para trás, bem a tempo de evitar cortar o pescoço do rei com a navalha.

– Por favor, me diga que não tentou esfregar a pele da minha prometida até a cor sair – disse George.

A mãe dele se indignou.

– Não foi por mal.

– Qualquer que tenha sido sua intenção, você…

Ele parou, apertando a ponte do nariz. *Não se exalte não se exalte não se exalte.* Era importante permanecer calmo. Só assim poderia dar o melhor de si. Era quando perdia a calma que sua mente disparava, e tudo de que ele não precisava naquele momento (em momento nenhum, na verdade) era que sua mente disparasse.

Calma. Calma.

Ele tomou fôlego.

– A senhora não é uma mulher de pouca inteligência, mãe. Tenho certeza de que percebe que foi um gesto bastante rude.

A postura da princesa Augusta, normalmente já bem ereta, ficou ainda mais impossivelmente rígida.

– Sou a mãe do rei. Acima de mim não há ninguém além de você. Portanto é tecnicamente impossível que eu seja rude com qualquer pessoa exceto você.

– Seu argumento não se sustenta – disse George. – Já esqueceu que, ao cair da noite, ela será rainha? Com toda a certeza estará acima de você.

– Em posição social, talvez.

– Não era exatamente disso que estava falando?

Mas a princesa não era muito afeita à lógica quando a lógica contrariava seus argumentos.

– Ela é uma criança – pontuou Augusta.

– Tem 17 anos. Devo lembrá-la de que a senhora se casou aos 16?

– E é exatamente por isso que sei do que estou falando. Eu não tinha um pingo de maturidade quando me casei.

Aquelas palavras o surpreenderam. Era muito incomum que a mãe falasse de si mesma daquele modo.

– Ela vai precisar de orientação – prosseguiu a mãe. – Que eu lhe fornecerei.

– E ela lhe será profundamente grata – disse lorde Bute.

Sempre tão prestativo. George o ignorou e se voltou mais uma vez para a mãe.

– Tenho certeza de que ela ficará encantada em receber sua ajuda e seu apoio depois de ter sido tratada pela senhora como uma aberração.

Augusta deu uma leve fungada de pretenso desdém.

– Justo você, que tanto exalta as virtudes da ciência e da pesquisa... não deveria desdenhar da minha curiosidade. Ora, nunca encontrei alguém daquela cor. Não sei como funciona. Até onde sei, uma camada dupla de tintura de arsênio a deixaria com a minha cor.

George fechou os olhos. Santo Deus.

– Eu sabia que ela era *um pouquinho* escura – insistia Augusta.

– De fato – murmurou lorde Bute.

– Por que Harcourt não mencionou isso? – perguntou ela a Bute. – Ele a viu quando assinou os papéis, não viu?

– Ele mencionou certa presença de sangue mouro – admitiu Bute.

– *Certa presença*. Isso poderia significar qualquer coisa. Achei que seria da cor de café com leite.

– Creio que alguns poderiam descrevê-la assim.

– Não como o café com leite que *eu* costumo tomar.

– Bem, cada um coloca o leite na quantidade que...

– Parem! – rugiu George.

E eles pararam. Vantagem de ser rei.

– Vocês não vão falar da minha noiva como se ela fosse uma porcaria de uma xícara de café – disparou George.

A mãe arregalou os olhos ante aquela linguagem rude, mas segurou a língua.

– Vossa Majestade... – começou Bute.

George o silenciou com um gesto.

– Mãe – começou ele, esperando que o olhar da princesa se fixasse nele para só então prosseguir com a pergunta –, a senhora aprova ou não este casamento?

Augusta contraiu os lábios.

– Não importa se aprovo ou não.

– Basta de dissimulação. Aprova ou não aprova?

– Aprovo – respondeu ela. Com bastante firmeza. – Acredito que ela será boa para você. No mínimo, não fará mal.

– Não fará mal?

– A você. Não fará mal a você. – Em seguida, como se a questão implícita não fosse de conhecimento de todos os presentes, acrescentou: – Acredito que ela não exacerbará seu... sua condição.

Ali estava. *O assunto* em que nunca tocavam. A não ser quando ocorria e não havia opção.

A última vez tinha sido especialmente terrível. George não se lembrava de todos os detalhes. Nunca se lembrava, simplesmente acordava mais tarde sentindo-se exausto e confuso. Mas recordava-se de que estavam falando *dela*, de sua futura noiva. A jovem já estava a caminho, num navio que zarpara de Cuxhaven, mas uma vozinha na mente dele o alertou de que aquele não era um bom momento para uma viagem. Não era um momento *seguro* para uma viagem.

Ela perderia a lua.

Que diabo isso significava? Nem ele sabia, mas mesmo assim as palavras saíram de sua boca.

Ele não sabia ao certo o que se passara a seguir. Como sempre, grandes trechos de sua memória tinham desaparecido. George sempre visualizava o fenômeno como uma névoa, esvaindo-se de sua boca enquanto ele dormia, tornando-se mais suave e mais difusa até ser dissipada pelo vento.

A memória como névoa. Seria poético se não fosse a memória *dele*.

Depois, George só se lembrava de ter acordado no Colégio Real de Médicos. Foi como despertar de uma soneca. A mãe estava lá, junto com um pequeno grupo de médicos.

Um deles tinha até sido útil.

Ao menos uma vez na vida.

– Posso prosseguir, Vossa Majestade?

George olhou para Reynolds, que permanecera em silêncio durante toda a conversa, navalha na mão. George ergueu o dedo, sinalizando que precisava de mais um momento, e virou-se para a mãe.

– A senhora diz que aprova este casamento, mas parece apreensiva. Eu gostaria que explicasse.

Augusta levou alguns instantes para responder.

– Vamos precisar fazer alguns ajustes. Depressa.

– As pessoas vão comentar – acrescentou lorde Bute.

– As pessoas vão comentar – concordou ela. – É um problema. Não queremos que pensem que não sabíamos.

– Que não sabíamos que ela tem a pele marrom? – perguntou George.

– Exatamente. Precisamos fazê-los pensar que foi uma escolha intencional. Para expressar uma intenção pública: desejamos unir a sociedade.

– Já fizemos os acordos comerciais – opinou lorde Bute. – Mas *poderiam* ser cancelados.

– Não podemos cancelar as núpcias reais a horas da cerimônia – afirmou Augusta, incisiva.

– Por Deus, não – murmurou George.

Mal podia imaginar a natureza dos boatos que se seguiriam.

– A alta sociedade talvez não a aceite – disse Bute. – É um problema.

Mas Augusta não admitiria isso.

– Somos o Palácio. Um problema só se torna um problema quando o Palácio diz que é um problema. É ou não é verdade?

Bute pigarreou.

– É verdade.

– E o rei é o chefe soberano da Igreja da Inglaterra e o governante desta magnífica terra. Portanto nada do que ele fizesse seria um problema para o Palácio. Seria, lorde Bute?

– Não seria.

– Pois então. Deve ser o que o Palácio desejava. Não deve, lorde Bute?

– Deve.

– Bem – Augusta falava num tom de quem tratasse de negócios –, então a escolha do rei só pode ter sido intencional. Para deixar claro, vamos ampliar a lista de convidados para o casamento. E acrescentar nomes à corte da nova rainha.

Bute arregalou os olhos.

– Está dizendo que...

– O *rei* está dizendo. – Ela levou a mão ao coração, a imagem encarnada da retidão feminina. – Sou apenas a mãe. Não digo nada.

George soltou uma gargalhada.

O único sinal de que Augusta o ouvira foi uma leve tensão em torno de sua boca. Ela mal chegou a fazer uma pausa antes de dizer a lorde Bute:

– *O rei* deseja ampliar a lista de convidados para o casamento e acrescentar nomes à corte da rainha.

George sorriu. Finalmente compreendia. Sua mãe era brilhante.

– Claro, Vossa Alteza. – Lorde Bute olhou para Augusta, depois para George e de novo para Augusta. – Mas... o rei sabe que o casamento acontecerá dentro de seis horas, não?

– Ele sabe – disse George com um sorriso.

– Os Danburys, talvez – sugeriu Augusta. – Seu avô falava deles, não?

– Não saberia dizer – admitiu George.

– Falava – disse Augusta com firmeza. – Não dos Danburys atuais, claro. Não os conheceu. Mas conheceu o Danbury pai. Dono de uma riqueza estupenda. Diamantes, creio eu. Da África. Está anotando, Bute?

– Sim – respondeu ele, buscando um papel às pressas.

George desejou-lhe boa sorte. Dificilmente encontraria algum naquele cômodo.

– Quem mais? – perguntou Augusta. – Os Bassets?

– Excelente escolha – disse Bute, ainda em busca de papel. E de uma pena. – Que tal os Kents?

Augusta assentiu.

– Sim, são adequados. Confiarei no senhor e em lorde Harcourt para determinar o restante, tenho certeza de que há mais nomes.

– Claro, Vossa Alteza Real. Prepararei os convites imediatamente. – Bute pigarreou. – Apesar da pouca antecedência. Talvez tenham outros planos.

Augusta fez um gesto no ar com a mão. Era algo régio, e George estava bastante convencido de que ela considerava aquilo tão útil quanto ele.

– Outros planos? – repetiu ela, a incredulidade expressa em seu rosto. – Quem não iria querer comparecer ao casamento real?

Agatha

*Palácio de St. James
Capela Real
8 de setembro de 1761*

Se soubesse que compareceria a um casamento real, Agatha Danbury teria usado um vestido melhor.

Não que houvesse algo errado com sua roupa naquele momento. Pelo contrário: o vestido, desenhado por madame Duville, uma das três maiores modistas de Londres, refletia as tendências mais recentes. O tecido era um jacquard de seda pura, num tom dourado lustroso, suntuoso, que Agatha sabia que combinava perfeitamente com seu tom escuro de pele. O peitilho também era magnífico: seguia a última moda, com um único laço sobre o peito e enfeitado também com bordados em prata e por um magnífico topázio nigeriano.

Então, sim, em termos objetivos, o vestido era deslumbrante.

O problema era que não tinha sido feito especificamente para ser usado num casamento real e qualquer um com um mínimo de bom senso sabia que para comparecer a um casamento real era preciso esvaziar o cofre e encomendar um traje especial para a ocasião.

No entanto, ao abrir os olhos pela manhã, Agatha não se encontrava de posse de um convite para as núpcias do rei George III com sua noiva alemã. Tampouco tinha qualquer expectativa de se encontrar a um braço de distância da realeza. O lado *dela* e o *deles* não se misturavam.

Nunca.

Mas ninguém ignorava convocações reais, de modo que, naquele momento, ela e o marido estavam sentados numa fileira surpreendentemente bem localizada na Capela Real, trocando olhares nervosos com outros de seu círculo.

Ela trocava olhares nervosos. O marido tinha adormecido.

Leonora Smythe-Smith, que sempre usava dez palavras quando bastavam cinco, virou-se para encará-la.

– O que estamos fazendo aqui? – cochichou.

– Não sei – respondeu Agatha.

– Já percebeu como estão nos olhando?

Agatha resistiu à tentação de retrucar um ríspido *Claro que eu percebi como estão nos olhando*. Para ser sincera, apenas uma pessoa completamente estúpida não perceberia os olhares hostis que vinham das fileiras ocupadas pela nobreza.

Nobreza que era inteiramente de pele branca.

E embora os Danburys e os Smythe-Smiths – bem como os Bassets, os Kents e um bom número de outras famílias proeminentes – desfrutassem de uma vida de riqueza e privilégios, ainda era uma espécie de riqueza e privilégio separada da tradicional aristocracia britânica. Devido à sua pele negra, Agatha nunca seria considerada uma companhia adequada para as filhas da nobreza, muito menos uma possível noiva para seus filhos.

Aquilo não a incomodava. Quer dizer, quase nunca. Na verdade, só incomodava em momentos como aquele, quando se encontrava no mesmo ambiente com duques, duquesas e seus semelhantes. Era tentador devolver o desdém e anunciar que ela também era descendente de reis e de rainhas, que seu nome de batismo era Soma e que em suas veias corria o sangue dos Gbo Mende, aldeia real de Serra Leoa.

Mas de que adiantaria? Eles não seriam capazes sequer de localizar Serra Leoa no mapa. Metade acharia inclusive que ela estava inventando o país.

Idiotas. O mundo era habitado por idiotas. Havia muito ela aprendera essa verdade, junto com o fato deprimente de que não havia muito o que pudesse fazer a respeito.

Essa era a vida de uma mulher, qualquer que fosse a cor de sua pele.

Agatha olhou de soslaio para o marido. Ainda dormia. Ela o cutucou.

– Que foi? – balbuciou ele.

– Você estava dormindo.

– Que nada.

Viu só? Idiotas.

– Eu jamais dormiria na Capela Real – disse ele, tirando fiapos do colete de veludo.

Agatha balançou a cabeça, incrédula. Como ele havia conseguido sujar o casaco no caminho de casa até o Palácio de St. James?

O marido era... não era sua pessoa preferida no mundo. Ela imaginava que seria um modo gentil de descrevê-lo. Ele fazia parte de sua vida desde os 3 anos, quando os pais a prometeram em casamento.

Enquanto era criada para ser a esposa perfeita, ela se perguntara que tipo de homem firmava um contrato de compromisso com uma criança de 3 anos. Herman Danbury já havia passado dos 30 ao assinar os papéis. Com certeza, se estivesse ansioso por herdeiros, teria escolhido alguém que pudesse fornecê-los um pouco mais depressa.

Ela teve as respostas para essas perguntas depois do casamento. Tratava-se apenas de uma questão de linhagem. Danbury também tinha sangue real e se recusava a misturá-lo com qualquer uma que não fosse parte da elite mais exclusiva da sociedade afro-britânica. Além do mais, como ele lhe informou com animação, garantiu a si mesmo mais catorze anos de vida de solteiro. Que homem não se deleitaria com isso?

Agatha suspeitava que havia um bom número de bastardos Danbury espalhados por todo o sudeste da Inglaterra. Desconfiava também que o marido fornecia pouco ou nada para o sustento daquelas crianças.

Deveria ser um crime. Deveria mesmo.

Bem, ao menos ele havia parado de gerar filhos com outras depois do casamento. Agatha sabia disso porque ele dissera de forma bastante explícita que ela satisfazia todas as suas necessidades. E, considerando a frequência com que ela se via satisfazendo tais necessidades, ela acreditava nele.

Estava satisfazendo as necessidades dele naquela manhã quando o convite real chegara. Como resultado, não tivera tempo de tomar seu banho morno pós-coito, como de hábito. Estava dolorida. E possivelmente com a pele sensibilizada.

Quer dizer, mais dolorida e sensibilizada que o normal.

Mas estava disposta a ignorar o desconforto porque, número um, não tinha escolha e, número dois, estava *no casamento real*.

Coisas espantosas assim não aconteciam com frequência na vida de uma pessoa. E nunca haviam acontecido na dela.

– Já não deveriam ter começado a esta altura? – perguntou a Sra. Smythe-Smith.

Agatha deu de ombros.

– Não sei – sussurrou, porque seria indelicado não dar nenhuma resposta.

– O rei chegará quando o rei quiser chegar – disse Danbury. – É o rei.

Essa proclamação foi pronunciada num tom tão pomposo que quem ouvisse poderia até achar que Danbury realmente tinha alguma experiência com reis.

Ele não tinha. Disso, Agatha estava certa.

Mas o marido tinha razão num ponto, ponderou ela: um rei podia fazer qualquer coisa que desejasse, inclusive chegar atrasado ao próprio casamento.

Ou convidar para a cerimônia toda a elite de pele negra de Londres.

Agatha arriscou uma olhada para o lado oposto da capela. Nem toda a nobreza a encarava com desprezo. Alguns pareciam apenas curiosos.

Sua vontade era dizer *Não olhe para mim. Estou tão confusa quanto vocês.*

Pelo menos havia muito o que olhar enquanto esperava. A Capela Real era tão esplendorosa quanto imaginara. Não estava decorada no estilo rococó em voga, o que a surpreendeu. Imaginara que a decoração do palácio seria mais moderna.

Mas aquele estilo mais simples era belo e, francamente, mais a seu gosto. O teto, especificamente, era um assombro. Decorado com esmero e pintado pelo próprio Hans Holbein. Pelo menos era o que Agatha havia lido. Sempre se interessara por arquitetura e decoração. Os painéis embutidos lhe lembravam favos de mel e cada um era…

– Não fique de boca aberta – ralhou Danbury.

Agatha baixou a cabeça e o olhar na mesma hora.

– Está parecendo uma camponesa deslumbrada. Tente se comportar como se já tivesse estado aqui antes – disse ele.

Agatha revirou os olhos assim que ele se virou para outro lado. Como se *alguém* fosse supor que algum deles já tivesse posto os pés no palácio.

Mas ela sabia o que aquilo significava para Herman. A vida dele tinha sido uma sequência de "quases". *Quase* pertencia. *Quase* fora aceito. Estudara em Eton, mas tinha obtido permissão para participar das equipes? Frequentara Oxford, mas tinha sido convidado para fazer parte de algum dos clubes secretos tão especiais?

Não, claro que não. Tinha dinheiro, educação, tinha até uma linhagem real africana. Mas sua pele era negra, por isso ele jamais seria aceito pela alta sociedade.

E aí se encontrava a grande contradição da vida de Agatha. Ela não gostava do marido. Não gostava mesmo. Mas sentia sua dor. Por todas as humilhações que consumiam seu coração. Às vezes ela se perguntava se ele teria se tornado um homem diferente caso tivesse conseguido cumprir todo o seu potencial. Se não tivesse sido pisado ou empurrado sempre que se aproximava de suas metas.

Se a sociedade o tivesse enxergado como o homem que ele realmente era, talvez ele a tivesse encarado como a mulher que *ela* realmente era.

Ou talvez não. A sociedade estava cheia de homens que viam as mulheres como nada além de acessórios e máquinas reprodutoras.

De qualquer maneira, Agatha se perguntava.

– Ah! – ganiu a Sra. Smythe-Smith.

Agatha seguiu o olhar dela até os fundos da capela. Alguém importante estava chegando.

Todos se levantaram.

– É o rei? – perguntou Danbury.

Agatha balançou a cabeça.

– Não consigo ver. Acho que não.

– É a princesa! – disse a Sra. Smythe-Smith.

– Qual delas? – cochichou Agatha. Seria a noiva? Ou uma das irmãs do rei?

– A princesa Augusta.

A mãe do rei. Agatha prendeu a respiração. A princesa Augusta era, sem sombra de dúvida, a mulher mais importante do país. Uma rainha sob todos os aspectos, menos no título. Havia muito que se dizia ser ela o verdadeiro poder por trás do trono.

A congregação se levantou como se fosse uma única pessoa. Agatha esticou o pescoço para ver melhor. Dane-se que ficasse parecendo uma camponesa, queria dar uma olhada na princesa. Além do mais, o próprio Danbury estava de costas para ela e provavelmente de queixo caído.

A princesa Augusta se movimentava como uma rainha, ou pelo menos da forma que Agatha imaginava que uma rainha se movimentaria: com graça e propósito, o leque como uma extensão elegante do braço direito. As costas eretas como uma lança. Se estava oprimida pelo evidente peso do vestido (só o tecido devia pesar uns seis quilos), não dava o menor sinal.

Como seria ter tantos olhares sobre si? Agatha não conseguia imaginar. Ser o centro de tanta atenção, provavelmente todos os dias. Devia ser exaustivo.

Mas o poder... Fazer o que quisesse, ver quem quisesse e, o que era mais importante, *não* ver aqueles a quem desejava evitar.

Infelizmente, Agatha também não podia imaginar como seria isso.

Conseguiu ver melhor a princesa Augusta quando ela avançou pelo corredor central. Parecia olhar para ninguém e para todos ao mesmo tempo, como se dissesse: *Vejo todos vocês, mas não são dignos da minha atenção.* Os olhos dela passavam por toda a multidão, sem se fixar em ninguém, até que... se fixaram *nela*.

Agatha parou de respirar. Aquilo não podia estar acontecendo.

A princesa Augusta continuou sua marcha régia, aproximando-se cada vez mais, e Agatha não fazia ideia do que ela e o marido teriam feito para insultar a princesa, pois por que outro motivo ela os olharia daquela maneira?

Agatha estava vendo coisas? Talvez a princesa na verdade estivesse olhando para os Smythe-Smiths. Só que era igualmente difícil de acreditar.

Dois metros, um metro....

Ela parou. Bem na frente dos Danburys.

Agatha fez uma reverência. Profunda. Ao se erguer, a princesa Augusta falava com Danbury:

– Seu pai tinha amizade com sua falecida majestade, avô de meu filho, não era?

Era verdade. O pai de Danbury conhecera o rei George II. Agatha não tinha certeza de que aquele relacionamento poderia ser chamado de amizade, mas Sua Majestade tinha apreciado muitíssimo os diamantes que vinham das minas da família em Kenema.

A princesa não parecia estar realmente esperando uma resposta, porque não fez qualquer pausa antes de dizer:

– É um grande júbilo contar com sua presença aqui conosco nesta ocasião, *lorde* Danbury.

Agatha sentiu o corpo se inclinar para a frente. Tinha ouvido direito?

– Lorde? – balbuciou Danbury. – Eu... eu não sei o que...

A princesa Augusta o interrompeu:

– Você receberá a proclamação oficial do rei hoje, após a cerimônia. Receberão a honra de ser lorde e lady Danbury.

Lady Danbury? Ela, Agatha Danbury, era agora lady Danbury. E tinha se sagrado assim diante de dezenas de testemunhas na Capela Real no Palácio de St. James.

Aquilo não estava... não podia estar acontecendo.

Estava, sim. A princesa Augusta se encontrava bem diante dela.

– Todos os membros da alta sociedade devem ter títulos – prosseguiu a princesa.

– A alta sociedade, Vossa Alteza Real? – ecoou Agatha.

A princesa Augusta confirmou com um minúsculo movimento de cabeça.

– É hora de a sociedade se unir, não acha?

Agatha abriu a boca, mas, mesmo que tivesse encontrado a presença de espírito para conseguir falar, não importaria, pois a princesa Augusta já tinha avançado para a fileira seguinte e agora saudava *lorde* e *lady* Smythe-Smith.

O que tinha sido aquilo?

Ao lado de Agatha, seu marido parecia inflado de orgulho.

– Lorde Danbury – disse ele, num sussurro reverente. – Imagine só.

– Estou imaginando – sussurrou Agatha de volta.

Ela viu a nova lady Smythe-Smith afundar numa profunda reverência e permanecer na posição por tanto tempo que a princesa Augusta por fim precisou mandar que se erguesse.

– Sinto muito, Vossa Alteza Real – disse lady Smythe-Smith. – Digo, obrigada, Vossa Alteza Real, eu...

– Uma última coisa – interrompeu-a a princesa Augusta, voltando sua atenção para os Danburys. – Qual é o seu nome? – perguntou ela a Agatha.

– O meu? – Agatha apontou para si mesma.

A princesa Augusta fez um único sinal positivo com a cabeça.

– Agatha Louisa Aminata Danbury.

– É um bom nome.

– Obrigada, Alteza.

A princesa a encarou com um olhar penetrante.

– O que quer dizer Aminata? Presumo que Louisa seja em homenagem a nossas insignes princesas.

– Certamente, Vossa Alteza Real.

Era verdade. Os pais de Agatha queriam que a filha tivesse um nome da realeza, adequado a suas duas culturas, por isso escolheram Louisa como seu segundo nome, muito popular na família real britânica. Para seu terceiro nome...

– Aminata significa...

Agatha pigarreou. Não estava acostumada a falar com alguém da posição da princesa Augusta e, com toda a franqueza, estava aterrorizada. Mas se lembrou de algo que sua ama lhe dissera certa vez.

Seja aterrorizante.

Mesmo que não fosse aterrorizante, mesmo que estivesse aterrorizada...

Podia se imaginar como alguém aterrorizante. Podia imaginar que tinha a força e o poder de deixar homens e mulheres de joelhos. E talvez uma pitada desse sonho penetrasse em sua pele.

Ela olhou com firmeza para a princesa Augusta.

– Aminata é um nome de família. Significa digna de confiança, fiel e honesta.

– E você *é* digna de confiança, fiel e honesta?

– Eu sou, Vossa Alteza Real.

A princesa Augusta a fitou por vários segundos a mais do que seria confortável.

– Muito bem – disse ela, por fim. – Você servirá a rainha fazendo parte de sua corte.

– Eu... – *O quê?* A boca de Agatha se mexeu por vários segundos antes que ela conseguisse formar palavras. – Sim. Sim, Alteza. Será uma imensa honra.

– Claro que será.

A princesa Augusta então se virou para Danbury, que, boquiaberto, olhava as duas mulheres. Ela fez um sinal seco com a cabeça. E seguiu em frente.

– O que foi isso? – sussurrou Agatha.

– Por que você? – disse Danbury.

– Não sei.

– É seu nome – interveio lady Smythe-Smith. – Animata. É por isso.

– Aminata – corrigiu Agatha. – E não é meu nome.

– Mas você acabou de dizer que era.

Agatha balançou a cabeça. *Minha nossa, que mulher obtusa.*

– Quero dizer que não foi por isso que ela me escolheu.

– Então por que foi?

– Não sei. Por que escolheu qualquer um de nós? De repente nos tornamos nobres?

– *Nós* nos tornamos nobres – disse Danbury com petulância. – Você se tornou algo mais. Membro da corte.

– Estou tão estarrecida quanto você – garantiu ela.

35

– Era minha família que mantinha uma relação com o falecido rei.

– Eu sei.

– Então por que querem *você*?

– Não sei. Não conheço essas pessoas.

– Vai conhecer – disse lady Smythe-Smith, lembrando aos dois que ainda estava escutando a conversa.

– Meu querido, tenho certeza de que me escolheram apenas por sua causa e por sua reputação – disse Agatha, afagando o braço do marido. – Afinal de contas, não poderiam escolhê-lo para a corte da rainha. Você é homem. Como não poderiam ficar com você, convidaram-me em seu lugar.

– Suponho que sim – grunhiu Danbury.

– Não sou nada sem você, meu querido.

Eram palavras que ela já havia pronunciado muitas vezes e mesmo assim não tinham perdido a eficácia. Danbury voltou sua atenção para a frente da capela, e Agatha continuou a examinar o teto. Ela realmente gostava do padrão formado pelos octógonos e as cruzes suíças e de...

Seus olhos perceberam um movimento. Alguém estava no balcão. Agatha olhou em volta depressa – alguém teria reparado?

Não. Ninguém estava olhando para o alto.

Era uma jovem. Com a pele da mesma cor da de Agatha, talvez apenas num tom diferente. Era impossível saber ao certo naquela luz. Mas com toda a certeza não era branca e com toda a certeza se encontrava numa área de acesso restrito.

Agatha voltou a olhar em volta. As pessoas se entreolhavam, começando a se abanar à medida que o número crescente de pessoas esquentava o ambiente.

Ela voltou a olhar para cima. A moça desaparecera.

Curioso.

Mas não tão curioso quanto tudo o mais que havia acontecido naquele dia.

Lady Danbury. Dama de companhia da rainha.

Uau.

Brimsley

*Palácio de St. James
Capela Real
8 de setembro de 1761*

Bartholomew Brimsley ia perder o emprego.
Ou seria enforcado.
Ou as duas coisas, o que era mais plausível. Seria dispensado de seu posto como servidor real, em seguida enforcado e depois, já que trabalhava para a Casa Real de Hanover e eles eram donos de meio mundo e tinham condições de fazer o que quisessem, provavelmente seu corpo seria pisoteado por uma trupe italiana itinerante de colhedores de uvas contratada especialmente para a tarefa.
Não sobraria nada além de vísceras e uns tufos de cabelo. E era o mínimo que ele merecia.
– Você tinha uma única tarefa a cumprir – resmungou para si mesmo. – Uma. Única. Tarefa.
Infelizmente para Brimsley, a tarefa em questão era acompanhar a princesa Sophia Charlote de Mecklenburg-Strelitz até a Capela Real do Palácio de St. James, onde ela se casaria com Sua Majestade George III da Grã-Bretanha e Irlanda.
O que deveria estar acontecendo bem naquele maldito momento.
E ele a perdera.
E pensar que havia considerado aquilo uma *promoção*. Sophronia Pratt, chefe das aias da princesa Augusta, o chamara para um canto e dissera:
– Você recebeu a honra de servir à nossa nova rainha.
E, enquanto Brimsley digeria aquela novidade estarrecedora, Pratt acrescentou:
– Ela é conhecida como princesa Charlotte, não como princesa Sophia. É a primeira coisa a saber.

– Então seu nome real será Charlotte?

– Não sabemos. Só podemos presumir, mas quando se trata da realeza é melhor jamais presumir.

– Sim, senhora.

Brimsley ficou se perguntando que tipo de uniforme lhe dariam. Não seria no tom vermelho dos lacaios e condutores. Com certeza seria algo mais distinto, mais adequado à sua posição mais elevada. Os homens do rei vestiam azul-marinho, mas Brimsley gostava de escarlate.

– Ela vai chegar na próxima semana – prosseguiu Pratt. – Não sabemos ainda a data exata, mas fui informada de que a cerimônia de casamento ocorrerá imediatamente.

– Imediatamente, senhora? – repetiu Brimsley.

– Horas após a chegada dela. No mesmo dia, isso é certo.

– Há motivos para a pressa, senhora?

Pratt praticamente o perfurou com o olhar.

– Caso haja, não será informado a você.

– Claro que não, senhora – respondeu Brimsley, mas por dentro se repreendia. Pratt poderia rescindir sua promoção com a mesma facilidade com que a concedera. Por isso ele baixou a cabeça, como era apropriado. – Estarei pronto, senhora.

– Muito bem. Vai caminhar cinco passos atrás dela. Sempre. Estará sempre com ela. Responderá a suas perguntas...

– Sempre?

– Às vezes. – Pratt lançou um olhar austero e desdenhoso na mesma medida. – Vai responder às perguntas dela *às vezes*.

Brimsley não sabia muito bem o que aquilo queria dizer.

– Ela não sabe como fazemos as coisas por aqui – explicou Pratt, o desdém agora superando *em muito* a austeridade. – Uma de suas principais atribuições será ajudá-la a aprender.

– Isso não exigiria que eu respondesse às perguntas que ela fizer?

Os olhos de Pratt foram para o céu e, embora Brimsley não fosse um ás na leitura labial, ele tinha quase certeza de vê-la pronunciar as palavras *Deus me ajude*.

Que ajudasse aos dois. Com toda a sinceridade. Ele estava sendo lançado aos lobos e os dois sabiam disso.

– A princesa alemã precisa aprender a viver como nós – disse Pratt.

Brimsley assentiu com um ar solene.

– Compreendo, senhora.

– Nesta corte.

– Naturalmente, senhora.

– Na corte da princesa Augusta.

Brimsley abriu a boca. Com toda a certeza, seria na corte da nova rainha e não na da princesa Augusta.

Pratt ergueu uma sobrancelha assustadoramente imperial.

– Sim?

Brimsley não era estúpido. Vaidoso, talvez, mas não estúpido.

– Compreendo perfeitamente, senhora.

– Achei que compreenderia – respondeu Pratt. – Foi por isso que eu o recomendei para este posto.

– Obrigado, senhora.

Pratt olhou-o com um ar que dizia que o agradecimento não estava à sua altura.

– Quer saber o outro motivo que me fez recomendá-lo?

Brimsley não tinha tanta certeza de que queria saber.

– Foi seu rosto – disse Pratt. – Parece um pouco com um peixe.

– Hã... obrigado? – Ele tossiu. – Senhora.

– Há outra razão, suponho. Acabei de insultá-lo e você me agradeceu. Você vai ouvir muitas coisas desse tipo por parte da rainha.

Aquilo não animou Brimsley.

– Então sabe muito sobre ela?

– Nada – respondeu Pratt, depressa. – Mas a realeza é sempre igual nesse aspecto. De qualquer modo, sua cara de peixe dá a você um ar de perpétuo desdém. Parece bastante satisfeito consigo, quando nós dois sabemos que não há motivo algum para tanto.

Brimsley poderia jurar que nunca antes havia sido insultado de maneira tão completa e, se não fosse o alvo do insulto, provavelmente a admiraria por isso. Pratt era realmente habilidosa.

– Uma última coisa – disse Pratt. – As perguntas feitas pela nova rainha talvez não sejam as mais propícias para fazê-la se adaptar ao nosso estilo de vida. Estou sendo clara?

– Sim, senhora – respondeu Brimsley, porque, com toda a franqueza, aquela mulher era aterrorizante.

E ele queria o trabalho. Que, presumia, viria acompanhado de um aumento.

E assim ele havia se curvado e se prostrado diante da princesa Charlotte, que não era nada parecida com o que ele esperava (era preciso dizer) e tinha iniciado aquilo que ele presumia ser o trabalho de sua vida. Ou seja, caminhar cinco passos atrás de sua figura régia e elegante.

O problema era que a princesa parecia não compreender como aquilo funcionava, porque, quando estavam cruzando o longo corredor até seus aposentos, ela parou.

E ele parou.

Ela permaneceu parada por um momento, provavelmente esperando que ele a alcançasse, o que ele naturalmente não podia fazer. Assim, ele ficou lá, em agonia, até que ela voltou a andar, e aí...

Ela parou *de novo*.

Ele parou de novo.

Ela não se virou, mas, pela tensão em seus ombros, ele percebeu que a princesa estava irritada.

Ela deu um passo. Apenas um, sem transferir o peso do corpo. Então se virou bruscamente, como se tentasse surpreendê-lo com... com quê? Brimsley não sabia. Os membros da realeza eram criaturas estranhas, muito estranhas.

– Por que não se mexeu? – cobrou ela.

– Porque a senhorita não se mexeu – respondeu ele. – Alteza.

– Eu me mexi.

– Não se deslocou no espaço – explicou ele. – Apenas fingiu dar um passo.

Ela o fitou por um longo momento. Ocorreu a Brimsley que, com o tempo, ela se tornaria ainda mais aterrorizante que a princesa Augusta ou a Sra. Pratt.

– Alteza? – completou ele, inseguro.

– Caminhe comigo – ordenou ela. – Tenho perguntas a fazer.

Ele continuou paralisado.

– Não é assim que se faz, Vossa Alteza.

– O que quer dizer?

Ele não apontou, porque ninguém apontava na presença de uma futura rainha, mas fez um movimento com a mão nas proximidades dos pés elegantemente calçados da princesa.

– A senhora caminha ali e eu... – ele voltou a fazer um movimento, dessa vez na direção dos próprios pés, decididamente menos elegantes – caminho atrás, Vossa Alteza.

Ela franziu a testa.

– Não pode caminhar comigo?

– Estou sempre com a senhora, Vossa Alteza. – Ele pigarreou. – Cinco passos atrás.

– Cinco passos atrás.

– Cinco passos atrás – confirmou ele.

– Sempre.

– Sempre, Vossa Alteza.

Sou sua sombra, pensou ele com histeria crescente. *Com a diferença de que sou baixo e branco como uma vela e a senhora é alta e gloriosa, com a pele da cor de um carvalho majestoso.*

Aquela moça era diferente, ele percebia. Não por causa da cor da pele ou da textura do cabelo. Era diferente por dentro. Tinha uma qualidade mágica, intangível, que fazia com que as pessoas quisessem ficar perto dela. Ouvir suas palavras, respirar o mesmo ar. Se Brimsley fosse um homem dado a poesia, diria que ela cintilava.

Mas ele não era fantasioso. Então a descreveu como inteligente. E senhora de si. E percebeu que os dois tinham sido lançados aos lobos naquele dia.

– Você estará sempre aí – disse ela.

Sempre, prometeu ele. Mas seria inadequado professar a emoção fervorosa que havia tão inesperadamente dominado seu coração. Por isso, disse apenas:

– Sempre que precisar de mim, Vossa Alteza.

– Qual é o seu nome? – perguntou ela.

– Brimsley, Vossa Alteza.

– Apenas Brimsley?

– Bartholomew Brimsley.

– Bartholomew. Combina com você. Mas nunca o chamarei assim, claro.

– Claro – repetiu ele.

O fato de ela ter perguntado seu nome completo já o deixara estarrecido.

– Brimsley – começou ela, com (na opinião dele) o grau preciso de intensidade compatível com uma futura rainha –, fale-me do rei.

– Do rei, Vossa Alteza?

Ela o encarou como se ele fosse uma criatura de inteligência consideravelmente inferior.

– Do rei – repetiu ela. – O homem que será meu marido. Quero saber alguma coisa sobre ele.

– Do rei – repetiu ele, em desespero.

Estava bem certo de ter entrado num verdadeiro pesadelo. Com certeza, aquela era uma daquelas perguntas a que a Sra. Pratt o instruíra a não responder.

– Pode me dizer *alguma coisa* sobre ele? – insistiu a princesa Charlotte.

– Bem...

A princesa não cruzou os braços, talvez porque o vestido fosse enfeitado de forma tão gloriosa que a impediria, mas a expressão em seu rosto era definitivamente a expressão de alguém com os braços cruzados.

– Sobre o rei – disse Brimsley.

– O rei. Você sabe quem é.

– Sei, Vossa Alteza. É o rei.

– *Mein Gott* – resmungou a princesa.

E foi assim que Brimsley não disse *nada* a ela sobre o rei. Na verdade, ele empregou todos os recursos de conversação que lhe ocorreram para evitar falar sobre o rei. Agora, ele se questionava se não havia cometido um erro. Talvez, se tivesse dito que o rei tinha boa aparência e que era honrado (o que era verdade), ela não teria saído correndo minutos antes de seu casamento.

Talvez, se tivesse dito que o rei se interessava por agricultura e astronomia (o que também era verdade), ele, Brimsley, não estaria se esgueirando pela periferia da capela tentando ficar invisível enquanto se dirigia à sacristia.

Por sorte, os convidados estavam bem mais interessados em observar uns aos outros do que em notar um criado que se movimentava como um caranguejo assustado. Ele passou por um portal, depois por outro, e aí...

O rei!

Brimsley tentou não se urinar. Seu esforço foi praticamente bem-sucedido. Passou correndo pelo rei, que não reparou nele, curvou-se para o arcebispo, que fez algum tipo de sinal sacerdotal, e finalmente chamou a atenção de Reynolds, criado pessoal do rei.

– Há um problema – sussurrou Brimsley.

Reynolds era mais alto, mais atlético e mais atraente que Brimsley. E os dois sabiam disso. Mesmo assim, Brimsley tinha algumas vantagens.

Nenhuma que lhe servisse naquele momento.

– O que foi que você fez agora? – perguntou Reynolds, condescendente como sempre.

Brimsley engoliu em seco.

– A noiva desapareceu.

Reynolds o agarrou pelo braço.

– O que foi que disse?

– O que você ouviu.

Brimsley lançou um olhar cheio de pânico para os demais presentes no aposento. O arcebispo, com toda a certeza, era parcialmente surdo, mas o rei olhava para ele.

Brimsley se deslocou para o lado. Não podia dar as costas ao rei – se não fosse motivo para enforcamento, no mínimo faria com que ele fosse expulso do palácio.

Embora, para ser sincero, o extravio da noiva, como havia acabado de mencionar, era provavelmente sua maior preocupação no momento.

De qualquer maneira, ele se sentiria bem melhor se pudesse se posicionar de forma a não ver que o rei o fitava.

– Brimsley, onde ela está? – exigiu saber Reynolds.

– Não sei – retrucou Brimsley. – Como pode ver.

Reynolds deixou escapar um ruído que parecia um rosnado.

– Você é um inútil.

– Você também não me parece muito capaz de acompanhar os passos de uma mulher descontente.

– Meu trabalho não é acompanhar uma mulher infeliz. Meu trabalho é com o rei.

Pior que o desgraçado estava certíssimo, mas Brimsley jamais admitiria, senão Reynolds o espezinharia durante dias.

– Não é hora de discutir – sussurrou Brimsley, tentando desesperadamente não olhar para o rei. Mas como era possível *não olhar* para um rei? Era como não olhar para o sol.

Que metáfora adequada. Se ele olhasse demais para o rei, com certeza se queimaria. No entanto, nada existia sem ele. Nem aquele palácio, nem o país, nem…

43

– Brimsley! – disparou Reynolds.

– Não sei o que fazer – respondeu Brimsley. Foi a coisa mais difícil de admitir em toda a sua vida.

– Onde foi o último lugar que...

Mas a pergunta de Reynolds foi silenciada pelo ruído de uma cadeira sendo arrastada no chão. O rei havia se levantado.

– Vossa Majestade – disse Reynolds, e foi apenas a força de sua mão no braço de Brimsley que o impediu de se prostrar aos pés do rei.

– Minha presença aqui não é necessária – disse o rei.

E saiu.

Brimsley ficou parado olhando. Reynolds ficou parado olhando. Então os dois se entreolharam.

– O que foi isso? – perguntou Brimsley.

– Não sei – respondeu Reynolds. – Mas não pode ser bom.

– Devemos ir atrás dele?

– *Você* não. – Reynolds saiu correndo atrás do rei, deixando Brimsley a sós com o arcebispo.

– Vossa Excelência – disse Brimsley com um sorriso débil.

– Então, tudo pronto? – perguntou o arcebispo.

– Hã... quase.

Brimsley foi recuando de costas, pois tampouco se dava as costas a um arcebispo. Depois, ao cruzar a porta, disparou pelo corredor num passo impelido pelo pânico.

Eles não podiam ter ido longe. Aquela porta se abria diretamente para a área externa e a outra dava na capela, o que significava...

Brimsley parou bruscamente ao dobrar uma quina do corredor. Reynolds observava o rei, que falava com um homem que Brimsley não conhecia. Não estava próximo o suficiente para ouvir o que diziam, mas o monarca escutava com atenção. Então o rei disse alguma coisa, depois o homem disse outra coisa, e aí...

O homem deu uma bofetada na cara do rei.

Brimsley quase desmaiou.

Dois guardas saíram correndo, supostamente para acorrentar o homem, mas o rei os impediu, permitindo que o desconhecido partisse. Em seguida, ele saiu. No dia de seu casamento. O rei foi embora da capela.

Brimsley deu um passo à frente, perplexo com o que acabara de ver.

Também estava curiosíssimo. Informação era a moeda corrente entre a criadagem, e aquilo era ouro puro.

Foi naquele momento, porém, que Reynolds o viu.

– Você não deveria estar aqui – sussurrou com aspereza.

– O que foi isso que aconteceu?

– Não diga uma única palavra. Para ninguém.

– Mas...

– Nem. Uma. Palavra. Sequer.

Brimsley fechou boca com força. Tinha perguntas. Ah, se tinha. Mas Reynolds era um dos criados do rei, e ele, não. Aliás, não seria criado de ninguém se não localizasse a princesa Charlotte.

– Preciso ir – disse de repente.

Com seu nariz arrogante, Reynolds olhou-o com desprezo.

– De fato.

Brimsley refez seus passos pelo corredor, de volta à capela. Por Deus, ele odiava Reynolds.

Às vezes.

Charlotte

*Palácio de St. James
Exterior da Capela Real
8 de setembro de 1761*

Charlotte deu uma olhada no muro do jardim. Ia conseguir. Se agarrasse a trepadeira que subia pelos tijolos, apoiasse o pé naquela reentrância por trás das flores roxas e alçasse o corpo para cima...

Estaria no alto e passaria para o outro lado num piscar de olhos.

Até que não tinha sido em vão subir em todas as árvores de Schloss Mirow.

O vestido de noiva não facilitava as coisas. A princesa Augusta tinha escolhido um modelo simples, mas de tecido pesado e anquinhas amplas. Mesmo assim, provavelmente permitia mais liberdade de movimentos do que aquele que Charlotte havia trazido de Paris.

Obrigada, Augusta. Ao menos por esse motivo.

Charlotte cerrou os dentes, meteu o pé na reentrância, segurou-se na trepadeira no ponto mais alto que conseguiu e tentou se puxar.

Nada.

– Maldição dos infernos – resmungou.

Podia tentar de novo. Ia fugir daquele maldito palácio, mesmo que isso lhe custasse a vida. Ninguém lhe dizia nada sobre o rei. Perguntara à mãe dele, perguntara àquele tonto do Brimsley, perguntara à costureira que agira como se aquele vestido de noiva repugnante fosse pura elegância, mas não, ninguém lhe dizia nada de relevante.

Ele era bonito?

Era bondoso? Atlético? Gostava de ler?

Talvez fosse feio. Talvez fosse por isso que ninguém lhe dizia nada. Tinham lhe mostrado uma miniatura, mas todos sabiam que os pintores miniaturistas eram pagos para tornar os homens mais atraentes do que realmente eram.

Ela podia suportar a feiura. Afinal, a beleza residia no interior, não era verdade?

Que nada. A beleza residia principalmente no lado de fora, mas ela tinha um bom coração. Ia superar.

E o que aquelas pessoas (Brimsley e as costureiras, que teoricamente trabalhavam para *ela*) tinham a dizer de suas perguntas?

Nichts. Nada. Brimsley respondera primeiro que o rei era o rei; depois, que era o soberano da Grã-Bretanha e Irlanda; e, por fim, que ele havia se tornado monarca em outubro.

Rei, soberano, monarca. Três sinônimos que revelavam absolutamente nada.

E a costureira? Quando Charlotte perguntara se o rei era cruel, ela respondera: "Terão lindos filhos juntos, Vossa Alteza."

O que ela queria dizer com aquilo?

Charlotte estava decidida a fugir. Não importava que a travessia marítima de Cuxhaven até ali tivesse sido terrível a ponto de fazê-la vomitar seis vezes em Adolphus. Ia voltar para Mecklenburg-Strelitz, mesmo que isso lhe custasse a vida. Além do mais, Adolphus merecera cada gota de vômito. Para começo de conversa, toda aquela situação era culpa dele.

Deu alguns passos para trás. Talvez devesse correr para pegar impulso.

– Olá, minha senhora.

O coração de Charlotte quase saiu pela boca. Ela não imaginava que havia mais alguém no jardim. Um rapaz (pouco mais velho que ela, mas ainda jovem) tinha saído por uma porta que ela não havia notado.

Observou-o rapidamente e dispensou de imediato a ideia de que ele trabalhasse no palácio e tivesse sido enviado com o fim de arrastá-la de volta para a capela. Era óbvio que se tratava de um dos convidados: Seu traje cinza-prata era extremamente bem-feito. Não usava uma peruca sobre o cabelo escuro, escolha de estilo aprovada por Charlotte. As sobrancelhas também eram escuras, de modo que ele ficaria ridículo com uma cabeleira branca e felpuda empoleirada na cabeça.

Fosse outro dia (qualquer outro dia), Charlotte teria considerado muito agradável o rosto dele. Mas não hoje. Não tinha tempo para assuntos frívolos.

– Está precisando de ajuda? – perguntou ele.

Ela deu um sorriso tenso.

– Estou muito bem. Obrigada.

Era óbvio que ela queria dispensá-lo, mas ele permaneceu ali, observando-a com uma expressão indecifrável. Não era antipática. Simplesmente não era... bem, decifrável.

– Pode voltar lá para dentro e esperar junto com todos os outros bisbilhoteiros – acrescentou ela, indicando a capela com um gesto displicente.

– Farei isso – disse ele. – Mas agora fiquei curioso. O que está fazendo?

– Nada – respondeu ela apressadamente.

– É evidente que está fazendo algo – insistiu ele, de modo um tanto afável, para falar a verdade.

Ela pôs a mão na cintura e sacudiu o outro braço como se indicasse algo, fazendo um arco no ar que na verdade não indicava coisa alguma.

– Não estou, não.

Ele pareceu achar graça. E, para ser franca, um tanto condescendente.

– Está, sim.

– Não estou – resmungou ela.

– Está.

Himmel, que sujeito irritante.

– Se deseja tanto saber, estou tentando identificar a melhor forma de pular o muro do jardim.

– Pular... – Ele olhou para o muro, depois para ela. – Para quê?

Charlotte estava tão frustrada que sentia vontade de chorar. Só queria escapulir dali, mas aquele completo desconhecido não parava de lhe fazer perguntas. Pior de tudo, ela precisava conduzir a conversa em inglês, que era uma língua *terrível*. Tão inútil. Em alemão, podia juntar palavras e inventar outras, deliciosamente longas e descritivas. Em vez de dizer "Estou pulando o muro para escapar do meu casamento", seria possível descrever toda a situação apenas com um *pulodemuroantimatrimonial*.

Um alemão entenderia perfeitamente.

Os ingleses? Humpf.

– Por favor, me deixe – disse ela ao desconhecido. – Preciso partir com urgência.

– Mas por quê? – insistiu ele.

– Porque acho que ele talvez seja um monstro! – explodiu ela.

Aquilo chamou a atenção do desconhecido. Suas sobrancelhas (aquelas lindas sobrancelhas escuras que pareceriam tão ridículas sob uma peruca) se ergueram.

– Um monstro.

– Ou um ogro.

Após alguns segundos de confusão, ele perguntou:

– De quem exatamente estamos falando?

– Ora, que impertinência! Não é da sua conta. – Então, já que sem dúvida estava perdendo o juízo, se contradisse e revelou tudo. – Do rei! – confessou, em desespero. – Estou falando do rei.

– Entendo.

O rosto dele assumiu um ar pensativo. Era um belo rosto, pensou Charlotte, com uma ponta de histeria. Ao contrário do rosto do rei, que estavam fazendo questão de esconder dela.

– Ninguém me fala nada sobre ele – continuou ela. – Ninguém. Com toda a certeza é um monstro. Ou um ogro.

– Já entendi.

Charlotte voltou sua atenção novamente para o muro do jardim.

– Se eu conseguisse alcançar ali…

– Ali? – perguntou ele, apontando para o lugar certo.

– Exato.

Charlotte o olhou com interesse renovado. A bem da verdade, ele era bem-apessoado, em forma e atlético sob aquelas roupas. A princesa tinha muitos irmãos e sabia que os alfaiates empregavam incontáveis truques para fazer os homens parecerem mais fortes e mais viris. Sabia também reconhecer tais truques, e estava bem claro que o alfaiate daquele homem não empregara nenhum deles.

Definitivamente, ele podia ser útil.

Ela deu um sorriso resoluto.

– Talvez o senhor pudesse me ajudar, me levantando…

– Sim, claro – disse ele, todo cheio de amabilidade e boa educação. – Antes, porém, tenho uma pergunta. Não gosta de monstros nem de ogros?

Ela lhe lançou um olhar impaciente. O desconhecido a estava fazendo perder tempo. Tempo que ela definitivamente não tinha.

– Ninguém gosta de monstros nem de ogros.

Mas ele não se deu por satisfeito.

– A aparência dele importa tanto assim?

– Não me *importo* com a aparência dele! – disse Charlotte, a ponto de gritar. – O que não gosto é de não saber. Fiz perguntas sobre ele *a todo mundo*. Não queria saber apenas como é sua aparência, e sim como *ele* é. Ninguém me diz absolutamente nada.

– Isso é um problema – murmurou ele.

Charlotte fez sinal para que ele se aproximasse.

– Aqui. Segure aqui. Com a ajuda do senhor, acho que consigo pular o muro.

– A senhorita quer que eu a levante para que possa escapar.

Mein Gott, que sujeito lento.

– Foi o que eu disse.

Ele deu uma olhada para trás, na direção da capela.

– As pessoas vão notar seu desaparecimento, não vão?

– Mais tarde eu me preocupo com isso. Agora, por favor, só preciso de uma ajudinha. – Ela gesticulou com premência. – Venha, ande logo.

Ele apenas cruzou os braços.

– Não tenho a menor intenção de ajudá-la.

Agora Charlotte ficou irritada. O rapaz tinha sido tão educado e simpático, dando todas as indicações de ser um cavalheiro, quando na verdade estava apenas atrapalhando.

– Sou uma dama em apuros – retrucou. – O senhor se recusa a ajudar uma dama em apuros?

– Sim, me recuso quando a dama em apuros está tentando pular um muro para não se casar comigo.

Charlotte ficou paralisada. Tão paralisada que poderia jurar que o sangue havia parado de correr em suas veias. Ela ergueu os olhos. Olhou para ele, que parecia estar se divertindo muitíssimo.

– Prazer, Charlotte – disse ele. – Sou George.

– Eu... eu...

Um sorriso diabólico se insinuou no rosto dele.

– E você é...?

Ela se curvou numa reverência. Uma reverência muito, muito profunda. Teria até ralado a testa no chão se fosse anatomicamente possível.

– Sinto muito, muitíssimo mesmo, Vossa Majestade.

Ele se abaixou e tomou a mão dela, levantando-a.

– Vossa Majestade, não. George. – Então ele fez uma cara engraçada e por um momento pareceu quase atrapalhado. – Quer dizer, sim, Vossa Majestade. Mas para você, George.

Charlotte estava bem certa de não existirem palavras que descrevessem seu estado miserável naquele momento. Nem em inglês nem em alemão. Mesmo assim, ela tentou.

– Por favor, aceite minhas desculpas – implorou. – Se eu soubesse que o senhor era o senhor...

– O que teria feito? Não teria me contado que estava tentando fugir?

Ele estava fazendo uma provocação. Ela percebia pelo seu tom de voz. Mas aquilo pouco contribuía para amenizar o completo e absoluto constrangimento que sentia. E o medo.

Ele *parecia* um bom homem. Afinal, não tivera um acesso de raiva em reação ao comportamento dela. Mas os dois sabiam que ele podia transformar sua vida num inferno com o estalar dos dedos. E ela acabara de insultá-lo da pior forma possível.

– Bem... – Charlotte tentava encontrar as palavras adequadas para aquela situação. – Sim, quer dizer, não. Isto é, peço desculpas, Vossa Majestade.

– George – corrigiu ele. – Apenas George.

Charlotte não conseguia tirar os olhos dele. Era tão... gentil. Completamente diferente do que esperava, mesmo antes de tentar em vão fazer perguntas sobre ele para todo mundo.

Não por ser atraente, coisa que ele era.

Ah, se era.

Era algo mais. Algo que ela não sabia descrever a não ser por sentir um formigamento no braço desde o momento em que tomara sua mão. Também poderia jurar que seu corpo se tornara mais leve, como se de repente fosse olhar para baixo e se descobrir flutuando a alguns centímetros do solo.

Tudo parecia diferente. Ela *se sentia* diferente.

Ele se inclinou para perto.

– Essa história de ser rei... – disse ele num tom quase conspiratório. – Ela se impõe sobre nós. Um mero acaso do nascimento, no que me diz respeito. Mas achei que talvez, como minha esposa, você pudesse ignorá-la e me deixar ser Apenas George para você.

– Apenas... George? – repetiu ela.

Ele assentiu.

– Claro que isso foi antes de descobrir que você não queria se casar comigo.

– Eu não disse isso – respondeu Charlotte depressa.

– Ah, disse sim.

– Não disse.

– Disse.

– Não é que... – Charlotte balançou a cabeça, frustradíssima. – Apenas não o conheço.

Ele abriu os braços.

– Também não conheço você. Sei apenas que é péssima em pular muros.

– Experimente o senhor pular um muro com todas essas roupas – retorquiu ela.

Ele deu uma risada.

Ela abriu um sorrisinho sem graça.

– Que foi? – perguntou Charlotte.

Ele balançou a cabeça como se não conseguisse acreditar nos próprios pensamentos.

– Você é incomparável. Ninguém me disse que era tão bela.

De repente, Charlotte não sabia mais o que fazer com as mãos. Ou com as pernas. Seu corpo estava esquisito, como se o ar que respirava fosse uma substância efervescente agitando-se ao vento.

– Talvez seja bela demais para se casar comigo – prosseguiu George. – Vai haver comentários. – Ele inclinou a cabeça de lado, abrindo um sorriso diabólico. – Dado que eu sou um ogro.

Charlotte queria morrer.

– Vossa Majestade...

– George.

– George – ela se obrigou a dizer.

Não era fácil. Ele era um rei. Ninguém chamava reis pelo primeiro nome.

– O que quer saber? – perguntou ele.

– O quê?

– Você não me conhece. Não é esse o problema? Pois diga o que quer saber de mim.

– Isso é muito... Eu não...

Ele abriu um sorriso de expectativa, sem tirar os olhos do rosto dela.

– Tudo – respondeu Charlotte.

Ele assentiu lentamente.

– Muito bem. Tudo? Pois bem. Nasci prematuro e todos acharam que eu fosse morrer. Não morri. Sou bom na esgrima, porém melhor no tiro. Meu prato preferido é carneiro. Não como peixe. – Ele a olhou com curiosidade súbita. – Gosta de peixe?

– Eu...

– Não importa – prosseguiu ele, claramente desinteressado na resposta. – Não vamos comer peixe. Gosto de livros, arte e uma boa conversa. Acima de tudo, gosto de ciência.

– Ciência?

– Química, física, botânica. Especialmente astronomia. As estrelas e o céu. Levo jeito com a terra e provavelmente seria fazendeiro se já não tivesse ocupação.

Charlotte tentava acompanhar.

Ele apontou para as próprias costelas.

– Tenho uma cicatriz aqui, de uma queda de cavalo. E outra aqui – ele mexeu a mão e indicou a base do polegar –, por ter sido incrivelmente desajeitado no manuseio de uma faca de cozinha. E estou nervoso com a ideia de me casar com uma dama que conheci minutos antes da cerimônia, mas não posso demonstrar isso e pular o muro porque sou o rei da Grã-Bretanha e Irlanda, e causaria um escândalo. Prometo que não sou um ogro nem um monstro.

Quando ele fez uma pausa, Charlotte viu finalmente uma ponta de nervosismo em seus olhos calorosos.

Ele a olhou. Olhou de verdade. E concluiu:

– Sou apenas George.

Charlotte sentiu uma mudança no próprio rosto. Estava sorrindo. Não lembrava quando tinha sido a última vez que abrira um sorriso tão grande. Gostava dele. *Gostava* dele. Parecia um milagre, mas ela gostava do homem com quem a haviam obrigado a se casar. Ele falava um pouco depressa demais quando engrenava, mas era... interessante. E engraçado.

E bem atraente.

– George – disse ela, experimentando pronunciar o nome. – Eu...

– *Liebchen!*

Ela se virou de súbito. Adolphus corria em sua direção.

– Estávamos procurando você em toda parte – disse o irmão. – O que está... – Ele engasgou. – Vossa Majestade.

Adolphus se curvou. Profundamente. Humildemente.

– Ah – fez George, do modo mais amistoso imaginável. – O senhor deve ser o responsável por minha possível felicidade futura.

– *Ja* – disse Adolphus, demonstrando desconforto. – Perdão, quero dizer *sim*. Ou melhor, não. Sou...

– Pois bem, chegou no momento mais oportuno – interrompeu-o George. – Charlotte estava decidindo se quer ou não se casar comigo.

O rosto de Adolphus foi tomado por uma expressão alarmada.

– Charlotte está *felicíssima* por se tornar sua esposa – foi logo dizendo.

– Não mesmo – respondeu George com firmeza. – Ainda está se decidindo. – Ele apontou com a cabeça para o muro do jardim. – Pode ser que ela resolva pular o muro em vez de se casar.

Adolphus abriu a boca. Então começou a fechá-la. Para logo depois voltar a abri-la.

– A escolha é toda dela – concluiu George.

Charlotte decidiu ali, naquele momento, que o amava. Tanto quanto era possível decidir algo assim. Além do mais, fazia apenas cinco minutos que haviam se conhecido. Ela não era tão fantasiosa assim.

George se virou para ela com um sorriso ligeiramente tímido.

– Agora preciso voltar, pois desconfio que, a essa altura, alguns guardas muito ansiosos pensam que fui raptado. Charlotte?

Ela apenas o encarou, totalmente sem palavras.

George tomou sua mão, inclinou-se e tocou-a de leve com os lábios.

– Espero vê-la lá dentro.

Ela não conseguiu fazer nada além de fitá-lo.

– Caso se decida pelo sim – disse George, soltando seus dedos –, poderá me encontrar ao lado do arcebispo de Canterbury.

E partiu, resplandecente em seu paletó revestido de finos bordados.

Depois que o rei se afastou, Adolphus se virou para a irmã.

– Não me diga que ainda está hesitante!

Charlotte se virou bem devagar para ele. Tinha quase se esquecido de sua presença.

– Bem... – disse ela lentamente, olhando para o vestido detestável que a princesa Augusta a obrigara a usar. – Primeiro preciso me trocar.

George

Palácio de St. James
Salão de recepção
Mais tarde naquele mesmo dia

George estava aterrorizado.

Seria possível estar aterrorizado e enlevado ao mesmo tempo? Devia ser, porque era assim que se sentia, além de apavorado.

E com medo.

Não, medo era a mesma coisa que pavor.

Isso contava? Os dois juntos? Se medo e pavor eram sinônimos, significava que eram a mesma coisa, portanto ele estava sentindo apenas uma emoção e não duas.

Olhou para as mãos. Estavam estremecendo?

E *trêmulas*? Talvez, mas o tempo estava um pouco frio. Podia ser por isso.

Tremer e estremecer eram sinônimos? Aquela era uma pergunta interessante. Diria que não. Havia uma diferença considerável entre tremer e estremecer. Não era como medo e pavor. O medo era uma forma mais branda de pavor, mas tremer não era o mesmo movimento de estremecer. Não era possível comparar os dois.

Os dois *pares* de palavras. A questão era que ele estava fazendo a comparação *dentro* de cada par.

Ele respirou fundo. *Pare*, disse a si mesmo. *Acalme sua mente.*

Isso acontecia às vezes.

Muitas vezes.

Mais do que gostaria.

O cérebro parecia disparar sem ele, que não conseguia controlar seus pensamentos. Isso era o pior de tudo, porque um homem não deveria ser capaz de controlar a mente? Ele era o rei. Se não pudesse governar a própria mente, como poderia governar qualquer outra coisa?

E naquele momento ele estava aterrorizado. E enlevado.
Como dito anteriormente.

Tudo por causa dela. A princesa Sophia Charlotte de Mecklenburg-Strelitz. Não. Já estavam casados. Ela era a rainha Charlotte da Grã-Bretanha e Irlanda.

Tinha se tornado rainha. Sua rainha.

George não estava procurando por ela quando os dois se encontraram no jardim da capela. Tinham acabado de lhe informar que ela havia escapado, e ele sentia um alívio e um constrangimento avassaladores – mais uma vez, a contraditória combinação de emoções.

Precisara tomar um ar.

Vinha se sentindo tão confiante... Haviam encontrado um novo médico para ele, um escocês que atendia em Londres. Tinha se passado apenas uma semana, mas George voltara a se sentir dono de si, como um homem pronto para se casar. Mas então aquele criadinho tinha chegado e dito para Reynolds que a noiva havia desaparecido. George baixara os olhos e suas mãos começaram a estremecer. Só conseguia pensar em...

Escapar.

Sem noiva, não havia casamento. Não precisava estar ali.

Sempre adorara o jardim da capela. Não era como estar realmente ao ar livre, onde os campos se estendiam e as árvores eram majestosas, mas era bucólico e relativamente desprovido das características de um espaço eclesiástico. Havia sebes, claro, mas anos antes alguém plantara flores silvestres nos espaços abertos. Era o refúgio de George sempre que precisava de um pouco de privacidade.

Além do mais, ninguém procurava por ele ali. Uma bênção.

Mas o Dr. Monro se encontrava no corredor, supostamente colocado ali pela princesa Augusta, que não queria correr riscos, e não aceitou as desculpas e explicações de George. Não se curvou, não beijou o anel. Em vez disso, quando George lhe disse que não estava pronto, que não estava bem, o Dr. Monro olhou bem nos olhos do rei e disse:

– Examinei-o minuciosamente e concluí que se encontra em perfeitas condições.

– Pareço em perfeitas condições? – retrucou George, estendendo as mãos trêmulas.

Pensou que seria o fim da história, porque qualquer tolo perceberia que ele não estava bem, mas o médico rugiu *Você está em perfeitas condições* e ainda lhe deu uma bofetada.

E... funcionou.

O estremecimento passou. A mente desacelerou e ganhou foco. George piscou algumas vezes, levantou a mão em um gesto para impedir que os guardas arrastassem o Dr. Monro para o calabouço mais próximo e agradeceu ao médico.

Foi revelador.

Um milagre.

Havia algo na voz de Monro. Talvez a bofetada tivesse ajudado, mas foi principalmente a voz. Suave e profunda. Firme. Quando Monro falou, George voltou a si. Os pensamentos interromperam a disparada, as mãos se firmaram e ele se sentiu pronto.

Então saiu para respirar ar fresco e lá estava ela, tentando escalar uma trepadeira de glicínias. Charlotte. A princesa que em breve seria sua rainha. Não tinha certeza antes de conversarem, mas desconfiava. Sua pele era marrom, como dissera a mãe, e ela usava um vestido marfim de corte simples, que combinava com a descrição que ele ouvira. Tinha a idade certa e se portava tal como se exigia da realeza.

Ela era linda.

Foi tudo o que ele pensou quando a viu perto do muro. Então ela falou.

E ele se perdeu para sempre.

Quando Charlotte falava, o mundo ganhava vida. Ela era intensa, teimosa e direta a ponto de ser desconcertante. A inteligência transformava seu belo rosto em algo incandescente. De verdade, ele não sabia que uma mulher poderia ser tão linda.

Ela era uma estrela. Um cometa. Era tudo que cintilava no firmamento, trazido à terra pela magia que a Igreja jurava não existir.

Como se explicava que algumas pessoas fossem especiais? Que conseguissem ser *mais* do que qualquer um? Teriam nascido sob a asa de um anjo? Seu sangue corria a uma velocidade diferente?

Durante toda a sua vida lhe disseram que *ele* era assim, mas George sabia a verdade. Era o mero acaso do nascimento. Tinha nascido para ser rei e por isso era mimado e louvado. Quando falava, todos ouviam.

Mas ouviam o rei. Não ouviam George.

Charlotte era diferente. Ela poderia ter nascido numa cloaca e mesmo assim as pessoas atravessariam barricadas para escutar suas palavras. Era dona de um carisma que não se podia forçar. Nem ensinar.

Era simplesmente magnífica. Bem mais do que ele algum dia sonharia ser.

Não apenas pela beleza. Ela era assustadoramente inteligente. Esse era o problema. Se fosse feia, se fosse entediante, talvez ele se sentisse à altura de ser seu marido.

George entendeu que precisava permitir que ela decidisse sozinha se queria aquele casamento. Reconheceu, de alguma forma, que seu espírito não poderia ser domado. Sim, ele poderia ordenar que ela assumisse seu lugar na capela e, sim, ele estava bem certo de que o irmão *ordenara* que ela assumisse seu lugar na capela, mas George sabia que um casamento sob coação jamais seria uma verdadeira união. Não com ela.

Ela não podia ser domada. A mera tentativa seria um crime.

Por isso ele arriscou. Deu a ela a oportunidade de cancelar o matrimônio. E deu a si mesmo meia hora de odiosa ansiedade.

Estava quase convencido de que ela decidiria ir em frente com o casamento. Torceu por isso, sem dúvida. Tiveram uma conversa boa, afinal. Talvez ela não tivesse sido atingida pela flecha de Cupido tão em cheio quanto ele, mas parecia ter gostado dele o suficiente, o que em geral era o melhor a que se podia aspirar em um casamento real.

Mas até vê-la entrar na capela, esplendorosa num vestido marfim com capa coberta de ouro e prata, não teve plena certeza de que ela viria.

Cada passo dela até o altar fazia crescer a alegria dele. Observando-a ali, ele soube, com a mais absoluta certeza, que aquela mulher era perfeita e que aquele casamento era acertado.

Aquela união seria excelente para ele.

O irmão de Charlotte tomou a mão dela e a entregou ao noivo. George sorriu e disse:

– Trocou o vestido.

– Solicitei algo à altura de uma rainha – respondeu ela.

Sua rainha.

Teria jurado ouvir seu coração cantar.

Mas naquele momento, depois da cerimônia longa e solene, depois de tantas horas de conversa educada com gente cujos nomes nunca lembraria, ele sentiu algo sombrio e feio consumindo sua felicidade pelas beiradas.

Não era digno daquela criatura magnífica. E com o tempo ela saberia disso.

Durante boa parte do tempo ele ficava *bem*. Normal, ou pelo menos tão normal quanto um rei costuma ser. Mas aí algo acontecia. Não sabia explicar – algo acendia uma fagulha em sua mente e ele não conseguia extinguir aquela chama estranha, ímpia, que ardia e crepitava dentro de si.

Ele se enchia de palavras – era o único modo de descrever. Seu corpo se enchia de palavras, em geral sobre o céu, as estrelas, às vezes sobre o mar e os deuses e os mortais. As sílabas se torciam e se misturavam dentro dele, queimando-lhe a boca e pressionando-lhe a pele. Até que, por fim, era demais e ele precisava *dizer*.

E o pior – o pior de tudo era que ele *sabia* que sua cabeça não estava funcionando direito. Pelo menos no começo de um episódio. Ele conseguia perceber quando dizia algo doentio e nocivo e não conseguia evitar.

Mas não agora.

Respirou fundo. Estava perfeitamente bem. Estava perfeitamente bem.

Era o dia de seu casamento e ele estava perfeitamente bem.

Charlotte se encontrava a poucos metros de distância, conversando com o irmão e a recém-lady Danbury. Estava bela e majestosa, o cabelo arrumado numa nuvem perfeita coroada pela tiara mais fantástica que George já vira, saída de um conto de fadas. Ocorreu a ele que já passara da hora de tirar a noiva para uma dança.

Ele se curvou diante dela.

– Me daria a honra da próxima dança, Vossa Majestade?

Ela sorriu como se um brilho a iluminasse por dentro.

– Seria uma honra, Vossa Majestade.

George a conduziu até o centro da pista. Outros casais logo se juntariam a eles, mas compreendiam que aquela dança seria apenas para o rei e a rainha. Embora tivessem trocado algumas palavras durante toda a noite, aquela era a primeira conversa dos dois a sós desde a cerimônia.

Esperou que a música começasse, conduziu-a pelos primeiros passos e perguntou:

– Como se sente em ser uma rainha?

Ela demonstrou alguma surpresa.

– Não sei – respondeu. – Como se sente em ser um rei?

– Eu praticamente não sei ser outra coisa.

– Impossível. Não faz nem um ano que assumiu o trono.

– Verdade – admitiu ele –, mas sempre soube que era meu destino. Sou o filho mais velho do filho mais velho do rei. Tinha apenas 12 anos quando meu pai morreu e me tornei o príncipe de Gales. Nunca fui tratado como um ser humano comum.

Será que ela ouvia a nota de melancolia em sua voz? Não é que ele desejasse *não ser* rei, mas havia ocasiões em que ficaria feliz em largar os assuntos de Estado para trabalhar no jardim.

George, o Agricultor. Era assim que o chamavam pelas costas. Mal sabiam que, para ele, era um elogio. Tinha falado sério ao mencionar a terra naquela manhã, para a mãe. A terra era bela. O solo era um milagre e dele despontavam toda a vida e toda a esperança.

– Você não me respondeu – insistiu ele, tomando a mão de Charlotte e erguendo-a acima dos ombros dos dois, fazendo-a girar. – Como se sente em ser uma rainha?

– É impossível responder a isso.

– Acha mesmo? Eu não pensaria assim. Seria uma mudança extraordinária para qualquer mulher, mesmo para alguém que foi criada como princesa.

– Talvez. – A dança os afastou por alguns segundos. Quando se encontraram face a face de novo, ela falou: – É bem menos especial ser uma princesa na Europa. Existe uma penca de nós, para ser sincera.

Ele sentiu que abria um sorrisinho.

– Não consigo decidir se é uma imagem encantadora ou aterrorizante.

– Um lote de princesas?

– Um exército – resolveu ele.

– *Isso* seria aterrador – disse ela. – Você não viu minha irmã atirando.

George deu uma risada.

– Não sei quantas irmãs você tem – admitiu ele.

– Viva, apenas uma.

– Sinto muito.

Ela deu de ombros de leve.

– As outras se foram antes de eu nascer. Não tive oportunidade de conhecê-las.

– Como costuma acontecer.

Os pais de George eram considerados abençoados porque todos os seus filhos sobreviveram à infância. Sua irmã Elizabeth falecera dois anos antes, aos 18, e ele sofrera muito com sua morte. Mas, até então, ela era a única dentre seus irmãos que se fora.

– Você tem muitos irmãos – disse Charlotte.

– Tenho. Espero que passe a considerá-los como irmãos também. Caroline Matilda, a caçula, ficaria muito interessada em seu exército de princesas, estou certo disso.

– Ela atira bem?

– Céus, espero que não. Tem apenas 10 anos.

Charlotte riu. Era um som intenso, não particularmente musical, mas cheio de alegria.

– Devo confessar que também não sou tão boa com uma arma. Sua irmã e eu precisamos aprender juntas.

– Uma perspectiva assustadora – murmurou George. – Talvez eu precise me esforçar para impedir. Porém mais importante é: como chamaríamos esse exército de princesas?

– É aí que o inglês falha conosco – disse Charlotte, franzindo o nariz em desdém. – Em alemão, teríamos uma palavra. *Armeeprinzessinnen*. Todos saberiam exatamente o que quer dizer.

– Falo alemão bem – George lembrou-a. – E não acredito que seja preciso uma nova palavra. Há alguma razão para não chamarmos de *Armee der Prinzessinnen*?

– Detalhes – escarneceu Charlotte. – Prefiro palavras compridas.

– *Backpfeifengesicht* – murmurou George.

Um sorriso iluminou o rosto de Charlotte.

– "Rosto pedindo um punho". Palavra muito útil. É preciso criá-la no inglês.

– Ouso dizer que ela é necessária em todas as línguas – disse George. – Mas, por acaso, você é a rainha. Pode inventar todas as palavras que desejar.

Ela sorriu.

– Punhopedindoumrosto.

– Rostopedindoumpunho – sugeriu ele.

– A sua é mais precisa, mas a minha é mais satisfatória.

George soltou uma gargalhada, atraindo olhares curiosos.

– Cuidado – disse Charlotte, com um brilho audacioso nos olhos. – Vão achar que gostamos um do outro.

– E não é verdade? – murmurou ele.

Mas ela foi poupada de dar a resposta pelos passos da dança. Cada um fez um círculo majestoso antes que suas mãos voltassem a se encontrar.

– Espero que sim – respondeu, enfim, Charlotte.

– É um risco que corremos. Esses casamentos oficiais.

Ela concordou com um minúsculo movimento da cabeça. Então falou:

– Você precisa saber que não tive escolha.

– Não é verdade. – George tomou a mão dela enquanto seguiam por um corredor central imaginário entre dançarinos imaginários. Os convidados ainda não haviam se juntado a eles. Eram apenas os dois, evoluindo sozinhos. – Eu me lembro claramente de ter dito a seu irmão que a escolha era toda sua.

– Com certeza não acha que eu *de fato* tinha uma escolha, acha?

George tentou ignorar os pequenos arrepios de desconforto em seu peito.

– Você deu todas as indicações de que achava que tinha ao tentar pular o muro do jardim.

– Não posso negar.

– E eu lhe dei uma escolha. Se não entendeu dessa forma, é uma questão inteiramente sua.

Ela pensou por um momento antes de falar.

– E apreciei muito sua oferta. Fiquei surpresa.

– Não sou tão ogro assim. Nem um ogro ou um monstro – acrescentou ele.

A música chegou ao auge e cedeu, indicando que a primeira dança solo havia terminado. George fez um gesto largo e régio com o braço, chamando os demais convidados à pista. E eles assim o fizeram, fervilhando em torno do casal real num rodopiar de seda e cetim perfumados. E, embora ele e Charlotte continuassem a ser o centro das atenções, George não se sentia tão exposto.

Era um alívio.

– Não me falaram quase nada sobre você – disse Charlotte.

– Também não me falaram muito sobre você.

– Tenho certeza de que há menos a falar sobre mim – disse ela.

– Impossível. Não existem palavras suficientes para descrevê-la.

– Agora sei que você é dado a exageros.

Mas ela corou um pouco. Não seria tão fácil perceber o rubor na pele dela quanto era na dele, mas ele achou empolgante. Como se ela fosse um enorme desafio.

Não seria fácil compreendê-la. Era um diamante. Sem defeitos. Mas ninguém sabia como surgiam tais diamantes. Simplesmente surgiam por uma magia da terra.

– Venha – disse George –, dirigindo-se à lateral do salão. – Vamos deixar a pista para nossos convidados.

Voltaram para a lateral do salão. Charlotte contemplou a multidão, e ele a olhou.

– Você é linda.

Não tinha a intenção de dizer aquilo, não naquele momento, mas as palavras escorregaram de seus lábios como um poema.

Ela se virou.

– É bondade sua dizê-lo.

Ele tentou ao máximo aparentar indiferença.

– Nada além da verdade, mas com toda a certeza você sabe disso.

– A beleza não se encontra nos olhos de quem vê?

– Se é assim, então você é a criatura mais bela já vista no mundo, porque sou eu quem a contempla.

Ela sorriu, um sorriso genuíno. Mas parecia que ela estava contendo alguma coisa. Uma risada?

– O que foi? – perguntou ele.

– O que foi o quê?

– Você queria rir.

Ela baixou o queixo.

– Não queria.

– Permita que eu me corrija: você estava segurando uma risada.

– Não é a mesma coisa?

– De maneira alguma. Mas está fugindo da minha pergunta.

– Pois bem, se quer mesmo saber...

– Quero – interrompeu ele, com um sorriso.

Ele não se lembrava da última vez que se sentira assim, como se precisasse atrair, seduzir e, acima de tudo, merecer.

– Eu estava pensando que uma linguagem opulenta assim não é do seu feitio – confessou ela.

– Ah, é?

Ela mudou de postura. Um pequeno movimento dos ombros. Parecia satisfeita consigo mesma.

– É.

– E como saberia o que é do meu feitio, considerando que acabamos de nos conhecer?

– Não saberia dizer como, mas sinto que o conheço.

O coração de George deu um salto. Subiu às alturas. Teria sido glorioso se não fosse por aquela mão sombria do terror que serpenteava e o espremia dentro do peito. Ela não o conhecia. Se o conhecesse, não teria se casado com ele.

George olhou para a própria mão. Não via nenhum tremor, mas parecia que tremia. Que poderia começar a tremer a qualquer momento.

Poderia. Esse era o problema. O que poderia acontecer. Ele não sabia. Nunca soubera. Só sabia que... não queria magoá-la.

Não podia magoá-la. Era o mais importante de tudo. Tinha que ser.

Tomou uma decisão.

– Tenho uma surpresa para você – disse George.

– Para mim? – Um brilho de encantamento surgiu no rosto dela. – O que é?

– Vai precisar ser paciente. E levar sua capa.

– Então está lá fora?

– Não exatamente. Quer dizer, sim, exatamente. Você vai ver. – Ele tomou a mão da esposa e a conduziu para perto de sua mãe, que conversava com integrantes da delegação dos Mecklenburg-Strelitz. – Está na hora de nos despedirmos.

Charlotte olhou para todos os convidados, ainda dançando felizes.

– Já?

– Nossa presença não é mais necessária. Ninguém pode partir antes de nós. Por isso, na verdade, estamos fazendo um favor a todos.

– George, você parece ótimo – disse a mãe, assim que a alcançaram.

A mensagem não dita era: *Às vezes você não parece nada bem*.

George tensionou os lábios antes de falar.

– É o dia do meu casamento, mãe. Claro que pareço ótimo.

Augusta voltou-se para Charlotte e fez uma reverência.

– Vossa Majestade.

Por um momento, Charlotte pareceu não saber o que fazer diante daquela situação. Naquela manhã, tinha sido ela a fazer reverência para Augusta. Por fim, apenas assentiu e disse:

– Vossa Alteza Real.

– Partiremos em breve – avisou George. – Vou levar Charlotte para ver o presente dela.

– Presente? Ah, quer dizer o...

– Shhh. Nem uma palavra. É surpresa.

– Preciso me despedir de meu irmão – disse Charlotte. – Volto em um instante.

Assim que Charlotte se afastou, Augusta comentou com o filho:

– Ela será boa para você.

– Sim – concordou George.

– E é claro que você será bom para ela. É o rei. Seria bom a qualquer uma.

Ele não queria assentir, mas assentiu. Precisava manifestar reconhecimento à frase dela, de algum modo.

– Vai levá-la para a cama hoje à noite? – perguntou Augusta, mas o tom era mais parecido com quem dá uma ordem.

– Mãe!

– A cada dia que você deixa de produzir um herdeiro ao trono, enfraquece a posição de nossa família.

– É só para isso que serve um rei? – retrucou George. Estava tão cansado daquela conversa. Era um assunto que sua mãe introduzia pelo menos uma vez por dia. – Um garanhão real trotando para a égua escolhida?

Augusta deu apenas uma gargalhada.

– Não se faça de ofendido. Percebi o jeito como você a olha.

– Não desejo discutir esse assunto com minha mãe.

– Não desejo discutir esse assunto com meu filho, mas aparentemente sou obrigada. – As leves rugas em torno de sua boca ficaram mais tensas. – Não esqueça seu dever para com esse país.

– Garanto-lhe, mãe, que isso nunca sai da minha cabeça.

– Hoje em dia é tudo tão moderno... – comentou Augusta. – No meu tempo, havia sete pessoas na alcova na minha noite de núpcias, para testemunhar o ato matrimonial. Para confirmar que eu e seu pai estávamos fazendo o necessário para gerá-lo.

Por Deus.

– Agora, a moda é dar privacidade ao casal – prosseguiu ela, não satisfeita. – O que normalmente não seria uma questão, porém no seu caso, George...

Ele fechou os olhos.

– Mãe. Pare.

Mas ela não parou.

– ... É que você quer seguir sua cabeça.

A mensagem não dita era: *E que cabeça mais estranha.*

George soltou o ar com força. Sentia as mãos estranhas. Precisava ir embora dali. E estava tão farto de todas as mensagens implícitas da mãe.

– Diga logo o que quer dizer, mãe.

Ela encontrou seu olhar.

– Faça o que deve ser feito.

– E que se danem as consequências?

– Não foi o que eu disse.

– Nem precisava dizer.

Augusta pôs os olhos em Charlotte, que ainda se despedia do irmão.

– Ela é bonita. Também é inteligente. Isso é bom, apesar do que a maioria dos homens pensa. Vai gerar bons bebês.

Ele balançou a cabeça em reprovação.

– Boa noite, mãe.

Augusta apontou com a cabeça para um ponto atrás do ombro dele.

– Está voltando.

– Obrigada por esperar – disse Charlotte. – Estou pronta.

– Fico muito feliz em ouvir isso – disse Augusta.

George lhe lançou um olhar que, por sorte, Charlotte não notou.

– Vamos embora – disse ele, puxando a jovem esposa pela mão.

– Precisamos nos despedir de mais alguém?

– Ninguém.

George começou a caminhar depressa, ansioso por deixar o palácio depois da conversa com a mãe. Ele a amava, mas nos últimos tempos ela parecia sempre mexer com seus nervos.

A carruagem os aguardava na entrada, e menos de dez minutos depois eles chegaram a seu destino.

– Para onde está me levando? – perguntou Charlotte. – Já chegamos.

– Não olhe. Mantenha os olhos fechados.

Charlotte obedeceu. Ou quase.

– Você está roubando – provocou ele. – Precisarei chamar um lacaio para vendá-la?

– Não, não! – exclamou ela, soltando uma risada. – Não vou olhar, prometo.

Ele pôs a mão sobre os olhos dela.

– Não acredito.

– Não consigo saltar da carruagem de olhos fechados.

– Deveria ter pensado nisso antes de me desobedecer.

– George!

Ele adorou ouvir seu nome pronunciado pelos lábios dela, ainda mais assim, mesclado a uma gargalhada. Ela apreciaria o presente. Sabia que sim.

Era para seu próprio bem.

Ela compreenderia.

Tinha que compreender.

Charlotte

Casa Buckingham
Londres

– Pronta? – perguntou George.

Charlotte assentiu, tentando controlar o sorriso bobo que não saía de seus lábios.

George tinha coberto os olhos dela com a mão, coisa que Charlotte nunca gostara, mesmo quando criança. Naquela noite, porém, não protestou. A mão dele era grande e quente, com uma força que sugeria algo perverso e maravilhoso.

Como ela podia ter tanta sorte? Sabia o que significava ser arrancada de seu lar de família e despachada em matrimônio. Charlotte talvez tivesse sido a primeira da família a se casar, mas outros nobres alemães não moravam tão longe e os mexericos corriam como o vento. Negociavam-se noivas sem sequer pensar nas diferenças de cultura e idioma.

Sem sequer pensar se gostavam do noivo. Ainda se comentava o terrível casamento de Sofia Doroteia da Prússia com o "Marquês Louco" de Brandemburgo-Schwedt, e olha que Charlotte nem era nascida na época.

Mas George era perfeito. Ou talvez não fosse, porque Charlotte era sensata e sabia que ninguém era perfeito. Mas era tudo o que ela poderia desejar. Estava feliz, pela primeira vez desde que Adolphus a informara de que iria embora de Mecklenburg-Strelitz.

– Só mais alguns passos – disse George, ao descerem da carruagem dourada oficial, toda enfeitada, com que haviam atravessado Londres. – Quero que você tenha a melhor perspectiva.

– De quê?

– Calminha, não há necessidade de ser tão impaciente.

Ela se deixou ser guiada por um caminho de cascalho. Uma estrada de acesso. Devia ser. Tinham chegado a uma carruagem.

– Quase lá. Um, dois...

E, no "três", ele tirou a mão, revelando uma casa bela e imponente no estilo neoclássico, em forma de U, com colunas e pilastras enfileiradas na fachada. Um tapete vermelho descia os degraus da entrada e quase chegava à carruagem.

– O que acha? – perguntou George, ansioso.

– É linda. – Charlotte virou-se para o homem com quem acabara de se casar. O reflexo das tochas reluzia nos olhos escuros dele. – Quem mora aí?

– Mandei que fosse reformada só para você.

Charlotte sabia que não poderia ser inteiramente verdade, afinal, o casamento dos dois tinha sido acordado poucos meses antes. Mesmo assim, ela adorou. Gostava muito mais de cantaria do que dos tijolos aparentes do Palácio de St. James.

E o principal: ela estaria no comando da própria casa. Uma rainha não apenas de seu país, mas de seu lar. Isso não seria fácil de realizar se fosse se instalar em St. James, onde residia a princesa Augusta.

Já ali, em...

Ela fez uma pausa em seus devaneios para perguntar:

– Qual é o nome?

– Casa Buckingham. Mas podemos mudar se quiser.

– Não, gosto desse nome. Soa como algo que vai durar.

– Rezo por isso.

Charlotte não conseguia parar de sorrir. Não sabia que era capaz de sentir tanta alegria, nem que outro ser humano seria capaz de fazê-la tão feliz. Não conseguia parar de pensar como tivera sorte. George era gentil, divertido e parecia muito inteligente. Depois de partirem do Palácio de St. James, ele falara de alguns de seus interesses científicos. Aparentemente, possuía um telescópio (bem grande) e um instrumento chamado planetário, que previa as posições dos planetas e das luas.

Ela nunca tinha se interessado muito por astronomia, mas, quando George falava, o assunto ganhava vida. Ao ouvi-lo, ela tinha vontade de saber mais. Tinha vontade de *aprender*.

E ele tinha comprado *aquela mansão* para ela?

– Essa vai mesmo ser a nossa casa? Ah, George...

– A *sua* casa – corrigiu ele.

Ela hesitou, segura de não ter ouvido direito.

– Minha casa? Como assim?

Ele fez um gesto indicando a enorme construção.

– É aqui que você vai morar. Mandei que durante a cerimônia trouxessem para cá todos os seus pertences.

Charlotte ficou encarando a casa como se pudesse enxergar, do outro lado dos blocos de pedra, suas miudezas e vestidos supostamente armazenados em armários.

– Não sei se compreendo. Se esta é minha casa, não é também *nossa* casa?

– Suponho que St. James seja oficialmente nossa casa – disse ele, dando a impressão de que ainda não havia pensado no assunto até aquele exato momento. – Mas é aqui que você ficará.

– Ah. – Isso foi tudo o que ela conseguiu dizer.

Ele lhe deu um tapinha de leve no braço.

– Você vai ficar muito confortável. É bem moderno.

– E onde você vai ficar? – perguntou ela, por fim, pois ele não havia dito nada sobre os planos para si.

– Tenho uma propriedade em Kew.

– Kew – repetiu ela.

Tantas frases de uma palavra e apenas repetições dos pronunciamentos dele. Charlotte se sentia um tanto estúpida, para falar a verdade.

Odiava se sentir assim. Era algo que não conseguia tolerar.

– Não é longe. Fica a menos de quinze quilômetros daqui.

– E você vai morar em Kew.

– Vou.

Ela voltou a olhar para a Casa Buckingham, que lhe parecera tão gloriosa assim que ele tirara as mãos de seus olhos. Agora parecia apenas uma casa. Grande, elegante, mas apenas uma casa.

Charlotte abriu um sorriso forçado. Não saiu um sorriso lá muito grande.

– E eu vou morar aqui.

– Sim.

– George... – disse Charlotte, com cautela. – É nossa noite de núpcias.

– E está tarde – disse ele, ligeiramente ríspido, como se estivesse apenas esperando a frase certa para mudar de assunto. – Você fez uma longa viagem, é melhor entrar. Vai precisar conhecer a criadagem e ir dormir.

– Não. George. É nossa noite de núpcias. Devemos...

Ele apenas a fitou, e Charlotte podia jurar que algo em seu olhar... *se transformou*. O que era o oposto de um fulgor? Porque era o que tinha acontecido. Algo perdera o brilho. Tornara-se até um pouco frio.

– Somos casados – continuou ela. – Não devemos fazer o que as pessoas casadas fazem?

Ele ergueu as sobrancelhas, parecendo não achar graça.

– Está exigindo que eu cumpra minhas obrigações conjugais com você?

– Não estou exigindo. Nem sei muito bem o que é uma obrigação conjugal. Sei apenas que...

Charlotte sentiu-se sem prumo. Estava insegura, sem apoio. Não sabia o que estava acontecendo. Ou, pior, não sabia o que *deveria* estar acontecendo.

– Não vamos passar a noite juntos? – perguntou finalmente. – Minha preceptora disse que é o que acontece na noite de núpcias. Os noivos dormem juntos na mesma cama.

– Muito bem – disse George, impaciente. – Eu fico.

Charlotte o observou marchar para a casa, totalmente confusa com aquela mudança abrupta de comportamento.

– George? – chamou ela, vacilante.

Ele parou pouco antes da entrada. Mesmo antes de ele se virar, Charlotte percebeu que ele revirava os olhos.

– Já falei que vou ficar. Você não vem?

– Eu... Vou.

Ela segurou as saias e correu atrás dele. O que estava acontecendo? Onde tinha ido parar o homem tão encantador que brincara com ela sobre exércitos de princesas e saltos de muros de jardim?

Resposta: andando a passos fortes na frente dela, passando por uma fileira de criados alinhados para a chegada dos dois.

– Hã... olá, olá – disse Charlotte, fazendo uma pausa para saudar e demonstrar educação, ao contrário de seu marido furioso, que já havia atravessado metade do saguão. – Obrigada – murmurou ela para a mulher que imaginou ser a governanta. – Aqui está você, Brimsley. Claro que está.

Ele fez uma mesura.

– Seu servo, Vossa Majestade. Posso apresentar-lhe a criadagem?

Charlotte lançou um olhar de desespero para George, que já subia a escada.

– Talvez em outra ocasião – respondeu ela, e partiu o mais rápido que era possível caminhar sem começar a correr. – George! George!

Mas ele já subira.

– George! – Ela acelerou o passo, mas o vestido de casamento impunha limitações a seus movimentos. – Não consigo alcançar você. Por favor, vá mais devagar.

Ele se virou tão repentinamente que ela chegou a cambalear para trás.

– Achei que quisesse que eu fosse para o quarto – disse ele, sacudindo o braço em um gesto para indicar o final do corredor. – Não é lá que devemos estar?

– Não.

– Não?

– Não, se vai se comportar assim. Está zangado. O que houve? O que foi que eu fiz? Seja o que for, sinto muito. – Ela tomou coragem e estendeu o braço. Tomou a mão dele. – Por favor, me perdoe. Não sei o que está acontecendo.

Charlotte sentiu que a mão dele tremia, notou sua respiração entrecortada, depois mais lenta.

– Não precisa pedir desculpas por nada. Quero apenas... Quero apenas ir para Kew.

– Então vamos para Kew.

– Não – disse ele, alto demais. – Eu...

Ela compreendeu. E era terrível.

– Você não quer que *eu* vá para Kew.

– Aqui é seu lar – disse George, mas as palavras pareciam mecânicas, como se as tivesse ensaiado mentalmente.

– E Kew é o *seu* lar – concluiu Charlotte.

– Sim.

– Entendo – respondeu ela.

Mas não entendia. Não entendia nada.

– Entende? – disse George, de repente animado. Ele voltou a pegar sua mão. – Ótimo. Isso é ótimo. Então você está bem. Vai se adaptar, vai ficar confortável e tudo ficará bem. Falarei com você... mais tarde.

Ele abriu um sorriso, um sorriso cuja sinceridade Charlotte não conseguia aferir, e voltou pelo corredor em direção à escada.

O quê?

Não.

– Eu não estou bem – disse Charlotte, com vigor.

George se virou.

– É assim que vai ser? – perguntou ela. – Será assim nosso casamento? Você lá e eu aqui?

Ele engoliu em seco.

– É.

– Por quê?

– Acho que será... – Ele voltou a engolir em seco e, para falar a verdade, não parecia estar se sentindo bem. – Assim será mais fácil.

– Para quem?

– O quê?

– Mais fácil para quem? – perguntou Charlotte. – Para você ou para mim?

– Não vou discutir isso com você.

– Eu só quero compreender. Tive uma noite tão maravilhosa na sua companhia. Nós dois tivemos uma noite maravilhosa. Não diga que me enganei. Você precisa pelo menos me explicar o que houve.

– Não preciso explicar nada. Eu tomo as decisões! – rugiu ele. – E já decidi. Sou seu rei.

– Ah. – Charlotte deu um passo para trás e em algum lugar, de algum modo, encontrou seu orgulho. – Me enganei – disse com fria indiferença. – Pensei que fosse apenas George. Perdoe-me, Vossa Majestade.

E fez uma reverência.

Foi aí que ele disse seu nome. Com arrependimento, como se ele se importasse com ela.

Como se ela significasse alguma coisa, quando ela sabia perfeitamente que não era verdade.

Ao falar de novo, o tom dela era da mais perfeita polidez.

– Poderia me retirar, Vossa Majestade, ou há algo mais que deseje me dizer?

Embora sua voz fosse cheia de recato, seu olhar não correspondia. Ela o encarava, recusando-se a ser a primeira a romper o contato visual.

– Charlotte, vai ser melhor assim.

– Claro, Vossa Majestade. Como preferir.

Ela continuou olhando-o nos olhos. E, quando ele se virou e partiu, ela ficou olhando para a escada. Respirou fundo. Tentou não chorar.

Rainhas não choravam. Não era isso que ela havia decidido naquela mesma manhã?

Minha nossa, tinha sido mesmo na manhã daquele dia que viajara de carruagem com Adolphus? Uma vida inteira havia se passado desde então.

Ela olhou para o longo corredor. Qual seria o seu quarto? George havia indicado vagamente, mas estava tão zangado... Ela não sabia para onde ele tinha apontado.

Ela se empertigou. Não era uma incapaz. Conseguiria encontrar o próprio quarto. Mas, quando começou a caminhar, sentiu a presença de alguém. Suspirou.

– Brimsley?

Ele se materializou como num passe de mágica.

– Sim, Vossa Majestade?

– Você já está aqui. No corredor.

– Estarei onde Vossa Majestade estiver. – Ele ergueu uma vela, iluminando o caminho.

– Muito bem. – Ela suspirou, mas o ar arranhou sua garganta, dando a impressão de que estava a ponto de chorar.

– Vossa...

– Eu estou *ótima*, Brimsley. – Charlotte teve que interrompê-lo. Não suportaria que ele perguntasse sobre seu bem-estar.

– Sim, Vossa Majestade.

– Meu quarto – disse ela, fazendo todo o esforço para não se mostrar abatida. – É por aqui?

– Sim, Vossa Majestade. É a porta aberta no final do corredor. Seria uma honra lhe mostrar.

– Não precisa me seguir.

– Mas seguirei, Vossa Majestade.

Santo Deus.

– Pare de me chamar de Vossa Majestade.

Brimsley pareceu estar sentindo dor. Ou talvez estivesse apenas com o nariz constipado.

– A senhora é a rainha da Grã-Bretanha e Irlanda, Vossa Majestade. Não poderia chamá-la de nenhuma outra forma.

Ela suspirou. Um suspiro profundo.

– Então pare de me seguir.

– Não posso fazer isso, Vossa Majestade.

– Eu estaria infringindo a lei se o matasse? – murmurou ela.

– O que disse, Vossa Majestade?

Ela se aprumou.

– Como sua rainha, ordeno que pare de me seguir!

Brimsley manteve a expressão inalterada.

– Jurei cuidar de Vossa Majestade. Em todos os momentos.

– Não quero você perto de mim.

Ela queria *George*. Mas não o homem que a levara até a Casa Buckingham. Queria o homem do jardim.

Apenas George.

Pensara que aquele fosse o *seu* George.

– Espero que com o tempo acabe se acostumando comigo, Vossa Majestade.

– Magnífico – respondeu Charlotte, completamente exausta. – Podemos passar o resto de nossas vidas juntos.

Ela permitiu que ele a conduzisse até o quarto e em seguida deixou que suas novas aias a preparassem para ir dormir. Depois, quando finalmente se viu só, deitou-se no meio da cama gigantesca e ficou olhando para os bordados requintados de seu glorioso dossel.

Fechou os olhos.

– Eu deveria ter pulado o muro.

Brimsley

Casa Buckingham
11 de setembro de 1761

Brimsley estava adorando seu novo trabalho.

Tinha recebido um uniforme inteiramente novo, que incluía um colete com brocados dourados, e a mudança para a Casa Buckingham o colocara no topo da hierarquia da criadagem. Quem poderia ser mais importante do que o criado pessoal da rainha?

Talvez ele não ocupasse a cabeceira da mesa na área reservada aos empregados (estava reservado ao mordomo), mas ficava à sua direita.

Escolhia as melhores carnes para seu prato, na hora das refeições. Nunca precisava se preocupar se ia sobrar sobremesa para todos, porque sempre havia sobremesa quando você era o segundo a se servir.

Todos o tratavam diferente. As criadas não o olhavam mais de cima. Agora era *ele* quem fazia isso, mesmo com aquelas que eram mais altas que ele – praticamente todas.

Cara de peixe, uma ova. Ele estava no topo do mundo.

A nova rainha ainda não apreciava suas muitas virtudes, mas, para ser justo, ainda não havia se passado nem uma semana desde o casamento. Ela estava se adaptando à nova vida, exatamente como a Sra. Pratt previra. Pelo menos não estava em St. James, onde a princesa Augusta ainda controlava tudo a ferro e fogo. Brimsley estava convencido de que a rainha seria mais feliz ali, em Buckingham.

Assim que se adaptasse.

Se ela se adaptasse.

Ia acontecer. Ele faria de tudo para garantir isso.

Os dias da nova rainha transcorriam exatamente como Brimsley havia imaginado.

Ela acordava.

Era vestida.
Era penteada.
Tomava o desjejum.
Olhava pela janela.
Almoçava.
Lia um livro.

Era acompanhada de volta para o quarto, onde era trocada e penteada novamente, dessa vez para o jantar. Em seguida, ia para o salão de jantar amplo e formal e jantava.

Às vezes lia antes de olhar pela janela.

Parecia um pouco entediada, a bem da verdade, mas Brimsley trocaria de lugar com ela sem pensar duas vezes. Uma vida de ócio? Uma vida de roupas maravilhosas e penteados complexos, comendo tudo de que mais gostava?

Não teria sido capaz de conceber algo assim se não a observasse todos os dias.

Brimsley passava boa parte do tempo atrás de Charlotte enquanto ela explorava Buckingham, e foi durante um desses passeios que ela subitamente parou e o chamou.

Ele deu um passo à frente.

– Vossa Majestade.

– Qual é minha agenda de compromissos para a semana?

Ele não sabia se tinha ouvido direito.

– Agenda de compromissos, Vossa Majestade?

Ela se virou para encará-lo.

– Presumo que haja visitas de caridade. Para os pobres. Ou órfãos.

– Não há órfãos, Vossa Majestade.

As sobrancelhas régias se ergueram.

– Nenhum órfão, Brimsley? Em toda a cidade de Londres?

Ele pigarreou. De um modo um tanto doloroso.

– Nenhum em sua agenda de compromissos, Vossa Majestade.

– Podemos programar alguns?

Brimsley chegou a se imaginar erguendo no colo pequenos órfãos e colocando-os junto à rainha.

Não gostou daquela visão.

– Eu diria que não é a melhor semana para os órfãos, Vossa Majestade.

A rainha emitiu um som de impaciência.

– Muito bem. Sei que preciso me encontrar com minhas damas de companhia. É importante. Há muito o que admirar por aqui. A arte. Ver as galerias de Londres. Sempre amei teatro e música. Há concertos na minha agenda de compromissos? Óperas?

– Vossa Majestade...

Ela ficou olhando para ele, esperando uma resposta.

– Não há nada em sua agenda de compromissos, Vossa Majestade.

– Como é possível?

Brimsley sentiu os dedos se encolhendo dentro das botas. Sentiu também uma vontade desesperadora de ajeitar as roupas só para ocupar as mãos, e ele não era desse tipo. Era um dos motivos que o levaram a ser promovido para aquele posto. Ou pelo menos tinha sido o que Reynolds lhe dissera, e Reynolds parecia saber tudo.

– Não há nada na minha agenda de compromissos? – cobrou a rainha. – Absolutamente nada?

– Não, Vossa Majestade.

Ela deu um passo na direção dele. Brimsley tentou dar um passo para trás, mas, com um simples olhar, Charlotte o fez parar. Ele ficou congelado.

– Brimsley. Eu sou a rainha. Tenho obrigações. Compromissos oficiais. Não tenho?

– Tem, Vossa Majestade. Muitas obrigações.

– Então como é possível que não haja nada na agenda de compromissos da rainha?

Não ocorrera a Brimsley que ela não soubesse por que seus dias eram tão vazios.

– Está desfrutando da privacidade dos primeiros dias de casamento, Vossa Majestade.

Ela o encarou.

– É minha lua de mel – enfim concluiu.

E pela primeira vez desde que havia pousado os olhos nela, Brimsley sentiu uma piedade genuína.

– Sim, Vossa Majestade.

A semana seguinte foi um exercício de repetição.

A rainha acordava.

Era vestida.

Era penteada.

Tomava o desjejum.

Olhava pela janela.

Almoçava.

Lia um livro.

E assim por diante. Sempre sozinha.

A não ser por Brimsley, sempre a cinco passos de distância.

Estava infeliz, mas ele não tinha a menor ideia do que fazer.

Pensou em consultar Reynolds. A infelicidade da rainha era claramente provocada pelo rei, e ninguém conhecia a situação do rei melhor do que Reynolds.

Mas, para isso, ele precisaria admitir para Reynolds que estava fracassando em seu novo posto junto à rainha. E nada poderia ser pior que isso.

Foi quando ele recebeu uma carta da princesa Augusta.

Palácio de St. James
Sala de visitas da princesa Augusta
Mais tarde no mesmo dia

– Presumo que saiba por que o chamei aqui – começou a princesa Augusta.

Brimsley, na verdade, não sabia por que havia sido chamado. Ainda mais considerando que Reynolds também estava presente, assim como o conde Harcourt e lorde Bute, dois dos mais antigos conselheiros do rei.

Reynolds, com seu cabelo louro brilhoso, seus olhos azuis penetrantes e sua voz extraordinariamente grave, quase dois metros de altura, com semblante e postura que não cairiam mal num duque. Brimsley o teria odiado caso se desse ao trabalho de pensar nele.

E é claro que ele não pensava. Por que pensaria? Reynolds estava com o rei, e Brimsley, com a rainha. Por isso o único motivo que levaria Brimsley a ter que visualizar o rosto ridiculamente simétrico de Reynolds era quando o rei e a rainha tivessem algum assunto para resolver.

Ou quando ele e Reynolds tinham algum assunto a resolver, o que acontecia de vez em quando. Uma espécie de assunto.

Brimsley não diria que eram amigos, mas decerto tinham alguns interesses em comum. Assim, às vezes desfrutavam da companhia um do outro.

Às vezes.

Ocasionalmente.

Para falar a verdade, era coisa rara.

E nunca tinham sido convocados simultaneamente para uma reunião com a mãe do rei. Era aterrador. Porém Brimsley encontrava certa satisfação no fato de Reynolds parecer também não entender muito bem o que se passava.

— Relatem-me — exigiu a princesa Augusta. — Desejo saber sobre o rei e a rainha. Como estão se relacionando?

Ah.

Ah.

Essa não.

Brimsley engoliu em seco, desconfortável, depois mentiu descaradamente:

— Parecem muito satisfeitos.

A princesa não pareceu se dar por satisfeita.

— Eu esperava obter mais informações do que a aparência de satisfação.

— Formam um belíssimo casal — disse Reynolds, com um toque de floreio que não lhe era habitual. — Ele foi arrebatado pela beleza da rainha.

— Mesmo? — A princesa Augusta estranhou. — O rei George foi arrebatado? Tão depressa?

Brimsley por pouco não revirou os olhos. Sabia que Reynolds estava exagerando.

— Eu não ousaria definir as emoções do rei — pronunciou Brimsley.

— Absolutamente — acrescentou Reynolds depressa. — Quis dizer apenas que ele parece feliz.

— E que evidências você tem para afirmar isso? — cobrou a princesa Augusta.

— Conversas — respondeu Brimsley. — Muitas.

— Conversas?

Brimsley assentiu.

— E caminhadas.

A rainha caminhava. Brimsley presumiu que o rei fizesse o mesmo.

— E risadas — acrescentou Reynolds. — Muitas. Alegra o coração testemunhar.

A princesa Augusta deu a impressão de estar se inclinando para a frente sem chegar a mexer um músculo.

— E quanto às relações entre os dois?

Brimsley apenas a fitou. Ela não podia estar se referindo a...

– Os vínculos matrimoniais – esclareceu ela.

– Vínculos – repetiu Reynolds.

Brimsley o olhou de soslaio. Reynolds parecia tão horrorizado quanto ele, mas disfarçou rapidamente com um movimento de ombros e uma expressão que parecia dizer: *Não sei do que ela está falando. Do que ela está falando?*

Brimsley respondeu expressando de maneira similar: *Não sei do que ela está falando. Talvez seja sobre flores. Ou bolo.*

E ambos se voltaram para os três dignitários com rostos igualmente inexpressivos.

Lorde Bute bateu no braço da cadeira.

– A princesa viúva deseja confirmar a consumação do casamento.

Brimsley ficou imaginando por quanto tempo mais ele conseguiria fingir estupidez.

– Sexualmente – praticamente rosnou o conde de Harcourt. E, ajeitando a gravata, acrescentou: – Ela pergunta pelo bem do país, claro.

– Claro – repetiu Brimsley, com uma voz débil.

– E então? – cobrou lorde Bute.

Brimsley olhou para Reynolds. *Ele* que respondesse. Afinal, era culpa do rei. Toda a Casa Buckingham acompanhara o que havia transcorrido na noite de núpcias. A rainha estava completamente disposta a cumprir seu dever e se deitar com o rei. *Ele* é que decidira partir sem motivo aparente.

Reynolds se contorceu.

– Certamente – respondeu ele por fim, embora não transmitisse muita segurança aos ouvidos de Brimsley. – Isto é, até onde posso afirmar, diria que sim.

– Até onde pode afirmar? – estranhou a princesa Augusta.

– Não os acompanhei na alcova, Vossa Alteza Real.

Brimsley conteve o riso.

– Tem algo a dizer? – perguntou lorde Bute.

– Pois é, Brimsley – disse Reynolds, em tom de provocação –, tem algo a dizer?

– Eu também não os acompanhei na alcova – gaguejou Brimsley.

Reynolds gemeu.

A princesa Augusta lhe dirigiu um olhar típico de quem não estava acostumada a lidar com idiotas.

81

– Diriam que é uma lua de mel bem-sucedida? – perguntou ela.
– Sem dúvida – respondeu Reynolds. – Não é mesmo, Brimsley?
Brimsley obrigou-se a assentir.
– Muito bem-sucedida.

A princesa semicerrou os olhos, evocando novamente o pesadelo de Brimsley: aquele em que se imaginava pisoteado por coletores de uva italianos. Só que dessa vez havia um bode.

Bem naquele momento, porém, a princesa Augusta bateu as mãos e abriu um sorriso.

– Bom saber! – exclamou ela. E olhou para seus companheiros. – Tudo vai bem, então?

– Muito bem – confirmou lorde Bute.

– Ótimo – palpitou o conde Harcourt. – Excelente.

– Talvez tenhamos um herdeiro a caminho antes da próxima quinzena – acrescentou a princesa Augusta. – Não seria esplêndido?

– Seria, Vossa Alteza Real – respondeu Brimsley, para só então se dar conta de que ela não se dirigia a ele.

A princesa indicou a porta.

– Estão dispensados.

Ele deu um passo para trás, depois outro. Reynolds fazia os mesmos movimentos ao seu lado. Os dois recuaram até a porta e então escapuliram para o corredor.

– O que foi isso? – sussurrou Reynolds.

Ao que Brimsley respondeu:

– Nós podemos ser enforcados por isso?

– É realmente nisso que está pensando nesse momento?

– Você não?

– Como você é egoísta.

– E você está cego – retrucou Brimsley. – Não servimos para a satisfação do rei e da rainha. *Existimos* em nome de sua satisfação. E, por extensão, pela satisfação da mãe do rei. Se ela está insatisfeita... – Ele fez um gesto no ar como se cortasse o próprio pescoço.

– Você deveria estar no teatro – disse Reynolds.

Ele tinha um jeito, como se sempre olhasse Brimsley de cima, e não apenas por ter uns trinta centímetros de altura a mais.

– Nós acabamos de *mentir* para a princesa Augusta – sibilou Brimsley. –

Ela vai perceber que há algo errado quando não houver, de fato, a promessa de um bebê na próxima quinzena.

– Não há nada que *nós* possamos fazer em relação a isso.

– *Nós*, não – disse Brimsley. – Você. *Você* precisa convencer o rei a convocá-la.

– Não posso.

Algo passou tão depressa pelo olhar de Reynolds que Brimsley quase não notou. Dor. Preocupação, talvez.

Voltou à memória de Brimsley a lembrança do homem no corredor da Capela Real. Aquele que dera uma bofetada no rosto do rei.

Ele escolheu as palavras com muito cuidado:

– Existe algo que eu deva saber sobre o rei?

– Apenas que ele é seu rei.

– Mas a rainha...

– A rainha foi alçada à mais elevada posição deste país, se não do mundo. Não há nada com que a rainha precise se preocupar.

Brimsley quase gemeu.

– Reynolds...

– Preciso ir – disse Reynolds de repente. – Não gosto de deixar o rei desacompanhado por muito tempo.

– O que poderia acontecer com ele? – desdenhou Brimsley.

Reynolds assumiu uma expressão sombria. E se afastou a passos largos.

Casa Buckingham
Sala de jantar
12 de setembro de 1761

Brimsley ainda estava processando aquela conversa no dia seguinte, enquanto observava a rainha fazer a refeição da noite. Sentada na cabeceira da mesa, como sempre, ela estava resplandecente num vestido dourado com gola redonda.

Uma mesa de vinte lugares, apenas uma pessoa sendo servida.

Não havia muito o que ele pudesse fazer enquanto ela comia. Seis lacaios estavam de serviço durante a refeição. No minuto em que ela terminava a sopa (consomê de frango, naquela noite), o Lacaio Número Um apareceu bem à sua direita com uma pequena urna, caso ela desejasse mais uma porção, enquanto o Lacaio Número Dois surgiu à esquerda para retirar a tigela, caso ela não quisesse mais.

– James – sussurrou Brimsley para o Lacaio Número Três. Todos eram chamados de James. Para facilitar.

O lacaio fez um movimento mínimo. Apenas o suficiente para indicar que ouvira.

– Ela parece bem esta noite? – sussurrou Brimsley.

– A rainha?

Brimsley teria gemido caso tivesse permissão para fazer ruídos. Claro que se referia à rainha. Era a única *ela* no aposento.

Porém se limitou a assentir. Era perigoso entrar em atrito com um James. Eles tendiam a se unir. E eram todos bem atléticos.

O lacaio apenas deu de ombros. Inútil. Brimsley curvou-se um pouco para a esquerda, tentando obter uma visão melhor da rainha. Ela parecera inquieta ao chegar, embora ele não soubesse explicar por que tivera essa impressão. Talvez porque *ele* se sentia inquieto.

Ainda estava muito preocupado com a conversa que tivera com a princesa Augusta. Caso a expressão "muito preocupado" significasse aterrorizado a ponto de suspender seu processo digestivo por um dia inteiro.

Com certeza, em algum momento a princesa perceberia que o rei e a rainha viviam em residências diferentes. Era, francamente, um milagre que ninguém a tivesse informado disso ainda.

Ou será que tinham?

Ele sentiu uma acidez subindo pela garganta.

Talvez a princesa estivesse apenas debochando deles. Talvez *soubesse* que o casamento real já havia perdido o frescor. Talvez o único motivo para não ter mandado Brimsley embora fosse por estar pensando em algo pior.

Ainda se garroteavam pessoas?

E se (Deus o livre) ela o rebaixasse? Podia transferi-lo para os estábulos. Nunca mais se sentaria na cabeceira da mesa. Impregnado do fedor dos estábulos, não teria sequer permissão de entrar na cozinha.

E os *olhares*? Não seria objeto nem de pena. Apenas desprezo.

Talvez o garrote fosse uma opção melhor. Ele poderia...

– Brimsley.

Ele despertou de seus devaneios. A rainha pousara os talheres, mas ainda estava na etapa da sopa, longe de terminar a refeição.

Brimsley se colocou ao lado dela depressa.

– Sim, Vossa Majestade.

– Apronte a carruagem.

Aquilo era bem inesperado. Mas se era isso o que a rainha queria...

– Claro, Vossa Majestade. – Ele se afastou, mas, chegando à porta, fez uma pausa para perguntar: – Qual destino devo informar?

– Vamos ver meu marido.

Ah.

Ah.

Ah, não.

Palácio de Kew
Londres
Mais tarde na mesma noite

– Onde ele está?

Brimsley apressou-se para acompanhar a rainha Charlotte. Nunca a vira caminhar com tamanha rapidez. Ele mal abrira a porta da carruagem e ela já pusera os pés no chão, atravessando a estrada, a capa roxa esvoaçando às suas costas.

Um pequeno esquadrão de criados surgiu à porta do palácio e se dirigiu às pressas aos recém-chegados, entre eles Reynolds, que, era preciso dizer, não exibia sua habitual fachada impassível. Brimsley tentou chamar sua atenção e, infelizmente, conseguiu.

– O que você fez agora? – Reynolds quis saber.

– Ah, isso é culpa minha? – disparou Brimsley em resposta.

– Você! – disse a rainha, imperiosa, apontando para Reynolds.

Ele apressou-se em se curvar.

– Vossa Majestade, não estávamos à vossa espera.

– Onde ele está? – cobrou ela.

– No observatório, Vossa Majestade.

A rainha fitou Reynolds com superioridade. Brimsley *adorou* presenciar a cena.

Reynolds apontou na direção.

– É por aqui, Vossa Majestade.

Ela saiu marchando, ao que Brimsley assumiu sua posição, cinco passos atrás.

Mas a rainha ergueu a mão.

– Espere aqui.

Pela primeira vez, Brimsley não a seguiu.

– Será que ele vai se zangar com ela? – perguntou para Reynolds.

– Com toda a certeza – respondeu Reynolds, ainda olhando na direção que a rainha seguia. – Mas ela o está enfrentando. Talvez seja bom.

– Talvez – repetiu Brimsley, já não tão seguro. – Ou talvez seja ruim.

Reynolds pigarreou.

– Gostaria de entrar enquanto esperamos para descobrir?

– Descobrir se isso é bom ou ruim? – perguntou Brimsley.

Os dois estavam lado a lado, olhando para a frente. Brimsley olhou Reynolds de soslaio. Não seria bom parecer desejoso demais.

Reynolds fez um pequeno murmúrio de assentimento.

– É melhor você entrar e se aquecer. A noite está fria.

Não estava. Estava bastante agradável, aliás.

Brimsley sentiu um arrepio de excitação. Seria mais agradável aguardar lá dentro, com Reynolds.

– Obrigado, senhor – disse ele, permitindo uma nota sedutora na voz. – É muito gentil e generoso da sua parte.

Reynolds entrou na casa, claramente esperando que Brimsley entrasse logo em seguida, o que Brimsley de fato fez. Já tinham feito aquilo outras vezes – não tanto quanto gostariam, mas o suficiente para que ele conhecesse o caminho.

Reynolds era um tanto quanto pomposo demais, porém seus beijos eram a perfeição.

– Sempre sinto inveja ao constatar que o criado do rei tem aposentos muito melhores do que o criado da rainha – comentou Brimsley assim que chegou ao quarto de Reynolds.

– Naturalmente – respondeu Reynolds. – Sou mais importante que você.

Brimsley decidiu ignorar aquelas palavras, em parte por já ter jogado Reynolds na parede àquela altura e em parte por ser verdade.

Mas ainda havia muito o que falar.

– Temos um problema – disse Brimsley enquanto abria a calça de Reynolds.

Aqueles momentos em que ficavam juntos eram sempre furtivos. Precisavam ser rápidos.

– Temos.

– Vamos falar sobre isso?

Reynolds puxou a camisa de Brimsley pela cabeça.

– Recebeu outra carta da princesa?

Brimsley assentiu, depois arqueou o pescoço para facilitar o serviço. Àquela hora da noite, Reynolds tinha vestígios de barba em quantidade suficiente para fazer a pele de Brimsley estremecer de prazer.

– O Palácio está pedindo informações. – Ele arrancou a calça de Reynolds e o jogou na cama. – O que vai dizer a eles?

– Eu? – Reynolds começou a abrir a calça de Brimsley. – Por que deveria ser eu a dizer qualquer coisa?

Brimsley subiu no corpo do outro e beijou-o com premência.

– Foi o rei quem se recusou a consumar o casamento.

Estava tudo indo divinamente bem, até que Reynolds se afastou e disse:

– Ela poderia tê-lo seduzido.

– É uma dama. Pura e bem-educada.

– Certo – disse Reynolds, envolvendo o volume de Brimsley com a mão. Sorriu timidamente e apertou. – Mesmo assim, ela poderia ter mostrado um pedacinho do tornozelo ou...

Brimsley desceu o corpo, roçando pele contra pele. Estava rígido, Reynolds também, e fazia semanas desde a última vez que tiveram a oportunidade de ficar a sós. Ansiava pelo toque daquele homem e agora que estava finalmente acontecendo era como se a proximidade nunca fosse o bastante. Mesmo assim, naqueles poucos momentos de paixão oculta, precisava defender a rainha.

– Ela pediu que ficasse. – Brimsley o beijou. – Mas ele fez questão de retornar para Kew. – Outro beijo. – Sem ela. Como você bem sabe.

Reynolds rolou, ficando por cima.

– Você diz isso com uma ponta de acusação.

Brimsley rolou de volta e assumiu novamente o comando.

– Você poderia ter feito alguma coisa.

– Eu não o controlo.

– Você serve a ele. Você o conhece. O rei tem algum problema, por acaso? Uma deformidade? – Brimsley mal conseguiu pronunciar a pergunta seguinte: – Há algo errado com... as partes dele?

Reynolds sentou-se bruscamente.

– Isso é inaceitável.

– Estou só perguntando. Temos um problema a resolver.

Reynolds soltou um gemido, como se não pudesse acreditar que tinha decaído a ponto de dar aquele tipo de informe.

– Acredito que as partes dele estejam bem. Grandes. Pelo que vi, o rei tem partes grandes e saudáveis. Sem deformidades.

– Pois bem. Ela é uma beldade. Uma joia sem comparação. – Brimsley fez uma pausa, ciente de que o restante que precisava falar exigia muita cautela. – Mas talvez ele não a considere bela. Não é o tipo do rei?

Reynolds o encarou sem entender.

– Eu não saberia definir o tipo dele.

Brimsley olhou sugestivamente para os pênis dos dois, ambos já ligeiramente flácidos. Compreensível, considerando a conversa que os embalava.

– Feminino – decretou Reynolds, compreendendo. – O tipo dele é feminino, com toda a certeza. Mais do que isso não sei dizer, pois nunca prestei atenção.

– Muito bem. – Brimsley considerou aquelas palavras. – Talvez os dois precisem apenas passar um tempo juntos. Como estão fazendo agora mesmo.

Reynolds assentiu devagar. Então desceu os dedos pelo peito de Brimsley. Desceu e desceu, cada vez mais, até pegar na mão o que lhe interessava.

– Supõe que poderiam passar uns quinze minutos juntos?

Brimsley pôs o dedo nos lábios de Reynolds.

– Vamos torcer para que cheguem a vinte.

George

Palácio Kew
Observatório
Dez minutos antes

Charlotte tinha ido a Kew.

Ele não esperava aquilo.

George tinha feito a coisa certa, a coisa honrada. Tinha cumprido o dever com seu país e com a Coroa, casando-se com a princesa alemã. Depois, deixou-a em paz.

Ninguém reconhecia seu grande sacrifício. Estava encantado com a noiva. Talvez fosse uma mera paixão passageira, mas o fato é que no momento só conseguia pensar em Charlotte. Em sua beleza, sua astúcia. Ela parecia cintilar em suas lembranças. Nos primeiros dias após o casamento, ele havia mantido os olhos grudados no telescópio, porque quando fitava o céu, tentando calcular órbitas e distâncias, às vezes conseguia esquecer que tinha uma esposa.

Estava com medo. Não compreendia a própria mente, não conseguia entender por que às vezes ela disparava e às vezes não. Via o terror nos olhos da mãe quando começavam os espasmos, quando as palavras transbordavam de seus lábios, sequências de substantivos e verbos que faziam sentido em sua cabeça, mas em nenhum outro lugar.

Uma vez havia pedido a Reynolds que anotasse, mantivesse um registro de seus delírios para que pudesse tentar decifrá-los quando se encontrasse num estado mais sensato. Era aterrorizante. Não podia permitir que Charlotte o visse daquele jeito.

Precisava protegê-la de tudo aquilo.

Precisava proteger-se da repulsa que ela sentiria.

Mas o céu era um lugar seguro. O Sol, as estrelas, os planetas. Meteoros e luas. Ele não podia feri-los. E eles nunca o encarariam com vergonha.

Por isso havia se exilado no observatório do Palácio Kew, onde passava as horas com seu gigantesco telescópio gregoriano. Era uma obra-prima, projetada pelo próprio James Short. A única coisa que chegava a seus pés era o instrumento que o rei francês acabara de encomendar aos monges beneditinos de Paris.

Tinha sido informado de que Charlotte estava começando a se adaptar a sua nova vida na Casa Buckingham. Pedira a alguns criados de confiança que ficassem de olho nela, e eles lhe relataram que seus dias eram tranquilos. Ela parecia gostar de ler e de olhar pela janela.

Isso parecia normal.

Então por que tinha aparecido ali em Kew do nada?

Ele ficou atento aos sons no corredor. Ouviu os passos dela, aproximando-se. Apenas os dela. Vinha sozinha, então.

Espanou as migalhas do jantar que ainda estavam na camisa. Estaria apresentável? Não parecia muito majestoso. Passara dias no observatório, inclusive vinha dormindo num catre num canto. Os pratos da refeição noturna ainda não tinham sido retirados. Não houvera tempo. Reynolds subira a escada correndo minutos antes para avisar que a carruagem da rainha fora vista na ponte.

Ele voltou para o telescópio e pôs o olho na ocular. Não queria transparecer que estava esperando por ela.

A rainha fez uma pausa. Os passos se aproximavam.

Por fim, sua voz.

– Que lugar é esse? – perguntou ela.

George se afastou da lente, tentando fingir que não tinha ouvido sua aproximação.

– Charlotte. Olá. Aqui está você.

Os lábios dela se mexeram, mas sem formar exatamente um sorriso.

– Aqui estou eu.

– É meu observatório – respondeu ele, indicando o cômodo com um gesto. – É onde olho as estrelas. – Será que ela se interessaria? Achava que sim. – A noite está perfeitamente clara – disse ele, convidando-a a se aproximar do telescópio. – É possível ver constelações. E acho que que estou vislumbrando um planeta. Venha. Olhe.

Ela deu um passo hesitante na direção dele, o rosto maculado por um discreto vinco na testa, enquanto assimilava o local.

– Não repare a bagunça – disse George, juntando alguns papéis. – Não sabia que você viria.

– Se soubesse, teria arrumado?

– Provavelmente não.

George a observou examinar o aposento. Era estranho estar com ela ali. Aquilo o deixava nervoso. Não gostava da presença de outras pessoas no observatório, um dos poucos lugares onde podia ficar sozinho de verdade. Não permitia sequer que os criados entrassem. À exceção de Reynolds, claro. *Alguém* tinha que lhe trazer e levar os pratos. E Reynolds sabia quando se manter calado. Mais importante, Reynolds sabia quando ouvir. Porque às vezes George precisava apenas de alguém que o ouvisse.

Charlotte foi devagar até a parede mais distante, onde ele havia prendido diversos desenhos e esquemas. Um deles era um projeto para um novo tipo de telescópio. Outro era um mapa das constelações no céu austral.

– É isso que você anda fazendo? – perguntou ela, de repente.

George não entendeu.

– Perdão?

– Desde o casamento. – Ela indicou o mapa na parede e depois o telescópio. – É assim que tem passado o tempo desde nosso casamento?

Ele se animou. Era uma pergunta que ele podia responder.

– Ah, sim. É tão empolgante! Há um alinhamento...

– Neste aposento – interrompeu ela, agora mais incisiva. – O tempo inteiro você estava neste aposento.

– Observatório – corrigiu ele. – Mas, sim, fiquei aqui. Gostaria de olhar pelo telescópio? É uma noite de céu claríssimo, como disse, e estou quase certo de ter localizado Vênus. Quer dizer, *tenho certeza* de que localizei Vênus, mas preciso *conferir* em meus mapas. É assim que se pratica a ciência, sabia? É preciso registrar. Verificar.

Ela nada falou. George se sentiu compelido a preencher o silêncio, por isso apontou para o mapa que ela observava.

– Esse não. Esse é do hemisfério Sul. Sabia que o céu austral não é como o nosso? Nele se veem constelações completamente diferentes. Gostaria de ir até lá um dia, mas duvido que venha a ter a oportunidade. Há deveres demais a cumprir por aqui.

Ele lhe lançou um olhar esperançoso. Não imaginara que Charlotte pudesse se interessar por astronomia.

Mas ela apenas balançava a cabeça.

– O que fiz de errado? – perguntou ela.

– Como assim?

– Qual foi o erro que cometi?

– Você não cometeu nenhum erro.

Não havia lhe ocorrido que ela pudesse achar que estavam separados por culpa dela. Mas George não sabia como apaziguar as apreensões dela sem revelar as próprias deficiências.

– Eu disse algo que o ofendeu?

– Não.

Claro que não. Ela era perfeita. Esse era o problema.

– *Fiz* algo que o ofendeu?

– Não, claro que não.

– Então o que é? – exclamou ela. – O que há de tão errado comigo?

– Não há nada de errado com você – disse ele com simplicidade.

Ela era seu cometa, sua estrela cadente. Cintilava como o céu e, quando sorria, parecia que as equações matemáticas se resolviam. O mundo em equilíbrio, todos os lados com os devidos pesos.

Ela era tudo de belo, tudo o que reluzia, e ele...

Ele não estava bem.

Não estava bem e não estava com a cabeça no lugar. Pior: não podia prever *quando* aconteceria de não estar bem e não estar com a cabeça no lugar. Se tivesse uma de suas crises diante dela... Se ela o visse em seu pior momento...

Não suportaria.

Mas como explicar algo assim? Não havia como, claro. Por isso, ele apenas repetiu as palavras e torceu para que bastassem.

– Não há nada de errado com você, Charlotte.

O tom de voz dela subiu:

– Tem que haver! Se não houvesse, você não teria me deixado de lado com tanta facilidade.

George não sabia como conduzir a conversa. Será que as emoções acentuadas de Charlotte poderiam deflagrar as dele? Precisava permanecer calmo. Era a lição mais importante que aprendera com o Dr. Monro. Como era mesmo o que ele gostava de dizer? Que George precisava aprender a se governar. Como poderia governar os outros se não conseguia governar a si mesmo?

Ele respirou fundo. Charlotte era imprevisível. Voluntariosa. Tinha abandonado seus aposentos de lua de mel na Casa Buckingham, uma violação de todos os costumes e decoro, isso sem mencionar que desobedecera a uma ordem direta dele. Tinha invadido aquele local, seu santuário particular, seu observatório, sem ser anunciada.

Quem fazia isso? Que tipo de mulher era ela?

– Por que você me odeia? – perguntou Charlotte.

– Não a odeio. – Ele praguejou baixinho. Estava perdendo o controle da conversa. Aquilo não era aceitável. – Você não está sendo nem um pouco razoável.

– George, achei que você estivesse visitando um bordel.

Ele recuou, estupefato.

– Ao menos sabe o que significa essa palavra?

– Sei o que é um bordel – disse ela, exasperada. – Acho. Tenho irmãos. Mas isso não importa. Estou dizendo que eu quase *preferiria* que você estivesse visitando um bordel.

– Não acho que pense assim – disse ele.

– Seria mais fácil compreender – disse ela, revirando os olhos, frustrada. – Mas isso... Realmente prefere as estrelas à minha companhia?

– Eu não disse que prefiro...

– Ficou neste aposento...

– Observatório – corrigiu ele de novo. – O único desta espécie em toda a Inglaterra. – Ele deu um sorriso de satisfação. – Posso lhe mostrar se quiser. O telescópio, em especial, é uma obra-prima.

Ela ficou apenas olhando para ele e, por amor de tudo que era mais sagrado, ele não fazia a mínima ideia do que ela estaria pensando.

– Vamos ver se compreendi direito. Você ficou aqui, neste observatório ímpar, dormindo, comendo e olhando o céu, empolgadíssimo com as constelações, desde nossa noite de núpcias, enquanto eu fico presa naquela casa abafada, sendo obrigada a fazer trocas de roupa três vezes por dia, como se fosse uma boneca, sem nenhum lugar para ir, sem ninguém com quem conversar, sem nada para fazer.

– Você é a rainha – disse ele. – Pode fazer o que quiser.

– Menos ficar com meu marido.

– Acalme-se, Charlotte.

– Pare de me tratar com condescendência!

– Não compreendo qual é a sua queixa.

– Tenho 17 anos e de repente sou uma rainha.

Ele percebeu que recuava enquanto ela falava. Não era sua intenção. Não queria fazê-lo. Apenas sentia que sua mente se exasperava. As palavras rolavam por seu cérebro como dados e era preciso reunir todas as suas forças para não ficar jogando a cabeça para o lado.

– Estou num país desconhecido – disse Charlotte. – Com comida desconhecida, costumes desconhecidos.

– Podemos pedir aos chefs que lhe preparem pratos familiares – sugeriu ele. – Schnitzel? Strudel? Tenho certeza de que podem aprender a fazer.

– Não se trata de comida! – explodiu ela, embora tivesse dito isso momentos antes. – Você não compreende porque nasceu para ser rei. Diz que posso fazer o que quiser, mas não posso. A rainha não tem permissão para ir à modista, a galerias ou sorveterias. Não posso fazer amigos. Devo me manter distante de todos. Não conheço uma única alma por aqui. A não ser você, e você se recusa a ficar comigo.

Ele não *podia* ficar com ela. Era diferente.

– Estou completamente sozinha – disse ela, a voz diminuindo de volume. – E você prefere ficar com o céu.

George não falou nada. Apenas a fitou. Queria que ela fosse feliz. Queria que se sentisse em casa. Ela não percebia que ele estava tentando?

– Diga alguma coisa! – implorou Charlotte.

Ele balançou a cabeça.

– Não quero brigar com você.

– *Eu quero* brigar com você! – gritou ela. – Qualquer coisa seria melhor do que essa... essa negligência. Essa falta de consideração. Não consigo suportar.

Ele se manteve imóvel. Uma estátua. Era o único jeito.

– Brigue comigo – implorou ela. – Por favor.

Ele não se mexeu. Se conseguisse se manter imóvel, talvez atravessasse a noite sem ter uma crise. Ou pelo menos a adiasse o suficiente para dar tempo de ela ir embora.

Vênus. Trânsito de Vênus...

Agora não. Não podia perder o controle naquele momento.

Vênus, Vênus, Marte, Júpiter...

– Brigue *por mim* – sussurrou ela.

Ele não queria magoá-la.

Nem balançou a cabeça. Apenas voltou ao telescópio e disse:

– Vá para casa, Charlotte.

George posicionou o olho na ocular e levou os dedos ao botão de ajuste do foco, mesmo já estando exatamente como queria. Precisava fingir que estava ocupado. Assim ela iria embora. E não veria a expressão em seu rosto.

Mas ela não foi com a rapidez que ele imaginara. Foi obrigado a ficar ali, com o olho no telescópio, fingindo não estar dolorosamente ciente de sua presença.

Será que o estava observando? Talvez o julgando?

Ele olhou para as estrelas. Localizou Vênus.

Rezou para que ela fosse logo embora.

Até que, finalmente, ela se foi.

Palácio Kew
Observatório
Na manhã seguinte

– Vossa Majestade, o Dr. Monro chegou – anunciou Reynolds.

– Faça-o entrar.

George se levantou, ajeitando a papelada que tinha diante de si. Não gostava de receber ninguém no observatório. O médico seria sua segunda visita em dois dias, mas eram tempos desesperadores.

– Obrigado por ter atendido ao meu chamado tão depressa – disse George, quando Reynolds reapareceu, dessa vez com o médico.

– Claro, Vossa Majestade. – Monro lançou olhares de admiração para os equipamentos de astronomia. – É uma coleção científica bem impressionante. Duvido que exista outra igual na Inglaterra.

George deu um sorriso autodepreciativo.

– Existem algumas vantagens em ser um monarca. Uma delas é que sempre temos as melhores coisas. – Dessa vez, porém, George não queria falar de sua mesa para experimentos físicos ou de seu microscópio. Respirou fundo. Não se sentia confortável em solicitar assistência de ninguém, mas sabia que era necessário fazê-lo. – Monro, eu... bem... preciso de sua ajuda.

– Claro. Estarei por perto sempre que Vossa Majestade se sentir prestes a ter um acesso.

– O problema é que isso não basta. – George passou os dedos pelo cabelo. A mãe sempre dizia que esse não era um hábito régio, mas naquele momento ele não podia se dar ao trabalho de se importar. – Veja bem. Sei algumas coisas sobre ciência. E uma delas é a seguinte: os cientistas guardam o melhor para si mesmos. Estou certo, Dr. Monro?

– Não sei bem se compreendo, Vossa Majestade.

– Pode levar anos até que o público seja informado das mais recentes descobertas. E compreendo que haja bons motivos para tamanha cautela. Digamos que um médico seja chamado para atender um rei.

– Falamos de uma situação hipotética? – murmurou Monro.

George estava disposto a participar daquele jogo. Por enquanto.

– Claro. É apenas um exemplo. Esse médico... que está tratando um rei... ele não pode correr o risco de falhar ou, Deus o livre, de fazer mal ao soberano. Por isso, ele só empregaria os tratamentos mais seguros e comprovados. Guardaria para si os métodos mais revolucionários até que tivessem sido demonstrados acima de qualquer dúvida.

Ele brincou com o ímã na mesa antes de encontrar o olhar do médico.

– Compreende agora, Monro?

O médico assentiu, bem devagar.

– Talvez esteja começando a compreender.

– Não basta curar os acessos depois que eles têm início. Se a rainha um dia me visse... *daquele* jeito, eu não poderia...

Não podia imaginar. Não se permitia imaginar.

– Devo presumir que a rainha não sabe de sua condição? – perguntou o médico.

– Não sabe. – George conteve o impulso de pegar um instrumento. Era difícil ficar imóvel, mas o médico precisava ver que ele estava levando tudo aquilo muito a sério. – Deus me perdoe se eu vier a machucá-la... Deve haver algo que possa ser feito. Algo que contenha os acessos antes mesmo que comecem. – E completou com as palavras com as quais jamais se permitira sequer sonhar: – Para sempre?

Monro ponderou sobre aquele pedido por um momento.

– Andei fazendo experiências com algo mais... proativo.

– Por favor. Quero ficar bem.

– Eu precisaria de mais aposentos no palácio. Acesso total a Vossa Majestade. A qualquer hora. E permissão para tomar medidas mais – ele pigarreou – extremas.

– Qualquer coisa – disse George, energicamente. – O que for preciso. Temos o tempo e a privacidade de minha lua de mel.

Monro olhou em volta.

– Esta é sua lua de mel?

– Veja meu problema. Não ouso passá-la com minha noiva. Não quero correr o risco de ela me ver fora de mim.

No exato momento em que dizia isso, ocorreu a George que ele talvez fosse uma fraude. E se ele fosse *assim*? E se ele fosse o homem que se deixava levar por delírios, que perdia horas de seu tempo tendo acessos e tremores, sem se lembrar de nada no dia seguinte? E se aquele fosse o verdadeiro George?

Talvez a miragem fosse o George agricultor. O George cientista. O homem que queria amar a esposa. E se *ele* fosse o falso rei?

– Estou pronto, Dr. Monro – disse ele.

Estava na hora de descobrir a verdade.

– Podemos começar hoje mesmo – sugeriu Monro.

– Excelente. Do que precisa?

– Hum... a princípio, nada. Vamos simplesmente conversar. Mas precisarei estabelecer um laboratório aqui. Poderia me fornecer homens para que transfiram meus equipamentos para Kew?

– Imediatamente – respondeu George.

– E um banho gelado no final da tarde.

– Você quer tomar um banho gelado?

George não conseguia imaginar nada mais desagradável, mas se o médico gostava...

– Para *você*. – Monro encarou-o com uma impressão incisiva. – Se vou tratá-lo, não será mais meu rei. Fará tudo o que eu disser, sempre que eu disser. Compreende?

– Compreendo – sussurrou George.

Porque queria ficar bem. E, pela primeira vez em meses, sentiu uma pontinha de otimismo. Parecia bom ter tomado uma decisão, ter finalmente assumido as rédeas da própria saúde, ainda que estivesse colocando aquelas rédeas nas mãos de outra pessoa.

– Podemos começar agora mesmo? – sugeriu George.

Monro ficou surpreso.

– Podemos – respondeu ele, um brilho de satisfação (ou talvez de puro prazer) cruzando seu rosto. – Podemos. Sente-se. – Monro apontou para uma cadeira de madeira de costas retas. – Aqui está perfeito.

George seguiu as instruções.

– Não se mexa enquanto falo com você.

George assentiu com o menor movimento de cabeça possível.

– No seu caso, o problema é evidente. Você é rei.

George quis assentir de novo, mas não o fez. Estava determinado a seguir as ordens do médico.

– Desse modo, está acostumado a ser obedecido.

George observou o médico caminhar lentamente diante dele. Três passos para um lado, três passos para o outro.

– Não aprendeu a obedecer.

George ficou se perguntando se era verdade. Provavelmente era.

– Acima de tudo, nunca aprendeu a se submeter. Sua mente vaga, indisciplinada. Sem amarras, ela testa os limites da razão. Está aí a origem de seus acessos. Compreende?

George não respondeu. Não sabia se deveria.

Monro parou de súbito e aproximou o rosto do de George.

– *Compreende?* – rugiu.

George se sobressaltou.

– Sim, compreendo.

Reynolds surgiu de súbito, quase derrapando ao entrar.

– Vossa Majestade! O que está acontecendo? Está tudo bem?

– Precisamos de privacidade – disse Monro, sem nem olhar para Reynolds. – Está dispensado.

Reynolds ficou olhando para George, claramente aguardando uma ordem sua. Mas ele apenas engoliu em seco e assentiu. Tinha que fazer aquilo. Era sua única chance.

Mesmo contrariado, Reynolds dirigiu-se à porta.

– Espere! – rosnou Monro.

Reynolds se virou.

– Sim, senhor.

– O paciente exige uma mudança de dieta.

— Refere-se ao rei?

A voz de Reynolds tinha uma pontinha de insolência. George não pôde evitar se sentir grato por isso.

— Refiro-me a meu paciente. É o que ele será pelo futuro próximo. Por favor, dê ordens na cozinha para que alterem sua refeição matinal. Deverá se limitar a um mingau.

— Mingau, senhor?

— Mingau ralo.

— Não servimos isso nem para as copeiras – argumentou Reynolds.

Monro não se dignou a dar uma resposta.

— O senhor quer alimentar o rei com mingau – declarou Reynolds, a incredulidade estampada no rosto.

George apertou os lábios para não sorrir. Reynolds era leal. Até mesmo um amigo. Aquilo aqueceu seu coração.

Mas ele precisava da ajuda de Monro, por isso disse a Reynolds:

— Por favor, siga as ordens do meu médico. É um novo tratamento, um tratamento com grandes perspectivas de sucesso.

— Vossa Majestade...

Reynolds claramente ainda não estava convencido.

— Estou certo disso, Reynolds – tranquilizou-o George. – Vá.

Palácio Kew
Observatório
14 de setembro de 1761

No dia seguinte, George já não tinha tanta certeza. Mas permanecia determinado a ir até o fim. O Dr. Monro havia montado um laboratório no porão do Palácio Kew e tinha transferido os tratamentos de George para aquelas profundezas úmidas.

George deveria ter sentido alguma identificação ali – afinal de contas, era um lugar da ciência, com mapas de anatomia nas paredes e prateleiras cheias de livros e recipientes –, mas só conseguia sentir pavor. Ao contrário de seu observatório celeste, ali era escuro e subterrâneo. As tochas bruxuleantes lançavam sombras sinistras, mas o pior eram as gaiolas cheias de animais trazidas por Monro. Ratos, em sua maioria. Um ou dois coelhos. Até cães.

Não tinham boa aparência.

– Essa é a cura – disse o médico, levando George a uma cadeira de costas retas acorrentada ao chão. – Submissão. É como eu lhe disse: se não consegue governar a si mesmo, não tem condições de governar os outros.

George olhou para a cadeira, horrorizado. Era simples, de ferro e madeira, mas tinha botões e alavancas assustadores. E o que eram aquelas tiras pendendo do encosto de cabeça? Com certeza não seria para prendê-la, certo?

– Amarre-o – ordenou Monro aos assistentes.

George tentou controlar a respiração enquanto seus punhos e tornozelos eram presos por tiras de couro.

É necessário, disse a si mesmo. *É assim mesmo.*

Governe-se. Controle-se.

Mas seu coração estava disparado, a respiração cada vez mais rápida e pesada. Estava apavorado. Aquilo era necessário e era o certo a fazer, mas ele estava apavorado. Devia ser uma reação normal. Tinha que ser.

– Até que você seja capaz de se governar, eu o governarei – decretou Monro. – Compreende?

George assentiu e fez menção de dizer que sim, mas foi impedido quando um dos assistentes de Monro enfiou uma mordaça em sua boca.

– *Está compreendendo, rapaz?* – rosnou Monro.

George assentiu freneticamente.

– Não ligo a mínima para quem foi seu pai, para quantos títulos você tem, nem se é ou não o representante de Deus na Terra. Aqui você é apenas mais um animal numa gaiola. E, como um animal, *eu o domarei*.

George fechou os olhos bem no momento em que os assistentes do doutor prenderam mais uma tira de couro em sua testa. Ele estava pronto para ser domado.

Agatha

*Casa Buckingham
Sala de visitas da rainha
14 de setembro de 1761*

E agora lá estava ela, tomando chá com a rainha. Agatha realmente não compreendia como havia chegado até ali.

Claro que *compreendia*. A rainha tinha pele negra, e o Palácio queria garantir que ela se sentisse bem-vinda. Por isso, decidiram que outras pessoas de pele negra poderiam enfim ser consideradas companhia apropriada. Mas Agatha não compreendia como a jovem nascida princesa Sophia Charlotte de Mecklemburg-Strelitz havia sido escolhida para ser a rainha.

Dizia-se à boca miúda que a "antiga" sociedade (como a nobreza de pele clara tinha passado a ser chamada) ainda conjeturava se o casamento poderia ser anulado e uma nova rainha encontrada entre suas famílias. Muitos, se não a maioria, ainda se recusavam a aceitar os recém-elevados a nobres. Diversos dos novos lordes, entre eles Danbury, haviam tentado se associar ao White's.

Foram todos barrados na porta.

Agatha só conseguia deduzir que o Palácio não sabia do tom de pele de Charlotte. Caso soubesse, não teria distribuído convites para a elite negra de Londres com *um pouquinho* mais de antecedência? Agatha não se queixava (quem se queixaria de receber um convite para as núpcias reais?), mas era sabido por todos que a antiga sociedade tinha recebido seus convites semanas antes.

Naquele momento, portanto, a nobreza inglesa tinha toda uma gama de tons de pele. Era, segundo o Parlamento, "O Grande Experimento". Uma definição precisa, pensava Agatha, pois era tão grande quanto experimental. Ela olhou para a nova rainha por trás do elaborado serviço de chá que havia sido colocado na mesa entre as duas. Será que Charlotte tinha alguma ideia da mudança que vinha fomentando com sua mera existência? Agatha desconfiava que ela nem fizesse ideia, isolada como estava em seu cativeiro na Casa Buckingham.

– Foi muito gentil de sua parte me convidar para o chá – disse Agatha.

A rainha Charlotte sorriu e assentiu. Tudo muito educado.

Agatha fez um gesto para a comida no prato, percebeu que ainda não havia experimentado e deu uma mordida apressada.

– Os *scones* estão deliciosos.

– Sim. Eu não os havia experimentado antes de chegar a Londres. Temos comidas diferentes em Mecklenburg-Strelitz.

– Mesmo? Ah, claro que sim. Está apreciando a comida da Inglaterra?

– É deliciosa. Tudo é delicioso.

Como se para confirmar o que dissera, a rainha pegou um biscoito de damasco e deu uma mordida. Mas o movimento foi muito súbito e algo nele pareceu a Agatha um sinal de nervosismo.

Estranho. Por que a rainha da Grã-Bretanha e Irlanda estaria nervosa em conhecê-la?

– Que maravilha – murmurou Agatha.

Ela tomou um gole de chá, desesperada para fazer algo com a boca além de tentar puxar assunto. Para ser sincera, era uma situação extremamente constrangedora. Como se conversava com uma rainha? Deixando de lado a questão da posição social (como se isso fosse possível), havia no mínimo seis criados no aposento junto com elas.

E um harpista. Que tocava num volume ligeiramente mais alto do que seria propício para conversas.

– Fico feliz que tenha vindo – disse a rainha.

Como se fosse possível recusar o convite. Agatha sorriu educadamente e perguntou:

– Vai se encontrar individualmente com cada uma de suas damas de companhia?

– Não.

– Ah.

– Foi Brimsley quem me orientou a convidá-la. – A rainha fez um gesto descuidado para indicar seu criado. – Garantiu-me que você seria bem discreta.

Agatha estranhou.

– É preciso discrição?

– É que estou em lua de mel.

– Lua de mel? – repetiu Agatha.

Céus, por que havia sido chamada ao palácio durante a lua de mel da rainha? Ela lançou um olhar furtivo para Brimsley. Parecia alarmado.

Agatha fez um minúsculo sinal com a cabeça. Talvez o próprio Brimsley não tivesse percebido, de tão sutil. Mas queria comunicar a *alguém* que ela compreendia a delicadeza da situação. Não poderia circular a notícia de que a rainha sentira necessidade de companhia durante a lua de mel.

Além da companhia do rei, é claro.

Mas o rei não estava em nenhum lugar por perto. Além disso, antes de ser conduzida àquela gloriosa sala decorada em tons de azul-esverdeado, dourado e creme, Agatha ouvira rumores de que o rei não se encontrava na residência.

– Tudo está indo *maravilhosamente* bem – continuou a rainha Charlotte. – Uma lua de mel esplêndida. Meu marido é o melhor dos maridos. Inteligentíssimo. E muito belo.

– O rei sempre foi considerado agradável ao olhar – comentou Agatha, com cautela.

– É.

Agatha tomou mais um gole de chá.

– Mais? – perguntou a rainha.

Agatha assentiu.

A um gesto da rainha, três criadas vieram correndo. Uma reabasteceu o chá de Agatha, outra derramou um pouco de leite em sua xícara e a terceira colocou um cubo de açúcar.

– A Dança das Criadas do Chá – murmurou Agatha.

– O que disse?

Maldição. Ela não tivera a intenção de ser ouvida.

– Estava admirando a precisão de suas criadas – explicou-se Agatha. – Elas se movimentaram como se executassem uma dança lindamente coreografada.

A rainha ponderou e então assentiu. Chegou a sorrir.

– Foi mesmo. Mas não foi isso que você disse.

– Chamei de A Dança das Criadas do Chá.

O sorriso da rainha aumentou. Não muito. Nem o suficiente para mostrar os dentes. Mas Agatha teve a sensação de que ela talvez estivesse começando a se sentir à vontade.

Pobre mulher. Pobre menina, na verdade. Quantos anos tinha mesmo? Apenas 17? Agatha se casara mais ou menos com a mesma idade, mas pelo menos não precisara mudar de país.

O casamento tinha sido terrível nos primeiros dias. Ainda era terrível na maior parte do tempo, mas pelo menos agora ela compreendia o que estava fazendo. Encontrava-se dentro de sua própria cultura e, até ter sido inesperadamente promovida a dama de companhia, soubera muito bem se orientar na sociedade.

A rainha Charlotte estava à deriva.

Agatha deu mais um gole no chá. Teria sido um crime não beber depois de ter sido preparado com tanta habilidade pelas criadas. Mas ela e a rainha haviam embarcado em mais um silêncio constrangedor.

– Gosta de música? – perguntou a rainha, abruptamente.

– Gosto. Não diria que entendo muito do assunto, mas gosto de ouvir.

– Sou uma grande aficionada.

– Que sorte a nossa – disse Agatha. – Pretende organizar concertos?

A rainha olhou de relance para Brimsley, que fez um pequeno sinal afirmativo com a cabeça.

– Assim que acabar minha lua de mel.

– Ah, sim.

E esse foi o fim da conversa. Agatha foi poupada de tentar encontrar outro assunto apropriado quando um lacaio entrou no aposento. Ele trocou algumas palavras em voz baixa com Brimsley, que era o conselheiro de maior confiança da rainha, como Agatha começava a perceber.

Ou de maior confiança possível após menos de duas semanas de convívio.

Brimsley deu um passo à frente.

– O rei mandou um presente, Vossa Majestade. Está à sua espera no foyer. E há um bilhete.

Ele o entregou à rainha.

– Um bilhete?

O rosto da rainha se iluminou. Era quase doloroso de testemunhar. Agatha esperou com paciência que ela rompesse o lacre.

– Ah, que bonito! – disse a rainha. – Não é bonito? – Ela estendeu a mão com o bilhete. Agatha levou um momento para perceber que deveria pegá-lo.

A correspondência particular entre um rei e uma rainha... Ela, Agatha Danbury, deveria ler?

Se fosse católica, teria feito o sinal da cruz.

– Leia em voz alta – ordenou a rainha.

– *Quero que nunca se sinta sozinha.* – Agatha pigarreou. – *George R.*

– A assinatura dele.

– Sim, claro. – Agatha contemplou a caligrafia elegante mais uma vez antes de pousar o cartão na mesa. – Creio que nunca vi antes a assinatura de um monarca.

A rainha ponderou por um momento.

– Nem eu, suponho. Espere. Nós assinamos o registro na capela, não foi?

Agatha assentiu.

– É o costume, senhora.

A rainha se voltou para Brimsley.

– Me mostre o presente.

Brimsley fez um ruído de leve desconforto.

– Hum, talvez não seja o melhor momento.

– Que bobagem. Quero ver agora.

Agatha tentou esconder a apreensão. Desconfiava que Brimsley tinha uma compreensão bem melhor que a rainha sobre o funcionamento do palácio, e, se ele achava que aquele não era o melhor momento para o presente do rei, devia ter um bom motivo para isso.

Mas ninguém desobedecia a uma ordem direta da realeza. Por isso, um momento depois, uma cesta de vime foi entregue a Charlotte.

– O que é isso? – perguntou ela.

Agatha se curvou. Conseguiu ver apenas uma bola de pelos gigante na cor caramelo.

– É o presente do rei, Vossa Majestade – esclareceu Brimsley.

– Mas o que é?

– Acho que é um cachorro, Vossa Majestade.

A rainha olhou para a bola de pelos, depois olhou para Agatha e Brimsley.

– Não – disse ela com firmeza. – Cachorros são grandes e majestosos. Um pinscher, um pastor, um schnauzer. Isto é um coelho deformado.

Agatha deu uma gargalhada.

– Então você concorda comigo – disse a rainha, voltando-se bruscamente para ela.

– Bem... nunca gostei muito de cães – admitiu Agatha. – De nenhuma espécie.

– Gosta de coelhos deformados?

– Certamente que não.

A rainha observou o cão por um momento.

– Ele tem um nome?

– Pompom, Vossa Majestade – disse Brimsley.

– *Pompom?* – Ela resmungou baixinho alguma coisa em alemão.

– O criado pessoal do rei me disse que o nome foi escolhido pelo próprio rei – disse Brimsley.

– O criado pessoal do rei? Aquele que conheci em Kew?

– Reynolds – confirmou Brimsley.

– Ele conhece bem o rei, esse Reynolds?

– Muito bem.

A rainha ponderou.

– E esse Reynolds disse que o rei queria me presentear com esse cachorro?

– Sim, senhora. Ele disse que o rei se preocupa muito com sua felicidade.

A rainha franziu os olhos.

– Você parece conhecer esse Reynolds muito bem.

Brimsley tossiu e corou. Agatha ergueu as sobrancelhas. *Aquilo* era interessante.

– Reynolds e eu trabalhamos para a família real há muitos anos – respondeu Brimsley, por fim.

Mas a rainha não estava mais prestando atenção nele.

– Suponho que seja um presente muito carinhoso – disse ela, enfiando o dedo na pelagem do animal. E olhou para Agatha com uma expressão decididamente feliz. – Meu marido é o melhor dos maridos.

Agatha não falou "Sim, você já disse isso". Apenas assentiu.

– É nossa lua de mel – acrescentou a rainha.

Charlotte engoliu em seco, e o movimento pareceu quase doloroso para seu pescoço delicado cheio de joias.

Agatha não pôde mais se conter. Com cuidado, pousou a xícara de chá na mesa. E falou baixinho:

– Posso lhe falar com liberdade, Vossa Majestade?

A rainha virou-se para Brimsley, que conseguiu esvaziar o aposento com um breve sinal de cabeça, depois pegou a cesta e se dirigiu à porta.

– Ficarei a não mais do que cinco passos de distância – garantiu ele à rainha.

Charlotte aguardou que ele partisse e em seguida se virou para Agatha com algo no olhar que parecia alívio. Ou talvez fosse desespero.

– Por favor, fale com liberdade. Ninguém mais faz isso aqui.

Agatha, metaforicamente, tomou ar para ganhar coragem e foi em frente:

– Em primeiro lugar, Vossa Majestade mente muito mal. Não acreditei em nenhuma palavra que disse sobre sua lua de mel. Não tente fazer o mesmo diante da sociedade, ou vai provocar um escândalo.

A rainha arregalou os olhos.

– Ah. Não tinha percebido que...

– Minha lua de mel foi um desastre – continuou Agatha, com toda a franqueza. – Eu não sabia o que esperar da noite de núpcias e meu marido era velho e impaciente. Continua sendo, aliás.

– Sinto muito.

– É a vida.

Fazia muito tempo que Agatha havia aceitado seu destino. Luxo e riqueza sem qualquer conforto real.

– Foi tudo muito doloroso e assustador. Estou aqui para lhe dizer que é normal que a noite de núpcias não seja perfeita ou esplêndida.

A rainha nada disse.

Agatha esperou.

Nada.

Meu bom Deus.

– Vossa Majestade *teve* uma noite de núpcias? – perguntou Agatha, com muita cautela.

Foi como se uma represa se rompesse de súbito.

– Ele foi perverso! – exclamou a rainha. – E rude. E egoísta. Só queria ir embora. Sentiu-se mal, suponho, e parecia não compreender por que eu não queria que ele morasse em Kew enquanto fico presa aqui sem ninguém com quem conversar. Aí ele me dá esse animal como se assim fosse melhorar as coisas, mas isso não compensa a...

– Vossa Majestade – interrompeu-a Agatha.

A rainha parou de falar e fez um pequeno sinal com a cabeça. Minha nossa, como ela parecia jovem!

– Ainda tenho permissão de lhe falar com liberdade?

A rainha voltou a assentir.

– Estou falando da consumação do casamento. A senhora e o rei consumaram o casamento, não foi?

Mas a rainha ficou ali parada sem nenhuma expressão no rosto.

– Vossa Majestade... – Agatha levantou-se, alarmada. – Charlotte. Se não consumou seu casamento, na realidade não está casada com o rei. Toda a sua posição está em perigo. O Grande Experimento está em perigo. Meu Deus, o casamento *foi consumado*?

A rainha nada disse.

– Sabe o que quero dizer com *consumado*? – perguntou Agatha, temendo a resposta.

A rainha assumiu uma expressão vagamente prestativa.

– Tem alguma relação com esse grande experimento?

Céus. Que Deus as ajudasse.

Agatha alinhou os ombros. Estava prestes a firmar seu lugar na história, embora ninguém fosse ficar sabendo.

– Vamos chamar Brimsley – disse ela, com determinação severa. – Precisaremos de material.

A rainha assentiu e se virou para a porta.

– Brimsley!

Ele veio correndo.

A rainha fez um gesto para Agatha.

– Dê a ela tudo de que precisa.

– Papel para desenho – disse Agatha. – Carvão. Ou lápis. Tanto faz.

Se Brimsley estranhou o pedido, seu rosto não o entregou. O fato é que providenciou o material em menos de dez minutos.

– Não sou uma artista muito talentosa – desculpou-se Agatha antes de começar a desenhar.

– Bobagem. Tenho certeza de que é excelente. Embora... – Charlotte se debruçou. – O que é isso?

Não foi a primeira vez que Agatha se perguntou se estava vivendo um pesadelo.

– Isto é o membro de um homem.

– O quê?

– É o...

– *Senhora* – disse Brimsley, com a voz embargada.

Agatha virou o rosto bruscamente.

– Prefere que ela continue na ignorância?

– Isso mesmo – disse Charlotte. – Prefere que eu continue na ignorância, Brimsley?

Brimsley engoliu em seco visivelmente.

– Claro que não, Vossa Majestade.

– Tem mesmo essa forma? – perguntou Charlotte, acompanhando o desenho com os dedos. Então olhou a ponta dos dedos, cinzentas do carvão, e esfregou-as para limpar a sujeira. – Não parece prático.

– Pois bem, a forma se altera – disse Agatha.

– É mesmo? – A rainha se voltou para Brimsley. – Você tem um desses, não tem?

As bochechas de Brimsley ficaram rosadas.

– Sim, Vossa Majestade.

– E ele se altera quando...? – A rainha olhou para Agatha em expectativa.

– Quando o homem deseja sua esposa.

– Hum. O formato muda nessa ocasião? – perguntou a rainha para Brimsley.

Brimsley lançou um olhar desesperado para Agatha.

– Esse não é o tipo de conversa que...

– Estou perfeitamente ciente – retrucou Agatha.

– Brimsley não tem esposa – salientou a rainha.

– Muito bem – disse Agatha. – Não precisa ser uma esposa, num sentido estrito. Basta ser uma mulher, suponho.

Brimsley engoliu em seco.

A rainha voltou a olhar para o desenho.

– E o que ele faz com isso?

Agatha olhou para Brimsley. Ele suava visivelmente, o olhar fixo no teto.

– Ele o insere no seu corpo – explicou Agatha.

A rainha se encolheu, o queixo quase desaparecendo no pescoço.

– Está brincando comigo.

– Infelizmente, não.

A rainha se voltou para Brimsley a fim de obter confirmação.

– Brimsley...

– Por favor, Vossa Majestade – pediu ele. – Eu imploro.

Ela se virou de volta para Agatha.

– Estamos deixando-o desconfortável.

– Muito – confirmou Brimsley, meio engasgado.

– O homem insere o membro em seu corpo – repetiu Agatha. – Entre suas pernas. Eu não sei se... – Ela soltou um gemidinho, olhando para o papel. – Não sei se consigo desenhar.

– Brimsley, você poderia... – começou a rainha.

– Não! – O rosto dele agora parecia um tomate.

A rainha voltou-se para Agatha de novo.

– E quantas vezes o homem o insere?

– Quantas vezes for necessário, Vossa Majestade.

– Quanto tempo leva?

Agatha não podia mentir.

– Às vezes parece uma eternidade.

A rainha assentiu devagar, absorvendo a informação.

– Eu vou gostar?

– Eu nunca gostei. Mas acredito que nunca pensei no ato como algo a ser apreciado. É mais como uma tarefa a cumprir, na verdade. Talvez seja diferente com alguém de quem se goste. – Agatha deu de ombros. – Não sei bem.

E provavelmente nunca saberia.

– Pois bem. Não gosto de George – disse a rainha, sem rodeios. – Então não vejo necessidade de nos darmos ao trabalho de...

– Não! – exclamou Agatha antes que conseguisse controlar sua reação. – É preciso. Vossa Majestade, estamos na Grã-Bretanha. Não faz muito tempo que as rainhas eram decapitadas por não gerarem filhos.

– E essa é a única forma de engravidar? Tem certeza?

– Absoluta.

A rainha franziu a testa em descontentamento.

– Imagino que não haja pressa.

Agatha pegou a mão da rainha, bem ciente de que aquilo contrariava inteiramente o protocolo.

– Vossa Majestade – começou ela, com considerável premência –, o ato marital *precisa* ser realizado, caso contrário a senhora não é rainha.

– Mas estamos casados.

– Não inteiramente.

A rainha resmungou alguma coisa. Agatha pensou ter ouvido *Uns pardais teus*, mas não podia ser, pois era alemão.

– Senhora? – perguntou ela, hesitante.

– Disse que preciso do meu alemão – disse a rainha num tom frustradíssimo. – Preciso das minhas palavras compridas. Esse casamento pela metade... é ridículo. Teríamos uma palavra para isso em alemão, e aí eu *saberia*.

– Claro – murmurou Agatha, sem entender muito bem do que ela estava falando.

Os olhos da rainha se iluminaram.

– Não sou estúpida. Não sou.

– Não é – concordou Agatha, estarrecida com a súbita mudança de tema. Mas não falava da boca para fora. Charlotte não era estúpida. Pelo contrário, Agatha desconfiava que era uma das pessoas mais inteligentes que viria a conhecer. Mas tinha sido jogada numa situação impossível.

Só que não havia como ser impossível, havia? Afinal, era a vida de Charlotte.

Estava solitária. A rainha vinha se sentindo desesperadamente só, e Agatha não tinha ideia do que fazer para ajudá-la.

– Não sou estúpida – repetiu Charlote. – Mas eles fazem com que eu me sinta assim todos os dias. Me vestem, me dizem aonde devo ir, a quem ver e a quem *não* ver e o que... – Ela ergueu os olhos de repente. – Não posso sequer comer peixe!

– Perdão?

– O rei odeia peixe e por isso eu também não posso comer, embora não moremos na mesma casa. Eu adoro peixe. Sabia?

– Não sabia.

– Arenque. Fui criada perto do mar Báltico; comemos arenque. É coisa de dinamarquês.

– Dinamarquês – repetiu Agatha, debilmente.

– Ficamos muito perto da Dinamarca. Mas as pessoas sabem disso? Não, não sabem, porque não se importam comigo.

– Tenho certeza de que não é verdade.

– Tem certeza? – Charlotte virou-se para ela, incisiva. – Não sei como poderia ter certeza. É apenas a segunda vez que nos encontramos.

– Pois bem... – Agatha lutou para encontrar as palavras. – A senhora é a rainha. Por definição, todos se importam com a senhora.

Charlotte arqueou as sobrancelhas.

– Vejo que sabe muito pouco sobre ser rainha.

– Estou aprendendo mais a cada dia.

Charlotte não gostou.

– Isto. – Charlotte fez um gesto indicando os desenhos na mesa. – Precisa mesmo ser feito?

– Precisa – respondeu Agatha, conseguindo esboçar um pequeno sorriso. – Tenho certeza de que há uma palavra para isso em alemão.

Charlotte fitou-a por um segundo e então soltou uma gargalhada inesperada.

– Você é engraçada. – Então apertou os lábios e suspirou. – Pois bem, deixaram-me na ignorância nos dois idiomas, com toda a certeza.

– Sinto muito – disse Agatha.

– Não é culpa sua.

– Não, mas lamento sua situação. É o destino das mulheres, infelizmente. Não é justo nem certo.

– Não, não é.– Charlotte balançou a mão sobre a mesa, indicando mais uma vez os desenhos ridículos. – Não é por falha minha. Está claro que o rei não me quer. E não tenho como obrigá-lo a fazer isso comigo. Talvez seja uma coisa boa. Se não sou a rainha, se não estamos casados, então talvez tudo isso seja esquecido e eu possa voltar para casa.

– Não! – exclamou Agatha.

Charlotte a olhou com certa surpresa. Tinha sido uma manifestação súbita.

– Espero que fique – disse ela, obrigando-se a transmitir mais calma na voz. Se Charlotte partisse, com certeza acabaria o Grande Experimento.

– Mas ele não me quer – argumentou Charlotte.

Agatha não sabia o que fazer. Por fim, disse:

– É um lulu-da-pomerânia. Seu coelho deformado.

– O Pompom?

– É um cão. Um cão muito raro, de raça. Se fosse uma joia, seria um diamante.

Charlotte tocou as joias que usava no pescoço.

– Diamantes – enfatizou Agatha.

– Minha pedra preferida – sussurrou Charlotte.
Ela se virou para Brimsley.
Brimsley assentiu.
– Vou buscar o cão – disse ele.

Palácio de St. James
Sala de visitas da princesa Augusta
Uma hora depois

Agatha ainda não havia saído de Buckingham quando um criado a interceptou. Ela não deveria voltar para casa. Seguiria diretamente para o Palácio de St. James. A princesa Augusta solicitava sua presença.

– Que Deus me ajude – murmurou ela, com um suspiro, sozinha na carruagem.

Era realeza demais para um só dia. O marido talvez invejasse a atenção, mas, com toda a sinceridade, era exaustivo.

– Lady Danbury – lembrou a si mesma. – *Lady* Danbury.

Pelo visto, precisava fazer por merecer seu título.

A princesa não a fez esperar. Agatha foi conduzida imediatamente para a sala de visitas.

– Você conhece o conde Harcourt, naturalmente – disse a princesa Augusta à chegada dela.

Agatha não conhecia o conde Harcourt. O conde Harcourt nunca teria se dignado a reconhecer sua existência antes do casamento real. Mas ela fez uma reverência e respondeu:

– Naturalmente.

Com um gesto, a princesa Augusta a convidou a se sentar. Então a encarou com seus olhos azuis gélidos.

– Por favor, me relate seu encontro com a rainha.

Agatha conteve sua surpresa como pôde. As notícias viajavam depressa. A princesa devia ter uma rede e tanto de espiões.

– Não sei bem se compreendo.

– Você se encontrou com Sua Majestade.

– Sim.

– Estou pedindo que me faça um relato detalhado do encontro.

Agatha fingiu ignorância.

– Tomamos chá.

A princesa olhou para ela.

Ela olhou para a princesa.

– Tomaram chá – disse Augusta, por fim.

– Sim.

– E?

– Conheci seu cachorrinho.

– Seu cachorrinho.

– Sim. – Agatha deu um sorriso anódino. – Um lulu-da-pomerânia.

A princesa olhou para ela.

Ela olhou para a princesa.

A princesa emitiu um som muito impaciente e olhou para o conde Harcourt.

Ele pigarreou.

– Sobre o que conversou com Sua Majestade?

Nem morta que Agatha revelaria o conteúdo *daquela* conversa.

– Realmente não me lembro – afirmou.

As sobrancelhas do conde Harcourt se uniram numa expressão irada.

– Tenho certeza de que se lembra, sim.

– Que interesse despertaria o que duas damas conversam à hora do chá? Costumamos tratar de vestidos, arranjos florais, bordados e mexericos da temporada social. E, para as mais audaciosas, as últimas composições musicais...

– Não acho que ela saiba – interrompeu o conde Harcourt, dirigindo-se à princesa Augusta.

– Ela sabe – disse a princesa, incisiva. E se virou para Agatha. – Sabemos do que se costuma falar durante o chá. Qual foi o assunto *deste* chá, querida?

– Deste chá? – perguntou Agatha, com a mais pura inocência.

– Está criando dificuldades de propósito, Agatha, e não admito isso.

– Lady Danbury – corrigiu Agatha, baixinho.

– Perdão?

– Lady Danbury. É meu título, Vossa Alteza Real. O título que a senhora teve a gentileza de me conceder. Lady. Agatha. Danbury. E eu me lembro de uma coisa sobre este chá: compreendi que nossa rainha ainda não sabe que nossos títulos são muito recentes. Não seria um assunto interessante para um *próximo* chá?

A princesa olhou para ela.

Ela olhou para a princesa.

– Harcourt, talvez nós duas possamos conversar de mulher para mulher – disse a princesa, sem olhá-lo.

– Deixe que eu cuido disso – balbuciou Harcourt. – Se lorde Bute...

Mas a princesa Augusta interrompeu-o com ênfase:

– Eu mesma cuido.

As duas mulheres aguardaram em silêncio. Depois que Harcourt saiu, a princesa lançou um olhar avaliador para Agatha.

– Você me surpreende. Sempre achei que fosse quieta e dócil.

– Não sou quieta. Meu marido é que faz muito barulho.

A princesa refletiu. Agatha julgou ver traços de um respeito relutante.

Mas não podia ter certeza.

– Lady Danbury, necessito saber o que está acontecendo na Casa Buckingham. Preciso de um ouvido de confiança. Compreende?

– Compreendo.

– Pois então...

Agatha escolheu as palavras com muito cuidado.

– Tradicionalmente, quando se concede um título, ele é acompanhado por renda e terras. Uma propriedade. Sem essas coisas, um título é só... um título. – Ela pousou as mãos no colo. – Todos nós temos necessidades, Alteza.

Os lábios de Augusta ficaram tensos.

– Você quer dinheiro.

Não, Agatha não queria dinheiro. Queria respeito. Não sabia por quê, de repente, sentia tanta vontade de proteger o marido (que nem lhe inspirava afeto nem nada), mas não conseguia suportar a expressão no rosto dele ao chegar em casa depois de sofrer com mais um ato de desdém ou insulto. Tinha se tornado um lorde. O rei proclamara que ele era um dos homens mais importantes do país, mas ninguém o tratava de forma condizente. Ninguém tratava nenhum dos novos lordes com a devida deferência.

Agatha obrigou-se a olhar a princesa diretamente nos olhos. *Seja feroz*, disse a si mesma. *Seja temível*. E ela falou.

115

– Vossa Alteza Real esquece que o motivo que levou seu sogro, o rei, a conhecer minha família foi o fato de que meu sogro também era um rei. E Serra Leoa é muito rica. Já tínhamos dinheiro. Temos mais dinheiro do que a maior parte da alta sociedade. O que eu preciso é que meu marido não tenha o acesso ao White's negado. Preciso que seja convidado para as caçadas. Preciso ser capaz de atravessar a rua e visitar a melhor modista, de obter os melhores assentos na ópera.

– Isso é ganância – acusou Augusta. – É pedir muito. Deveriam ser gratos pelo que demos a vocês.

Agatha encarou a princesa com frieza.

– Vossa Alteza diz que necessita saber o que se passa na Casa Buckingham. Presumo que necessite saber isso para que lorde Bute acredite que Vossa Alteza tem o controle da situação. Porque, se não tiver, a Câmara dos Lordes vai cobrá-la. Não é verdade?

– Cuidado, lady Danbury.

– Estou simplesmente indicando que nós duas temos necessidades. Vossa Alteza precisa saber o que se passa na Casa Buckingham. Meu marido e eu precisamos ser como qualquer outro membro da alta sociedade. – Ela levou a xícara de chá aos lábios. – Podemos nos ajudar mutuamente.

– Você é mais do que aparenta – disse a princesa Augusta depois de uma longa pausa.

– Como Vossa Alteza.

A princesa lhe lançou um olhar astucioso.

– Acredito que chegamos a um entendimento.

– Chegamos?

– Mas, naturalmente, um entendimento é apenas isso. Um entendimento. Não é nada sem moeda.

– A moeda da informação – disse Agatha.

– Exatamente. – Augusta inclinou a cabeça. – Então eu pergunto, lady Danbury, o que preciso saber? O que está acontecendo na Casa Buckingham?

– Não é tanto o que está acontecendo – disse Agatha. – É o que *não* está acontecendo.

A princesa Augusta fitou-a por alguns instantes *bem* longos.

– Entendo – disse ela, enfim.

– Acredito que entenda.

– Tem certeza disso? – perguntou Augusta.

– Absoluta.

A princesa Augusta tinha o tipo de rosto que não demonstrava emoções, mas Agatha passara a vida inteira sendo arrastada a eventos onde deveria permanecer em silêncio. Sabia ler as pessoas.

Augusta estava irada.

E com medo.

E frustrada, e com a mente agitada, e já tramando seu próximo movimento.

– Pode ir, lady Danbury – disse ela. – Entrarei em contato.

Agatha se levantou e fez uma reverência.

– Aguardo suas instruções, Vossa Alteza Real.

No dia seguinte, chegou uma carta destinada a lorde Danbury. Trazia o selo real. Agatha levantou-se com silenciosa retidão enquanto o marido a abria.

– Recebemos terras! – exclamou ele.

Agatha levou a mão ao coração.

– Não creio!

– Bem aqui em Londres. E os meninos têm vagas garantidas em Eton.

– O futuro deles está garantido – murmurou Agatha.

– Nunca pensei que veria este dia – disse Danbury. Seu lábio estremeceu. – Depois de tudo que eu... Depois de tudo que suportei... – Ele se voltou para Agatha. – Sabe como isso aconteceu?

Ela poderia ter contado. Poderia ter dito que fizera um acordo com a mãe do rei, que traíra a própria rainha. Poderia ter dito que tinha sido graças à *sua* inteligência, à *sua* astúcia, mas ao olhar o rosto dele, tão cheio de espanto, tão satisfeito por finalmente receber a dignidade e o respeito que tanto lhe haviam negado, decidiu que não valia a pena.

Ele merecia aquele momento.

Agatha sorriu e tocou a mão do marido.

– Não faço ideia.

– Vou lhe dizer uma coisa – anunciou Herman, erguendo o braço como se estivesse celebrando a vitória. – O rei me enxerga. Percebe quem sou. Meu valor. Minha importância. Percebe que os padrões do passado estão ultrapassados e que este é um novo mundo. Que os homens são homens, independentemente de sua origem.

– E as mulheres são mulheres – murmurou Agatha.

– O quê?

– Nada, querido. – Ela bateu de leve no ombro dele. – Fale mais sobre nosso novo lar.

– É um endereço do mais alto requinte. Seremos invejados por todos. Basset não vai acreditar...

Mas Agatha deixara de ouvir. Era sua vitória. Sua realização. Nunca receberia o devido crédito, mas reconhecia a si mesma. Seu valor. Sua importância.

Os antigos padrões estavam ultrapassados. Era um novo mundo.

GEORGE

Palácio Kew
Aposentos particulares do rei
15 de setembro de 1761

– Vossa Majestade está bem?

George interrompeu seu esforço de se vestir para aquele dia. Reynolds se encontrava à porta, segurando a bandeja do desjejum.

– Claro – respondeu George, embora na verdade estivesse com uma dificuldade tremenda para fechar um botão. – Por que não estaria?

– Está tremendo, Vossa Majestade.

– Estou? – George olhou para os braços. Era verdade. – Está frio?

– Não – respondeu Reynolds. – Mas uma quantidade prodigiosa de gelo vem sendo entregue todos os dias.

– Sim. Os banhos são...

Terríveis.

Um verdadeiro pesadelo.

Péssimos para as bolas.

George pigarreou.

– Bem, tenho certeza de que estão ajudando.

Ele torcia para que estivessem mesmo. Boa parte de seu tempo no banho consistia em ter a cabeça afundada na água pelos corpulentos assistentes de Monro. Era tenebroso, mas George começava a se acostumar. E precisava confiar na convicção de Monro de que aquilo acabaria por curar seus acessos.

Que escolha ele teria?

Reynolds fez um muxoxo de desagrado.

– Quanto à comida, não sei se eu a serviria ao mais humilde dos trabalhadores do estábulo – disse ele, pousando a bandeja na mesa. – Talvez nem aos cavalos.

– Está questionando os métodos do meu médico, Reynolds?

119

Circunspecto como sempre, Reynolds nada disse.

– Também tenho minhas dúvidas – admitiu George. – Mas preciso tentar. É minha única chance de ficar com ela.

– Com todo o respeito, Vossa Majestade é… é o rei. Vossa Majestade pode fazer o que quiser. Vossa Majestade poderia estar com ela neste exato momento.

Era tão tentador. Era só no que ele pensava. Mas sabia que não estava pronto.

– Não posso correr esse risco. Ainda mais com uma mulher tão imprevisível. Tão determinada. Dá para acreditar no que ela fez naquela noite? Vir a Kew sem ser anunciada?

Ele sorriu ao lembrar. Ela era mais do que a beleza, mais do que a inteligência.

Era magnífica.

– Ela é quase tão louca quanto eu – concluiu George.

– Vossa Majestade… – Reynolds repreendeu-o.

George apenas assentiu, tranquilizando-o. Sabia que Reynolds não gostava quando ele se referia a si mesmo como louco. Estavam juntos desde a infância, desde antes de se tornar óbvio que George se tornaria rei e que Reynolds, bem, se tornaria Reynolds. Tinham um vínculo de amizade e de segredos compartilhados.

– Tudo bem, vou reformular minhas palavras. Uma mulher como essa é perigosa para um homem como eu.

– Ou talvez seja uma combinação perfeita.

– Acha mesmo? – Aquilo agradou George mais do que poderia expressar.

– Acho que só saberemos depois que Vossa Majestade tiver passado mais tempo com ela.

George mergulhou a colher no mingau. Era verdadeiramente atroz. Mas era só o que podia comer.

– Não posso estar com ela no momento – disse George, com um suspiro. – Mas talvez… Você teve alguma notícia? Daquele criado que a acompanha? O baixinho. Ele lhe contou algo?

– Brimsley. Sim, nós conversamos.

– E…?

Reynolds levou um momento para escolher as palavras.

– Acredito que ela se sinta solitária, Vossa Majestade.

– Solitária. Imagine só. Passei a vida inteira desejando ter tempo para mim.
– É o que Vossa Majestade encontra aqui em Kew – ressaltou Reynolds. – Por sua própria escolha.
– Não posso dizer que estou sozinho, Reynolds. O bom médico e seus lacaios me seguem por toda parte.
– Repito, senhor: é por escolha sua. Uma escolha que poderia ser facilmente revertida.

George balançou a cabeça. Todo mundo parecia achar que ser rei era fácil, que a capacidade de dar ordens a todo mundo transformava a vida numa brincadeira. Mas instruir a cozinha a preparar sua sobremesa preferida (e recebê-la em todas as ocasiões) estava longe de ser a mesma coisa que interromper um tratamento médico apenas por considerá-lo desagradável.

– Preciso ir até o fim – disse George. – Essa separação... Estou fazendo isso por *ela*.

Reynolds segurou a língua, mas apenas por um momento.

– Ela está recém-casada, Vossa Majestade. É sua lua de mel. Talvez sinta falta do marido.

George se permitiu abrir um sorriso melancólico.

– Acho que também sinto falta dela.

Reynolds parecia ter mais a dizer, mas George o calou balançando a cabeça. Reynolds estava se repetindo. Aquela conversa já havia acontecido mais de uma vez. E o Dr. Monro chegara.

Entrou no aposento sem bater, como se tornara seu hábito.

– Doutor – cumprimentou-o George.

Reynolds se curvou, mas apenas ligeiramente.

Monro parecia preocupado.

– Vossa Majestade tem mesmo confiança na sua segurança?

– Minha segurança, doutor?

– Os guardas, lacaios, empregados de Vossa Majestade. – Sua mão viajava raivosamente pelo ar, golpeando todos os cantos, como se ele pudesse derrubar todos os homens de Kew. – Nesses tristes dias existem tantos inimigos da Coroa... Seria terrível pensar que um espião poderia penetrar no círculo de Vossa Majestade. Para não falar de patifes, charlatães, ladrõezinhos...

George interrompeu-o porque, francamente, estava impossível acompanhar o raciocínio:

– Doutor... o que está dizendo?

– Meu cão desapareceu.

Ah.

– Que coisa terrível – disse George, com cautela. – Qual deles?

– O lulu-da-pomerânia. Acabei de adquiri-lo, há duas semanas. Nem tive chance de fazer uma experiência com ele.

– Que pena – murmurou George.

Ele não olhou para Reynolds e tinha certeza de que Reynolds não olhava para ele.

– Uma pena mesmo. – Monro soltou um grunhido de desagrado. – Cheguei ao laboratório hoje de manhã e encontrei a gaiola destravada, sem vestígio algum daquele animal estúpido.

George suspirou e assumiu uma expressão de compaixão.

– Pode ser que o animal não seja tão estúpido. Cãozinho de colo ou lobo, um animal logo se cansa da gaiola. Não concorda, doutor?

Monro lhe lançou um olhar enérgico. George imediatamente assumiu uma expressão de tédio. Ou indiferença. As duas pareciam apropriadas.

– Vossa Majestade anda passando tempo demais no observatório – decidiu Monro. – Não gosto da palidez de sua pele, da cor em torno de seus olhos. Temo que um novo acesso seja iminente.

Reynolds pigarreou.

– Os... hã... episódios de Sua Majestade nunca foram prenunciados por uma mudança na aparência.

Monro virou-se para ele.

– ... senhor – acrescentou Reynolds.

– Não aceito conselhos médicos de um criado – retrucou Monro, voltando-se novamente para o rei. – Esquecemos nossos objetivos. Relaxamos demais na nossa rotina. Mas não importa, podemos nos corrigir. Mandarei preparar um banho gelado imediatamente e depois você irá direto para a cadeira.

George respirou fundo para encontrar forças. Odiava a cadeira. Quase tanto quanto os banhos gelados. Mas eram necessários. Estava disposto a fazer o que fosse necessário para ficar bem.

Porém, enquanto Monro se dirigia à porta, um lacaio chegou com um pedaço de papel dobrado e lacrado sobre um prato. Monro foi pegar.

– É para Reynolds, doutor – disse o lacaio, afastando o prato da mão do médico.

– E por acaso ele sabe ler?

– Doutor, insultos como esse são desnecessários – disse George.

– Perdoe-me, Vossa Majestade.

George aceitou as desculpas e voltou sua atenção para Reynolds. Não era comum que ele recebesse correspondência. E, quando recebia, não era comum que a recebesse diante do rei.

– Notícias da Casa Buckingham – disse Reynolds, erguendo o olhar assim que terminou de ler.

George se animou.

– É mesmo?

– Sim. A rainha recebeu seu... hã... – ele olhou de relance para Monro – seu gesto.

– Ah, é? – Então os dois estavam falando em código. George achou aquilo divertidíssimo. – E o que ela achou?

Reynolds hesitou.

– Diga, vá – insistiu George.

– Hum... Ela o chamou de coelho deformado.

Um coelho def...

O quê?

Então George caiu na risada. Riu como não ria fazia muito tempo. Visualizou a esposa. Visualizou aquela bolinha de pelo ridícula. Riu até não poder mais.

Era como se a luz do sol tivesse finalmente alcançado seu rosto.

– Sabe de uma coisa? – disse ele enquanto se levantava. – Nada de banho gelado nem cadeira hoje.

– Vossa Majestade... – protestou Monro, com severidade. – Isso não será permitido. Temos muito trabalho a fazer, nós dois.

– Sinto muito, doutor. Hoje prefiro trabalhar na minha fazenda. Ar puro e exercício vão me fazer bem.

– *Garoto* – rugiu Monro, e se colocou na frente de George, tentando impedir sua passagem. – Ordeno que fique.

Desta vez, porém, a voz de Monro não compeliu George à obediência. Ele sorriu para o médico e atravessou o aposento para pegar o casaco.

– A carruagem, Reynolds!

– Com prazer, Majestade.

George cruzou o corredor, deslocando-se com uma velocidade e um propósito que haviam se tornado quase estranhos para ele.

– Ficará no campo o dia inteiro, Vossa Majestade? – indagou Reynolds.
– Se não chover, sim.
– Muito bem. E o jantar?
George havia chegado à escada e parou após descer alguns degraus.
– Boa pergunta.
– Há opções.
– De fato.
George bateu com a mão na perna. Estava repleto de uma energia nervosa, mas não era... *ruim*. Sentia-se desperto. Cheio de expectativas.
Esperançoso.
– Senhor?
Ele tomou uma decisão.
– Acho que jantarei com minha esposa.
– Excelente, Vossa Majestade. Avisarei a Casa Buckingham.
– Certo. Embora talvez seja melhor *não informar* a rainha. Caso eu... – George não queria completar a frase.
– Mude de ideia? – sugeriu Reynolds.
George soltou um pequeno suspiro de alívio.
– Exato.
Reynolds sorriu.
– Não mudará, Majestade.

Casa Buckingham
Sala de jantar
Mais tarde naquela noite

Foi um erro.
Deveria ter sido fácil. Ele era rei e aquele era seu castelo.
Metaforicamente falando.
Casa Buckingham era apenas aquilo – uma casa. Comprara para Charlotte. Era dela. A criadagem já a chamava de Casa da Rainha.
Ele era o intruso ali.
Era a primeira vez que George punha os pés na sala de jantar reformada. Os criados estavam alinhados junto à parede, a maioria novata no serviço real, e no meio de tudo estava a cadeira vazia de Charlotte.

Ela chegaria em breve. George tinha certeza de que chegaria, mesmo que ela viesse apenas por não saber que ele estava ali. Os criados haviam sido instruídos a não avisá-la. George supunha que pensavam se tratar de uma surpresa romântica, quando a verdade era que ele estava morrendo de medo de que Charlotte preferisse jantar em seu quarto se soubesse que ele estava à sua espera.

Aquilo poderia dar muito errado.

O Trânsito de Vênus vem em breve.

Trânsito de Vênus, de Vênus, Vênus, Marte, Júpiter...

Ele agarrou a beirada da mesa. Não era o que queria pensar naquele momento. Aquilo não importava. Quer dizer, importava. Claro que importava. Era de uma importância vital, na realidade, mas não importava *naquele momento*. Deveria estar pensando em Charlotte. Sua esposa. Ela era linda. Linda demais. Linda demais para ele.

Ele era um ogro, não era um ogro, talvez fosse um ogro, ela era tão linda...

– Vossa Majestade.

Era Reynolds. Ele pôs a mão no ombro de George, tranquilizando-o. E a manteve ali até que a respiração dele se acalmasse. Só então George conseguiu tomar um gole de vinho.

– Tem uma boa cor, este vinho – comentou George.

– Informarei à cozinha, Vossa Majestade.

George assentiu devagar. Ele ia conseguir. *Queria* conseguir. Ia conseguir...

Lá estava ela. Mas ainda não o vira. Não estava olhando para a mesa. Seu olhar parecia pousado sobre alguma coisa no ar, ou talvez sobre o nada.

Não parecia a mesma Charlotte. Parecia... à deriva.

George sentiu o coração se partir. Aquela não era a mulher de olhar aguçado e língua afiada com quem se casara.

George se levantou.

– Olá, Charlotte.

Ela ficou paralisada. Mesmo à luz de velas, ele percebeu que seus olhos foram para um lado e para o outro, como se ela procurasse uma rota de fuga.

– Olá – disse ela, talvez com alguma cautela.

Não se dirigiu à mesa. Seu criado baixinho permaneceu atrás dela, absorvendo a cena.

George indicou o banquete disposto diante deles.

– Tudo bem se eu jantar esta noite com você?

– Jantar?

George fez menção de responder, mas ela não tinha acabado.

– Jantar? Você... *Jantar?!*

Então ela estava zangada. Pelo menos parecia ter voltado ao normal.

– Acha realmente que eu ficaria sentada à mesa tranquilamente com você e que jantaríamos juntos depois de... – Ela jogou os braços no ar. – Você é louco.

George estremeceu. Reynolds deu um passo à frente.

– É a única explicação.

Ela estava falando sozinha, mas cada palavra perfurava a alma de George. Ele sentiu um nó na garganta. Estava difícil respirar.

– Vossa Majestade... – começou Reynolds, sua voz baixa e reconfortante.

George obrigou-se a fazer um sinal com a cabeça. Percebeu então que ela estava saindo da sala.

– Charlotte, por favor, não vá.

Ela o ignorou.

George correu atrás dela, parando apenas para ordenar a Brimsley:

– Fique aqui.

Brimsley parecia prestes a desobedecer-lhe, mas Reynolds pôs a mão em seu braço a tempo.

– Charlotte! – chamou George novamente. Ela andava depressa, bem mais depressa do que seria de esperar para alguém com aquele vestido. – Aonde você vai?

– Não sei! Quero só... ficar longe de você! – Ela se virou apenas o suficiente para completar: – Vou para onde você não estiver!

– Charlotte... – implorou George. – Charlotte, por favor. Se me der uma chance para...

Não adiantou. Ele precisava ser o rei.

– *Charlotte* – ordenou. – *Pare neste instante*.

Ela parou. Mas não se virou.

– Entendo que você não tem nenhum motivo para gostar de mim – disse ele em direção às costas da esposa. – E, acima de tudo, nenhum motivo para confiar em mim.

– Nenhum. – Ele teve a impressão de ouvir.

George virou o rosto para o lado, o movimento o ajudando de algum modo a conter as emoções.

– Sua reação é justificada. Caso-me com você e depois desapareço no meu observatório, e aí apareço para jantar como se...

Como se o quê? Nem ele sabia.

Suspirou.

– Mas se puder me conceder apenas uma noite de seu tempo... Permita-me mostrar por onde andou minha mente. Sei que não vai me perdoar, mas talvez possa me odiar um pouquinho menos.

Ela suspirou. Não audivelmente; George o percebeu apenas por um leve movimento de subida e descida de seus ombros.

– Por favor.

Ela se virou.

George estendeu a mão e, milagre dos milagres, ela a aceitou.

Charlotte

Palácio Kew
Observatório
Uma hora depois

— Olhe. Está vendo?

Charlotte ajustou sua posição diante da ocular. George a levara ao observatório e agora tentava fazê-la ver algo pelo imenso telescópio. Mas ela não tinha ideia do que estava vendo. Eram apenas pontinhos luminosos que às vezes cintilavam aqui e ali.

— Assim não — orientou George. Segurando-a pelos ombros, ele corrigiu a posição dela. — E agora? O que está vendo?

— Nada.

— Concentre-se.

Ela revirou os olhos. Quer dizer, só um deles. O outro estava ainda na ocular. Contorceu os ombros, tentando fazer com que ele lhe desse mais espaço.

— Não consigo me concentrar com você aí rondando, bufando e me dizendo para eu me concentrar.

Ele soltou um pequeno suspiro. Aquilo a irritou.

— Tudo bem — disse George, estendendo a mão diante dela —, deixe apenas que eu ajuste o foco um pouquinho.

— Será que você poderia simplesmente se afastar e me deixar... Minha nossa! — exclamou ela. — O que é isso?

— É Vênus — respondeu George, com um orgulho palpável.

— Vênus. *Vênus.*

Charlotte jogou a cabeça para trás por apenas um momento. George parecia completamente extasiado, talvez um pouco orgulhoso de si. Charlotte não conseguia sequer começar a imaginar a ampla gama de emoções que passavam no próprio rosto. Espanto, talvez? Admiração?

Ela voltou para a ocular.

– O planeta Vênus. Estou olhando para *Vênus*?

– Está. Eu...

– O planeta – esclareceu ela, voltando a olhar para ele.

– Sim, o planeta.

Ele deu um sorriso bem-humorado. Estava claramente encantado com a alegria dela.

– O planeta – repetiu ela. – Estou olhando para *um planeta*. Com toda a certeza... – Ela precisou fazer uma pausa para refletir sobre as ramificações daquilo. – Que incrível. Alguém inventou isso – ela fez um gesto para o telescópio –, e ele nos permite ver algo que se encontra a milhares de quilômetros daqui!

– A milhões de quilômetros – corrigiu George.

– Milhões?

Ele abriu um sorriso.

Charlotte ficou imóvel de tão espantada.

– Nem sei como *conceber* tamanha distância. Daqui até Mecklenburg-Strelitz são uns 500 quilômetros, certo?

– Mais ou menos. Talvez um pouco mais.

– São... Eu...

Ele sorriu. O mesmo sorriso sincero que ela vira no jardim da capela. Quando ele era Apenas George.

– Que foi?

– Estou tentando fazer a conta – explicou Charlotte. – Um milhão de quilômetros são... acho que... Pois bem, dois milhões de vezes mais do que quinhentos quilômetros. Correto?

Ele assentiu.

– E Vênus fica a bem mais do que um milhão de quilômetros de distância.

– *Mein Gott.*

– É exatamente como me sinto.

– É impressionante. *Wunderbar.* – Ela balançou a cabeça, abismada. – Não conheço nenhuma palavra em inglês que esteja à altura de descrever isso.

– Talvez precise inventar uma – disse George. – Não sei se você lembra, mas tem esse direito como rainha.

Ela riu. Mal podia acreditar. Tinha ficado tão zangada com aquele homem! Ainda estava. Ele não ia escapar impune com tanta facilidade. Mesmo assim, ele a fazia rir.

– Nem imagino o que os cientistas vão inventar a seguir – disse ela.

– Penso nisso todos os dias – afirmou George, com seriedade. – E se um dia pudermos ir à Lua?

– Não seja ridículo.

– E se pudéssemos enxergar o que se passa dentro do nosso corpo sem precisar abri-lo?

– Que ideia repugnante.

– Mas e se pudéssemos?

Charlotte estremeceu, incomodada.

– Prefiro pensar em Vênus.

– Excelente escolha.

O rosto de George brilhava de empolgação. Na verdade, seu corpo inteiro reluzia. Parecia quase eletrificado, iluminado por dentro. Era o que a paixão fazia com as pessoas, percebeu Charlotte. Era raro encontrar quem se importasse com algum assunto com tanta profundidade. Ela achava que se sentia assim em relação à música, mas ao ver George...

Ela era, claramente, uma diletante.

– Andei estudando – disse George. Então remexeu em uma pilha de mapas e separou um deles, apontando com animação para uma linha pontilhada. – Uma rara ocorrência está por vir. Ainda vai levar vários anos, mas os cientistas precisarão de tempo para se preparar. Vênus vai viajar num arco específico e vai nos dar um único momento para fazer medições muito precisas. E a partir disso saberemos a distância que separa a Terra do Sol.

– É espantoso.

Ele sorriu.

– O Trânsito de Vênus, como chamam. Vai ser um espetáculo e tanto.

– E a partir disso – Charlotte ergueu o dedo como se fosse possível alguém saber que ela se referia a Vênus – será possível concluir a distância entre dois corpos celestes?

– Essa é a ideia.

– Poderia me ensinar?

– Bem, eu... – George tropeçou nas palavras. Estava claro que ela o havia surpreendido. – Não sei por que não poderia. Você estudou matemática?

– Não a matemática que suspeito ser necessária para esse tipo de cálculo – respondeu Charlotte, um tanto frustrada. – Existe uma lacuna entre o que se considera adequado para a educação de uma moça e a de um rapaz.

Ele deu de ombros.

– Se deseja aprender algo, então aprenda.

Charlotte tentou não sorrir. Eram momentos como aquele que tornavam muito difícil não se apaixonar por ele.

Ela voltou para o telescópio, levando um momento para localizar Vênus novamente. O planeta brilhava, reluzia no céu noturno, superando todas as estrelas.

– É lindo, George – murmurou.

– É mesmo.

E ele pareceu satisfeito.

Charlotte recuou para olhá-lo.

– É isso o que você tem feito? O tempo todo?

Ele assentiu.

– Há alguma coisa no firmamento. Neste mundo em que vivemos, onde recebo tanto poder e atenção, é bom lembrar que não passo de um punhado de poeira num pontinho do universo. – Ele sorriu como um menino. – Preserva a humildade.

Charlotte queria tocá-lo. Mas não podia. Ainda não. Não confiava muito nele.

– Ser rei é fruto do acaso – prosseguiu ele. – Meu mundo foi criado para girar em torno de mim. Isso me tornou egoísta. – Ele afastou o olhar por um momento, depois voltou a fitá-la. – Nem imagino como deve ter sido doloroso e cruel ter sua noite de núpcias arruinada por mim.

– Era sua noite de núpcias também – lembrou ela.

– Sinto muito.

– Pois bem. – Ela engoliu em seco. – Não o perdoo. Ainda não.

– Ainda. – Um sorriso transpareceu na voz dele. – "Ainda" é bom. "Ainda" é esperança.

– Talvez – admitiu Charlotte.

George deu um pequeno passo na direção dela.

– Sabe, aquela quase não conta como noite de núpcias.

– Não?

– Na verdade não tivemos a noite.

Charlotte recordou-se da conversa com lady Danbury. Os alertas de

Agatha a tinham deixado um pouco menos ansiosa para cumprir suas obrigações conjugais. Ao mesmo tempo, ela compreendia que precisava ser feito. Consumar. Sem isso, não seria uma verdadeira rainha.

– Poderíamos começar de novo – sugeriu George. – Tentar de novo?

– Parece uma ideia razoável – disse Charlotte. Ela afastou uma poeira imaginária da saia, tentando parecer despreocupada. – Estamos casados há mais de uma semana.

– Estamos – disse George com suavidade. – E eu a beijei apenas uma vez.

– No nosso casamento.

– Desejo repetir.

Os olhares dos dois se encontraram.

– Deseja?

– Todos os minutos – ele se aproximou – de todos os dias.

– Por quê?

– Por quê? – repetiu ele.

Ela assentiu brevemente.

– Porque você existe – disse ele, como se fosse a maior obviedade do mundo. – Eu a vi, eu a conheci, falei com você. Estou encantado. Mal consigo respirar de tanta vontade de beijá-la de novo.

Charlotte teve a estranha sensação de estar, de algum modo, pairando no espaço. Como se o ar a seu redor tivesse ganhado um tanto de solidez e a erguesse, mantendo-a firme enquanto a respiração fazia o corpo inteiro formigar.

– Você permite? – sussurrou George.

Ela assentiu. Não sabia o que esperar. Só pensava que poderia morrer se ele não a tocasse.

Mas ainda era constrangedor. E quase engraçado. Quando George sorriu, ela percebeu que ele estava tão nervoso quanto ela.

Então ela sorriu. Porque não conseguiu evitar.

E ele tocou seu rosto.

– Charlotte...

– George.

Seus lábios se encontraram.

– Sempre.

A mão dele tinha encontrado suas costas e a puxou para junto de si. Charlotte nunca se encontrara tão perto de um homem. Seu calor, sua força... tudo a fazia perder o fôlego.

Ela tocou o cabelo dele, tão macio e ondulado, e o ouviu emitir um som de prazer.

– Gosta disso? – perguntou ela, tímida.

– Muito. Arrisco dizer que não há nada que você pudesse fazer que eu não gostaria.

Ela pousou a mão em seu peito.

– Gosto disso – disse ele.

Sentindo-se mais corajosa (e achando graça), ela mexeu na ponta da orelha dele.

– Disso também.

– Acabaram minhas ideias – admitiu ela.

Os braços dele a envolveram com mais força.

– Tenho muitas.

– Verdade?

– Aham. – Os lábios dele se aproximaram de novo, dessa vez mais exigentes. – Essa, por exemplo.

Depois disso, não houve mais palavras. George a beijou com a mesma paixão que ela ouvira em sua voz quando falava de estrelas. Beijou-a como se fosse a mais rara e preciosa das joias, e ao mesmo tempo indestrutível.

Ela se sentiu adorada.

Idolatrada.

Ele era, de novo, Apenas George.

Mas tinha sido Apenas George no jardim da capela. E havia mudado. Com cautela, ela deu um passo para trás e desceu a mão pelo braço dele até que apenas os dedos deles estivessem se tocando. Ela precisava entender aquele beijo.

– Isto significa que você vai para casa? – perguntou ela. – Para Buckingham?

– Sim. Vou para a Casa Buckingham.

– Esta noite?

Ele assentiu.

– Vá para a carruagem e faça o caminho de volta. Vou segui-la o mais depressa possível.

– Não podemos ir juntos? Como fizemos depois do casamento?

Ele sacudiu o ombro daquele jeito acanhado.

– São as regras para proteger a sucessão, temo eu. Logo após a cerimônia, não havia possibilidade de você estar carregando no ventre o próximo rei.

– Não há possibilidade no momento.

– Mas ninguém sabe disso. – George a beijou de novo, com uma doce promessa nos lábios. – Depois desta noite, haverá.

Casa Buckingham
Quarto do rei
Mais tarde na mesma noite

Após a cerimônia de casamento, Charlotte não se permitira bisbilhotar o quarto de George.

Não tinha sido fácil. O quarto dele era vizinho ao dela. Na verdade, os dois eram interligados por uma série de saletas. Ela era curiosa. E talvez um pouco vingativa. Houve muitas noites em que Charlote sentiu vontade de arrancar as cobertas, ir até a suíte dele e quebrar algo. Às vezes queria quebrar alguma coisa que parecesse ter importância para ele. Às vezes queria quebrar algo pequeno, algo que ninguém notaria no primeiro momento. Algo que se deteriorasse naturalmente.

Como ela própria estava se deteriorando.

Mas havia resistido.

Era uma existência estranha, sua nova vida. Era a rainha da nação mais poderosa do mundo. Se quisesse quebrar alguma coisa, a bagunça seria arrumada imediatamente e os criados talvez achassem adequado aplaudi-la pelo feito.

Ah, muito bem, Vossa Majestade. Suas habilidades de depredação são incomparáveis.

Podia até imaginar. Com facilidade. Um pequeno exército de aias e lacaios louvando-a por tornar suas vidas um pouco mais infelizes.

Não, não ia entrar no quarto de George e quebrar alguma coisa. Só o que lhe sobrava era a dignidade. Ou pelo menos era algo sobre o qual tinha controle. Podia ser cabeça dura. Podia mesmo ter seus caprichos. Mas recusava-se a ser um monstro.

Mas agora tudo era diferente. Não sabia o que havia feito George reconsiderar a decisão de viver em casas separadas, mas decidira não questionar. Não havia nada a ganhar cutucando as feridas. Não quando havia a chance de recomeçar do zero.

E ela gostava dele.

Gostava *muito*.

E ali estava ela, na soleira do quarto dele. Era do mesmo tamanho que o dela, mas todos os ornamentos, todos os móveis, proclamavam a presença do rei. As pinturas de príncipes e reis anteriores. Tapetes suntuosos. A cabeceira da cama, em vermelho real, coroada com ouro.

Estava nervosa, mas também empolgada. E pronta.

Naquela noite, ela se tornaria uma esposa.

Uma rainha.

Ele se encontrava de pé diante da lareira. Usava um roupão preto e segurava uma taça com alguma bebida. Pousou-a quando a viu entrar.

– Charlotte.

Ela sorriu timidamente.

– George.

Ele se aproximou. Charlotte não se mexeu. Não estava exatamente com medo, mas sentia um friozinho na barriga, como se minúsculas borboletas dançassem o *schuhplattler*. O que ela deveria fazer com ele... tudo era novidade. Charlotte nunca tinha gostado de ser menos do que competente em tudo o que fazia. *Odiava* se sentir estúpida ou ignorante.

George parou diante dela e pegou sua mão.

– Você está deslumbrante.

Charlote indicou a camisola.

– É bonita, mas tem mil botõezinhos. Agora fiquei com medo de que minhas aias tenham feito a escolha errada.

George deu um sorriso cheio de promessas travessas.

– Sou muito bom com botões.

Os dedos dele fizeram jus às palavras, libertando habilidosamente cada um dos botões das casas de cetim. Ficou próximo o tempo todo, a testa quase tocando a dela, o calor de sua respiração alcançando os lábios dela.

Ela o queria com ardor.

– Sonhei com isso – sussurrou ele.

– Acho que... talvez... eu também tenha sonhado.

Os olhos de George brilharam e uma de suas mãos grandes se acomodou no quadril dela.

– Você não faz ideia de como isso me agrada.

– Eu gostei quando você me beijou – disse Charlotte timidamente.

Ele deu um sorrisinho, um sorriso de garoto que fez o estômago de Charlotte dar cambalhotas.

– Fico feliz em saber.

Então o espaço entre os dois desapareceu e ele voltou a beijá-la. Sua boca era quente e faminta, e, quando ela gemeu, a língua a penetrou, roçando na dela.

Era glorioso. Ela quis mais, mas George se afastou.

– Charlotte, você sabe o que acontece numa noite de núpcias?

– Sei – respondeu ela, aliviada por falar de algo de que já tinha conhecimento. – Sei de tudo. Vi desenhos e uma explicação detalhada do que deve ocorrer.

– Muito bem. – Ele pareceu surpreso. Bastante surpreso. – É bom saber.

– Eu...

Seria apropriado fazer pedidos? Teria permissão?

– O que foi? – perguntou ele.

Então ela decidiu que não tinha nada a perder ao manifestar seus desejos.

– Não me agrada a parte em que minha cabeça bate na parede seguidas vezes. Há algum modo de evitar?

Ele arregalou os olhos.

– *Quem* a instruiu?

– Não importa – disse Charlotte. Agatha havia confiado nela ao compartilhar sua experiência e seria desleal revelar sua identidade. – É que...

– *Sim.* – George a interrompeu. – Há como evitar.

– Tem certeza? Porque se for preciso que seja assim...

– Não é preciso. – Ele mordeu o lábio. – Pode acreditar.

Charlotte semicerrou os olhos.

– Você está segurando o riso?

– Não! – exclamou ele, com um pouco mais de ênfase do que ela julgava necessário.

– Está, sim.

– Não estou.

– Está mentindo.

– Só um pouquinho – admitiu ele.

– Sabia. – Ela deu um soquinho no ombro dele. – O que é tão engraçado?

– Eu... – Ele parecia não saber como responder.

– Diga – insistiu Charlotte.

– É que eu não sei bem como poderia... bem... – Ele assumiu um ar sério, mas apenas com um dos lados da boca. Era adorável. – Imagino que poderia pensar numa forma de fazer com que sua cabeça batesse na parede seguidas vezes, mas não consigo imaginar por que eu iria querer algo assim.

– É um grande alívio para mim.

– Charlotte – disse ele, tomando sua mão –, não sei o que lhe disseram, mas isso... nossa noite de núpcias... não precisa ser doloroso. Só no início. Pode ser embaraçoso e, na verdade, provavelmente será, mas espero que você sinta prazer.

Charlotte se surpreendeu. Aquilo contradizia tudo o que Agatha lhe dissera.

George levou a mão a seus lábios.

– Permite que eu tente?

– Tente...

Os dedos dele voltaram para os mil botõezinhos.

– Tente lhe dar prazer – esclareceu ele.

As palavras libertaram uma torrente de arrepios na pele dela.

– Acho que eu gostaria.

George soltou mais alguns botões e então roçou os lábios na pele que acabara de revelar.

– Venha – murmurou ele.

Em seguida, pegou-a pela mão e a conduziu para a cama.

As cobertas já tinham sido afastadas. Charlote se deitou sobre os lençóis sedosos, enquanto George permitia que o roupão deslizasse pelos ombros. Ela afastou o olhar. Não o fez de propósito, apenas não esperava que ele já se despisse.

– Não tenha medo – disse ele, colocando-se ao lado dela.

– Não estou com medo.

Ele apoiou o corpo para ficar um pouco acima dela.

– Que bom – disse George, afastando um cacho de cabelo do rosto de Charlotte, e por um momento nada mais fez além de fitá-la.

– O que foi? – perguntou Charlotte, constrangida por tamanho escrutínio.

– Você é tão linda... Não consigo acreditar que é minha esposa.

Ela se sentiu corar de prazer. Não estava desacostumada com elogios, mas era diferente quando vinham dele. Não era uma simples lisonja. Era algo mais, muito mais.

Até que já não bastava olhá-la. George a puxou para si. Uma de suas mãos deslizou sob a camisola, acompanhando toda a extensão da perna dela, cada vez mais alto, até se curvar delicadamente em torno do quadril.

A respiração dela ficou entrecortada. Quando ele a tocava, Charlotte sentia por dentro. Não fazia sentido, mas lentamente ela se dirigia para algum lugar além de todo o senso. Com cuidado, ele retirou sua camisola. Ela se viu nua a seu lado.

– Eu esqueci de contar uma coisa – disse George.

Ela levantou a cabeça, uma pergunta no olhar. Então George pegou a mão dela e rolou o corpo até se posicionar sobre a esposa, os olhos escuros fixos nos dela.

– Funciona nos dois sentidos. Sou seu.

Ele a beijou com paixão desmedida, com uma voracidade que a fez se sentir como o mais valioso dos tesouros.

Aquilo *não era* como Agatha havia descrito. Era glorioso.

Ele se acomodou entre suas pernas e ela sentiu-o junto de sua fenda.

– Espero que não doa – disse ele. – Mas, se doer, não deve ser por muito tempo.

Ela assentiu.

– Confio em você.

Ele avançou. Lentamente. Depois recuou um pouco antes de repetir o movimento.

– Está tudo bem?

Ela assentiu.

– É muito estranho, mas... tudo bem.

Ele prosseguiu, e era a coisa mais estranha: parecia que *ele* estava sentindo dor.

– E *você?* – perguntou Charlotte, preocupada. – Está tudo bem?

– Tudo ótimo – respondeu ele, cerrando os dentes.

– Mas parece...

– Shhh... – implorou ele. – Estou me esforçando muito.

– Esforçando-se para quê?

Ele sorriu. Sorriu de verdade. O tipo de sorriso de quem não acredita muito bem que algo está de fato acontecendo.

– George?

– Estou tentando, Charlotte... – gemeu ele.

– Fazer o quê?

– Ir devagar. Não quero lhe causar dor.

Ah. Após um momento de reflexão, ela sugeriu:

– Quer ir mais rápido?

– *Por Deus*, sim...

O desespero na voz dele a encantou, dando-lhe atrevimento.

– Talvez você deva ir mais rápido...

– Não, querida, ainda não. Daqui a pouquinho...

A mão dele se insinuou entre os corpos dos dois.

– Você vai gostar disso – disse ele. – Espero.

Charlotte soltou um gemido. Os dedos dele faziam círculos delicados em sua carne. Faziam-na sentir calor, uma sensação que se espalhava por todo o seu corpo. Não conseguia pensar em mais nada, apenas naqueles dedos perversos, e então, antes que ela pudesse imaginar, ele estava completamente dentro dela.

– Charlotte...

– George... – Ela não sabia que era possível *sorrir uma palavra*, mas foi exatamente o que fez.

– Estou com você.

– Você está comigo.

E ele começou a se movimentar dentro dela, e, à medida que os movimentos se tornaram mais frenéticos e descontrolados, aquele era seu único pensamento.

Ali estavam eles.

Juntos.

No dia seguinte

Quando despertou, Charlotte se viu sozinha na cama de George. Aquilo não a incomodou. Talvez ele gostasse de acordar cedo.

Ainda tinham muito a aprender um sobre o outro.

Charlotte vestiu a camisola e atravessou as saletas, rumo a seu quarto. Já havia uma bacia para suas abluções matinais. Depois de jogar água no rosto, ela chamou o grupo de aias que a vestia todos os dias. Dessa vez, porém, não parecia ser uma obrigação tediosa a cumprir. Não sentia nada além de felicidade. Nada além de alegria e expectativa pelo dia à sua frente.

Brimsley a aguardava no corredor, como sempre. Segurava no colo uma bolinha de pelo que se retorcia.

– Pompom! – exclamou Charlotte.

Se Brimsley ficou curioso com sua súbita empolgação com o cão, nada disse.

– Vossa Majestade – saudou-a, depositando o cãozinho nos braços de Charlotte.

– Não está um dia lindo?

Passaram por uma janela que revelou um céu cinzento e uma garoa.

– Um retrato de esplendor bucólico – confirmou ele.

Charlotte premiou aquela mentira com um sorriso radiante.

– Viu o rei? – perguntou ela. – Se ele saiu para andar a cavalo ou caminhar, devemos aguardá-lo para o desjejum. Gostaria que fizéssemos a refeição juntos.

– Creio que não saiu, Vossa Majestade. Acredito que tenha uma visita.

– Uma visita?

– A mãe dele – confirmou Brimsley.

– Ah. – Charlotte não estava com a menor disposição para conversar com Augusta, mas ansiava tanto por ver o marido que estava disposta a interromper a conversa e roubá-lo para si. – Estão na sala de visitas?

– Sim, Majestade.

Charlotte partiu naquela direção (com Brimsley cinco passos atrás dela, *natürlich*), mas, antes de informar sua presença, parou. A voz de Augusta era muito enérgica. Mais do que o habitual.

– Não me obrigue a perguntar de novo – dizia a princesa.

Charlotte mandou Brimsley fazer silêncio com um gesto da mão e recuou. Não queria ser vista.

– Não a estou obrigando a perguntar nada – retrucou George. – Não é da sua conta. É o *meu* casamento.

Qualquer escrúpulo que Charlotte pudesse ter em relação a bisbilhotar desapareceu naquele instante. Estavam falando sobre *ela*. Tinha o direito de ouvir, é claro.

– Seu casamento é da conta do Palácio – argumentou Augusta, com aquela sua dicção terrivelmente precisa. – Seu casamento é da conta do Parlamento. Seu casamento é da conta deste país.

– Mãe...

– Nada pode sair errado – interrompeu Augusta. – Preciso saber se você já se deitou com ela devidamente.

Charlotte tapou a boca.

– Não preciso lembrá-lo de que o destino da Coroa está sobre seus ombros.

– Sobre minha cabeça, creio eu – resmungou George.

Charlotte sorriu, aprovando sua tirada.

– Não seja tolo. Diga logo: cumpriu seu dever?

– Você disse que eu precisava me casar pela Coroa – disse George, sua voz transbordando impaciência. – Eu me casei. Disse que eu precisava encantá-la para tornar tudo mais fácil para a Coroa. Fiz o melhor possível. Disse que eu não podia permitir que ela me *conhecesse*, porque preciso proteger os segredos da Coroa. Não permiti.

Charlotte ficou paralisada. Ele não permitira que ela o conhecesse? *O que significava aquilo?* Olhou para Brimsley, ainda a cinco passos dela. Ele estava ouvindo aquilo?

Mas George não tinha acabado. Seu tom de voz foi subindo enquanto ele prosseguia:

– Você disse que eu precisava me deitar com ela. Fiz isso. Compreendo. Ficou imensamente claro para mim, desde o momento em que abri os olhos pela primeira vez, que nasci para a felicidade ou a desgraça de uma grande nação e que, como consequência, muitas vezes preciso agir de modo contrário a meus sentimentos.

Charlotte não queria ouvir mais nada, mas não conseguia se mexer. Algo começou a morrer dentro dela.

Não. Não era morte. Era algo se deteriorando, apodrecendo. E aquele sentimento horrível não ia desaparecer tão cedo. Só pioraria, lentamente, cada vez mais e mais pútrido.

– Sou o dever em pessoa – continuou George, e sua voz era ácida, cheia de sarcasmo. – A Coroa reside em mim, cravada em mim como uma faca. Não precisa me explicar, mãe. *A Coroa sou eu.*

Charlotte deu um passo para trás. E outro. Então deu meia-volta. Brimsley a observava com uma expressão cautelosa. Ela passou por ele e se dirigiu à sala de jantar.

– Vou tomar meu desjejum – disse ela assim que teve certeza de que não seria ouvida por George nem por Augusta. – Não há necessidade de esperarmos o rei.

GEORGE

Casa Buckingham
Sala de visitas principal
16 de setembro de 1761

Casamento. Casamento era da conta do Palácio. Da conta do Parlamento. Parlamento, Câmara dos Lordes, lorde, lorde, lorde Bute, lorde Bute não, novos lordes, havia tantos novos lordes...

George fechou os olhos com força. Sua mente estava voltando a disparar. Aquilo não era para estar acontecendo. Não naquele dia, o melhor dia da sua vida.

Manhã, manhã. Sol da manhã, calor do sol, o sol era uma estrela. Não provado, não provado.

Charlotte. Precisava pensar em Charlotte. Em seu rosto, seu sorriso.

Respirou fundo.

Governe-se.

Por que a mãe aparecera naquela manhã? Ele estava tão feliz... Tão equilibrado.

A mãe tinha sido tão exigente, tão determinada a transformar algo belo em obrigação fria... Sua voz era penetrante. Só queria se livrar dela.

Teria dito qualquer coisa para que fosse embora.

Tudo o que queria era aquele dia. Apenas um dia para se sentir um homem. Apenas um homem.

Apenas George.

Alguém pigarreou atrás dele. Reynolds.

— Ela foi embora? — perguntou George.

Apenas George Apenas George.

Ele era apenas George. Tinha que se lembrar disso.

Governe-se.

— Sua mãe foi para o palácio, Vossa Majestade. Eu mesmo verifiquei.

George assentiu, embora ainda estivesse de costas para Reynolds. Manteve a postura ereta. Não podia perder o controle.

– E Charlotte?

– A rainha está na sala de jantar, tomando o desjejum. Se quiser se juntar a ela...

A voz de Reynolds foi diminuindo. George olhou para as próprias mãos. Estavam tremendo. Não muito.

Mas o suficiente.

Apenas George. Apenas George.

Charlotte estava na sala de jantar. Não o veria. Se sucumbisse, se perdesse o controle...

Os joelhos cederam e ele agarrou o braço da cadeira mais próxima antes de desabar no chão. Reynolds correu até ele, acomodando-o no assento estofado.

– Vossa Majestade! – Reynolds tomou o braço de George e sentiu seu pulso. – Seu coração está acelerado.

– Eu sei.

– Devo chamar o médico?

– *Não*. – Ele não podia enfrentar Monro. Não naquela manhã. Não quando tinha se sentido tão feliz. – Estou bem. Não preciso dele.

Mas estava tremendo. O corpo inteiro tremia violentamente. E se Charlotte o visse...

– Sim – corrigiu-se ele. – *Sim*. Traga-o.

Ele precisava se recuperar. Não podia ficar daquele jeito. Não mais.

Voltou-se para Reynolds e implorou com o olhar.

– Charlotte...

Reynolds fez um único e confiante sinal com a cabeça.

– Ela jamais saberá.

Casa Buckingham
No porão
Quinze minutos depois

Ficou decidido que o Dr. Monro transferiria seu laboratório para os pisos inferiores de Buckingham. Mas apenas em parte. Lá, ele não poderia abrigar todos os animais nem aquela grotesca cadeira de ferro. Algumas coisas eram simplesmente esquisitas demais para serem exibidas numa casa de moradores ilustres. Mesmo no canto mais remoto do porão.

Apenas algumas pessoas tinham conhecimento do laboratório improvisado e, entre a criadagem da Casa Buckingham, só Reynolds conhecia a verdadeira identidade do médico e os motivos para ter estabelecido residência ali. Ninguém podia saber que o rei estava tratando um distúrbio nervoso.

O Parlamento seria tomado pelo caos. Os britânicos perderiam a fé na Coroa.

E havia Charlotte. George não poderia suportar que ela testemunhasse um de seus acessos. Queria que uma única coisa em sua vida fosse pura. Intocada por sua posição, por suas obrigações.

Por sua loucura.

Se tudo corresse conforme o planejado, o Dr. Monro o curaria. George voltaria a ser um homem por inteiro, sem fissuras – o tipo de pessoa que queria ser. O marido que uma mulher como Charlotte merecia.

– Estou ansioso para começar imediatamente – disse George a Reynolds, enquanto se dirigiam ao porão.

– Ansioso, senhor? – Reynolds parecia ter suas dúvidas.

George permitiu-se um sorriso irônico.

– Ansioso pelos resultados.

Não estava ansioso pelo tratamento. Mas, até agora, Monro era o único médico que havia alcançado alguma medida de sucesso. No dia do casamento, ele conseguira trazer George de volta à realidade. Foi necessário uma bofetada na cara, mas George se acalmou. A disparada de pensamentos foi contida e, ao encontrar Charlotte na capela do jardim, ele já se sentia bem o suficiente para conversar. Até para flertar.

A primeira conversa entre os dois tinha sido mágica, e aquilo não teria sido possível sem o Dr. Monro.

Por isso estava disposto a dar ao médico o benefício da dúvida.

Cerca de uma hora depois de George descer ao porão, o médico chegou, acompanhado pelos seus dois corpulentos assistentes. George quase estremeceu ao vê-los. Reynolds se mostrou claramente hostil.

– Bem que eu previ isso – disse Monro, em vez de fazer uma saudação.

– Não tive um acesso – declarou George.

Monro lançou um olhar que dizia claramente: *Então o que estou fazendo aqui?*

– Senti que estava prestes a ter – disse George. Depois se corrigiu: – Senti que havia a possibilidade de ter um acesso.

– Explique.

George contou a ele da conversa que tivera com a mãe, que não parava de pressioná-lo. Parecia que ela estava transformando algo belo numa tarefa a ser cumprida.

– Você não merece a beleza – disse Monro.

George não sabia o que dizer em resposta.

– Você é só um homem. Não é especial.

– Não sou especial – repetiu George.

– Deve compreender que não é melhor do que ninguém.

– Eu compreendo.

– Não acredito – disparou Monro.

– Doutor! – exclamou Reynolds. – Não pode duvidar de sua palavra. Ele é o rei.

– *Ele não é nada!* – Monro bateu com as mãos na mesa. – É apenas um homem, não mais do que eu ou você. Na verdade – ele começou a andar de um lado para o outro no aposento, como um predador –, ele é *menos* do que eu ou você.

Reynolds cerrou os dentes.

– Bem menos – prosseguiu Monro. – Deve ser reduzido a nada, e só então poderá ser reconstruído. – Ele encarou George. – Quando estiver em meu laboratório, você será tratado como *garoto*.

Reynolds virou-se para George, horrorizado.

– Vossa Majestade – implorou ele –, não pode...

– Não me interrompa! – berrou Monro, saliva voando de sua boca. – Concederam-me completo controle sobre ele. Cada momento desperdiçado ameaça sua recuperação.

– Precisamos permitir que ele tente – disse George para Reynolds.

– Majestade, não acho que...

– Ele me ajudou uma vez – disse George. – Antes do casamento. Preciso acreditar que pode me ajudar de novo.

Reynolds cedeu, mas claramente insatisfeito. Monro, por outro lado, sorriu ao dizer:

– Compreendo que nosso trabalho ficará em sigilo.

George assentiu.

Monro fez um gesto para os assistentes.

– Então eles não podem me assessorar. Se não existem oficialmente.

Ele olhou para Reynolds.

– *Não* – protestou Reynolds. Mas foi mais uma manifestação de descrença do que uma recusa.

– Por favor – pediu George. – Preciso tentar.

Reynolds estremeceu e assentiu.

Monro olhou para ele com ar de triunfo, depois fez um sinal com a cabeça na direção de George.

– O garoto precisa de um banho gelado.

Reynolds voltou-se para George, que assentiu. Só então ele partiu.

Monro instruiu os assistentes a esperarem atrás dele, depois deu toda sua atenção para o paciente.

– Está acostumado ao esplendor – disse ele, esfregando os dedos enquanto caminhava pelo aposento. – Luxo. Conforto. Nunca conheceu os poderes salutares dos hábitos espartanos.

George ponderou.

– Se a opulência gera uma mente desordenada, por que nem todos os reis são loucos?

– Quem disse que não são?

– Estou bem certo de que meu pai era são. Meu avô também. Era cruel – acrescentou George, quase como uma reflexão tardia, pois o avô nunca poupava a vara –, mas com toda a certeza era são.

– Não posso afirmar. Nunca os examinei. – Monro aproximou-se, deixando o rosto próximo ao de George, a uma distância desconfortável. – Para a maior parte do mundo, você dá a impressão de sanidade. Apenas uns poucos conhecem sua verdadeira natureza.

– Gostaria que continuasse assim.

Monro assentiu.

– É necessário adotar a simplicidade. Primeiro, precisamos voltar à dieta de mingau e nabo.

– Temo que seja impossível – disse George. Fez um sinal para cima, para o resto da casa. – Como eu explicaria isso?

– Eu falei que era má ideia deixar Kew. Não há como alcançarmos os melhores resultados aqui.

– Então devemos fazer o melhor possível.

Monro tensionou a boca numa linha zangada.

– Meus métodos são abrangentes. Não funcionarão se você escolher o que vai fazer.

– Então escolho tudo o que pode ser feito na Casa Buckingham – disse George. – Com certeza é melhor do que nada.

Monro bufou de irritação.

– Amordace-o – ordenou ele a um dos assistentes.

George não resistiu. Tinha resistido da primeira vez, por puro instinto. Agora sabia que era melhor aceitar.

Estava decidido a se submeter. Aquilo o curaria.

No final do dia, George estava exausto. E tremendo de frio. Monro tinha utilizado duas vezes o banho gelado, alegando que era preciso compensar a falta da cadeira de ferro. Outubro chegara com uma queda de temperatura, e, apesar de a Casa Buckingham ser uma construção relativamente nova, havia correntes de ar. Reynolds lhe trouxera um cobertor, mas George se recusava a ser visto caminhando pela casa embrulhado como um bebê.

Monro queria subjugá-lo. George compreendia. Mas devia ter permissão para preservar algum orgulho.

Estava ansioso para ver Charlotte. Ela, junto com a ciência, era o que lhe dava alegria. Ela era a razão para estar se sujeitando a tudo aquilo.

George não sabia como ela ocupara aquele dia. Se os relatos de antes fossem precisos, era provável que tivesse lido um livro e olhado pela janela.

Talvez tivesse brincado com Pompom. Ouvira dizer que ela finalmente se apegara ao cão.

De qualquer modo, sem dúvida o dia dela tinha sido mais agradável que o dele.

Esperara vê-la depois de ter comido e tomado um banho quente, mas se encontraram por acaso no corredor perto dos quartos. Ela já estava vestida para o jantar, usando um vestido elaborado num suntuoso tom de vinho. O cabelo tinha sido arrumado de um modo que George desconfiava ser enganosamente simples.

Quer dizer, parecia simples para ele. Ela provavelmente tinha passado uma hora sentada para obter aquela perfeição pastoral.

As mulheres eram criaturas misteriosas.

– Charlotte!

Ele sorriu. Estava feliz por vê-la, mesmo não estando no seu melhor momento.

– George.

Ela não parecia satisfeita. Na verdade, parecia bem *in*satisfeita.

Ele reparou no livro em sua mão.

– Estava lendo?

– Estava.

Ela estendeu o livro para o lado. Brimsley imediatamente se materializou e pegou-o.

– É algo interessante?

– Poesia.

– E gostou?

Ela deu de ombros.

O teor daquela conversa não era o que ele havia esperado. Charlotte parecia quase carrancuda. Mesmo assim, ele perseverou. Brimsley o fitava com um ar de mal disfarçada hostilidade.

O que estava acontecendo?

George olhou para Reynolds, que ainda segurava o cobertor. Também olhava para Brimsley. George quase achou que os dois estavam tentando se comunicar em silêncio.

Eles por acaso se conheciam?

George suspirou. Estava exausto e não tinha paciência para intrigas palacianas. Voltou sua atenção para Charlotte, esforçando-se ao máximo para parecer animado apesar do humor macambúzio.

– De qual autor? – perguntou ele.

– Shakespeare.

– Ah. Sonetos, então.

– Sim.

Santo Deus, aquilo era como arrancar um dente. Ele não imaginava que Charlotte podia ser tão pouco comunicativa. Não que a conhecesse tanto assim, mas aquele comportamento claramente não lhe era habitual.

– Tem um preferido? – insistiu ele.

Ela o encarou. Não com raiva. Apenas... sem emoção.

– *Como hei de comparar-te a um dia de verão?* – sugeriu ele.

Não?

Tentou de novo:

– *Os olhos de minha amada não são como o sol?*

Ela arqueou as sobrancelhas e recitou de memória:

– *Quando meu amor jura que é todo verdadeiro, nele creio, embora saiba que mente.*

Aquilo foi inesperado.

George levou um momento para pigarrear.

– Acredito que tenha alterado os pronomes. Shakespeare está escrevendo sobre uma mulher neste poema, não é?

– Fiz minha própria interpretação.

George finalmente pegou o cobertor das mãos de Reynolds. Só Deus saberia dizer quanto tempo ainda ficaria naquele corredor, de implicância com ela, e, maldição, estava com frio.

– Charlotte, há algo errado?

Ela sorriu, toda formosura e zero sinceridade.

– Estou perfeitamente bem.

Era óbvio que aquilo não era verdade, mas ele não tinha energia para confrontá-la. Os dois se fitaram por um momento e depois ela fez um gesto, como se indicasse que queria passar.

– Tenho muito a fazer.

– Ainda não tivemos um momento juntos hoje – disse ele.

A postura dela demonstrou tensão.

– Por escolha de quem?

– Charlotte, você precisa lembrar que tenho deveres enquanto rei.

Não era propriamente uma mentira. Ele tinha deveres reais. Só não tinha sido esse o motivo para sua ausência ao longo do dia.

– Sim, sei bem sobre seus deveres. – Mais um sorriso falso. – Eu mesma sou um deles, não sou?

A que se devia aquela hostilidade?

– Você está longe de ser um dever para mim.

Ela fez um ruído de escárnio.

Ele inclinou a cabeça rigidamente para o lado, controlando as emoções. Havia passado o dia ouvindo gritos violentos. Tinha sido brutalmente submerso num banho gelado (duas vezes). Tudo por *ela*.

E ela não conseguia sequer conversar educadamente.

– Planejo jantar em meu quarto esta noite – disse George. Sentia-se exausto só de imaginar vestir o traje de noite completo. E talvez o humor dela melhorasse quando estivessem a sós. – Vai jantar comigo?

– Tenho outros planos.

– Planos – repetiu ele.

– Já me vesti – disse ela, apontando para sua roupa requintada. – Tenho um jantar formal.

– Preferia que jantasse comigo.

– Brimsley – disse ela, incisiva. – Esperam por mim na sala de jantar?

– Hã... – O criado olhou freneticamente para os dois repetidas vezes.

– Brimsley – repetiu ela.

– Sim, Majestade, acredito que...

– Ah, mas ela é a rainha – interrompeu George. – Ela faz o próprio horário, não é?

Brimsley engoliu em seco.

– Sim, Vossa Majestade. Ela é...

– Brimsley – praticamente rosnou Charlotte. – Você trabalha para mim ou não?

Brimsley tinha começado a suar visivelmente.

– Sim, Majestade. Sirvo a senhora em todos...

– Brims*ley* – interrompeu George, erguendo a voz na segunda sílaba. – Quem o contratou?

A cabeça de Brimsley virou para um lado e para o outro, até que ele se voltou para Reynolds, em desespero.

Reynolds olhou para o chão.

– Fui contratado pela casa real, Vossa Majestade – respondeu Brimsley por fim.

– Que é chefiada por...?

– Por Vossa Majestade.

– Traidor – sibilou Charlotte.

– *Vossa Majestade...* – implorou Brimsley.

– Tudo bem – disse George, sem paciência. – Faça como quiser, Charlotte. Meu tempo é valioso demais para ficar aqui discutindo com você.

Ele foi para a esquerda, tentando contorná-la, mas havia quatro pessoas no corredor e aquelas malditas camadas de saia do vestido bloqueavam a passagem.

Ele praguejou baixinho.
Charlotte soltou uma exclamação de ultraje.
– O que foi isso?!
– Suas malditas saias são amplas demais – resmungou ele.
Ela recuou. Sério... *aquilo* a ofendia?
– Pois fique sabendo que estou no auge da moda.
– Imagino.
– Eu *dito* a moda.
– Esplêndido. Agora, se me dá licença...

Ele empurrou suas saias, e talvez fosse mesmo tão malévolo quanto insistia o Dr. Monro, porque sentiu uma pontinha de prazer em vê-la perder momentaneamente o equilíbrio.

– Talvez você seja um dever para mim! – exclamou ela.
Ele se virou devagar.
– É mesmo?
Ela empinou o queixo.
– Muito bem, então – disse ele.
– Muito bem.
Mas naquele exato momento Reynolds deu um passo à frente.
– Vossa Majestade... – Ele estava de costas para a rainha, de modo que ela não via seu olhar claramente fixo nas mãos do rei.

Tinham começado a tremer.
– Boa noite, Charlotte – disse George. – Tenha um ótimo jantar.
– Terei. Eu...
Mas George já se permitia ser levado dali por Reynolds.

CHARLOTTE

Casa Buckingham
Quarto da rainha
Mais tarde na mesma noite

Charlotte estava debaixo das cobertas, limpíssima, em sua camisola mais antiga e macia quando bateram na porta.

Estranho. As criadas nunca batiam. Entravam e saíam como fantasmas. Eram treinadas a trabalhar sem que sua presença fosse notada, e na maior parte do tempo Charlotte de fato não as notava.

Era Brimsley, provavelmente. Ele não entraria sem ser anunciado depois de ela ter se recolhido. Ficava constrangido à toa, o pobre.

Pois bem. Ia ter que vê-la de touca, creme nos olhos e todos os segredinhos femininos que os homens não deveriam conhecer.

– Entre! – gritou ela, já esperando vê-lo na entrada.

Mas quem entrou foi um homem bem mais alto. Mais forte.

George.

Ela sentiu os lábios se entreabrirem, surpresos, enquanto tirava o creme do rosto às pressas. O que ele tinha ido fazer ali? Ora, ela não passava de um dever para ele. Tinha ouvido com bastante clareza e se lembrava de cada palavra com precisão cirúrgica.

Você disse que eu precisava me deitar com ela. Fiz isso. Compreendo. Ficou imensamente claro para mim, desde o momento em que abri os olhos pela primeira vez, que nasci para a felicidade ou a desgraça de uma grande nação e que, como consequência, muitas vezes preciso agir de modo contrário aos meus sentimentos.

Ela era um dever. Uma obrigação. Ele nem a queria de verdade.

Seria mais fácil se ele não tivesse mentido. George a fizera se sentir querida, até mesmo adorada. Tinha lhe dito que ela era especial, incomparável. Uma joia rara.

Ele a tinha feito sentir que a união dos dois seria incomum, mais do que um simples tratado diplomático.

Pior de tudo, dera-lhe esperanças.

Ele a fizera pensar que ao seu lado podia ser Apenas George. E que ela podia ser Apenas Charlotte.

Teria sido melhor se ele fosse terrível. Não se sentiria tão traída.

– Boa noite – cumprimentou ela.

Considerando toda a situação, ela se sentiu bem orgulhosa de sua civilidade. Desejava mesmo era dizer: *O que raios faz aqui?*

E talvez jogar alguma coisa nele.

– Boa noite – respondeu George.

Ele estava de roupão. O mesmo da noite anterior. Não achava que iam fazer… *aquilo* de novo, será? Depois de tudo que ele dissera?

Só que ele não sabia que ela tinha ouvido.

Era um dilema. Não queria confessar que ouvira a conversa alheia, comportamento que não estava à sua altura. Além do mais, havia algo terrível em admitir que sabia a verdade. Como poderiam esperar que olhasse para ele e dissesse "Sei que sou apenas mais um de seus deveres reais"?

Era mais fácil *fingir* que não se importava com ele.

– Não a vi durante o jantar – disse George.

– Eu avisei que teria um jantar formal.

– Fez uma boa refeição?

Charlotte o encarou. Ele tinha realmente entrado em seu quarto para uma conversa polida e superficial? Com que propósito?

– Não estava com fome – respondeu ela, por fim.

– Eu estava. – George atravessou o aposento e se recostou na beirada da cama. – Muita fome.

E ficou parado ali. Olhando para ela.

– Vou ler um pouco – declarou ela.

E pegou um dos livros que deixara na mesa de cabeceira. Ele não era desprovido de inteligência. Entenderia a deixa.

Como George não disse nada, ela abriu o volume com mais violência do que seria necessário e virou as primeiras páginas. Era em alemão. Ótimo. Ela estava mesmo precisando de algo familiar.

– Muito bem. – George foi até o outro lado da cama.

– O que está fazendo? – perguntou Charlotte, quase gritando.

– Vou me deitar. Achei que não precisasse explicar.

Ela rolou até a outra extremidade do colchão.

– Você não pode dormir aqui.

– Tive a impressão de que teríamos um casamento de verdade.

– Talvez – disse Charlotte. – Mas não hoje.

Ele parou e a encarou com um olhar avaliador e frio.

– E posso saber por quê?

– Preciso de um motivo?

Ele ergueu as sobrancelhas.

– Se não quiser que eu a julgue como uma mulher volúvel e imprevisível, precisa.

– Muito bem – disse ela, fechando o livro sobre o dedo, como se precisasse marcar a página. Ele poderia muito bem achar que ela estava mesmo lendo. – Não o vi hoje.

– Este é seu motivo? – O rosto dele denunciava a surpresa. Parecia que estava prestes a rir. – Você não ter me visto hoje.

Charlotte precisava admitir que era um argumento fraco.

– Pois bem...

Ela vacilou.

– *Hoje*. Este dia. Este único dia.

Ela ficou tensa.

– Por favor, não zombe de mim.

– Não estou zombando, apenas tentando entender.

– Sinto que está zombando.

George inclinou a cabeça, como se estivesse levando um tempo para catalogar seus pensamentos.

– Pois bem. Sim, estou zombando de você. Mas só porque está sendo ridícula.

– Se eu não tiver autonomia sobre meu corpo, o que me resta?

Dessa vez ele *riu*. Um riso ácido.

– Nenhum de nós dois tem autonomia sobre o próprio corpo. Exigem que façamos um bebê.

– Eu sei – resmungou ela. – Você vive pela felicidade e desgraça de uma grande nação.

– Ah. Então você me ouviu dizer isso.

Ela ficou paralisada. Seria obrigada a admitir que tinha bisbilhotado a conversa alheia.

Mas então ele acrescentou:

— Já fiz esse discurso inúmeras vezes. Tantas que temo que vá suplantar "Deus e meu direito" como lema oficial do soberano. Mas você precisa saber uma coisa: fui sincero em todas as ocasiões. Não sou um homem livre, Charlotte. A coroa é um grande peso sobre minha cabeça.

Em breve seria também na cabeça dela. Literalmente. A coroação não demoraria muito.

— Como soberano, tenho deveres. Você sabe disso.

— Deveres – zombou ela. Estava começando a detestar aquela palavra.

Ele respirou fundo. De uma forma demorada e um tanto embaraçosa, na verdade.

— Tive um dia difícil – disse ele por fim. E fez uma pausa. Parecia estar fazendo algo estranho com as mãos. Acabou por fechá-las com força e deixou os braços caírem ao lado do corpo. – Não quero discutir com minha esposa.

— Não precisa discutir com sua esposa. Basta voltar para seu quarto.

— Quero dormir aqui. – Cada palavra saía de sua própria alma. – Esperava encontrar conforto.

— Conforto – repetiu ela.

— Sim, conforto. Por parte de minha esposa, com quem eu...

Ele praguejou baixinho. Aí aconteceu a coisa mais estranha. Embora ele não abrisse a boca, Charlotte poderia jurar que ele falava sozinho.

— Você é minha esposa – disse ele, finalmente, em voz audível.

Ela balançou a cabeça.

— Você não pode me ignorar o dia inteiro e esperar que eu fique aqui e... e...

— E...?

— E... e lhe preste serviços à noite.

Ele ficou abismado.

— Prestar serviços? É assim que você chama?

— Foi minha primeira vez. Mal sei como chamar.

Ele puxou as cobertas com tanta força que um dos travesseiros cor-de--rosa voou longe.

— Tive a impressão de que você havia gostado.

– Bem, foi... – Charlotte se esforçou muito para parecer indiferente – agradável, suponho.

– Agradável. Que parte foi agradável?

– Perdão?

– Que parte... – ele foi chegando perto dela – foi agradável?

– Eu... pois bem...

Seu rosto assumiu uma expressão voraz.

– Foi quando a beijei?

– Bem, sim, mas...

Maldição. Ela não queria admitir nada disso.

– Foi quando a toquei... aqui?

Charlotte bateu na mão dele antes que ele alcançasse seu pescoço.

– Não quero você – disse ela.

– Mentirosa.

– Muito bem. Não *quero querer* você. – Ela tentou se afastar, mas ele, inadvertidamente, havia prendido a coberta adamascada quando se aproximara. Ela puxou, mas com pouco sucesso. – Não o quero hoje, isso é certo.

George pareceu achar graça.

– Não me quer hoje ou não *quer me querer* hoje?

Ela balançou a cabeça, exasperada.

– Você é louco.

Ele soltou uma gargalhada sombria.

Charlotte finalmente soltou o lençol e conseguiu recuar alguns centímetros.

– Você não pode simplesmente resolver desfilar no meu quarto e esperar que eu cumpra meu dever.

– Se bem me lembro, seu dever a agradou bastante. Além disso... *desfilar*?

– Não seja convencido.

– Não desfilo por aí. – Ele se sentou na cama, uma expressão incrédula no rosto. Talvez de repugnância. – Não tenho tempo para desfilar.

– E como eu poderia saber disso se *nunca o vejo*?

Ele revirou os olhos.

– Tenho coisas a fazer.

– Que coisas?

– Coisas particulares.

Foi a vez *dela* de revirar os olhos.

– Existem coisas na vida que não têm nenhuma relação com você. – O tom de voz dele começou a subir e ele fez aquela coisa engraçada que fazia com as mãos quando ficava nervoso.

Estranhamente, era uma das coisas que Charlotte mais gostava nele – gostava de saber que às vezes George também ficava nervoso quando estavam juntos. Sentia-se menos sozinha.

– Você pode ser minha esposa, mas isso não lhe garante acesso pleno a todas as esferas da minha existência.

– Você também não tem acesso a todas as esferas da *minha* existência.

Ela não se importava de parecer infantil. Precisava deixar claro o que pensava.

– Charlotte, é preciso.

Ele apontou para a cama. Os dois sabiam a que ele se referia.

– Não quero – disse ela em voz débil. Porque estava mentindo. Sabia que estava mentindo.

Ela o queria. Queria o marido. Tinha sido expulsa de sua terra natal e cruzado o mar. Sozinha.

Queria se sentir próxima de outro ser humano.

Mas queria que o ser humano fosse o George que ela havia imaginado que ele seria. Que fosse Apenas George.

Porque Apenas George era gentil e engraçado e, quando a beijava, ela ficava fora de si.

Já aquele outro George (que a chamava de "dever" e a lembrava do que precisava ser feito) provavelmente também poderia fazer com que ela perdesse a cabeça com um único beijo.

Mas seu coração permaneceria intocado.

No entanto, ela não conseguia parar de pensar nele – no seu jeito de inclinar a cabeça ao sorrir, no som de seu riso. Não conseguia parar de pensar no beijo que trocaram no observatório em Kew, ou em como ele lhe contara o quanto desejava tocá-la. Acima de tudo, não conseguia parar de pensar na única noite dos dois, aquela noite perfeita. Quando ele foi descendo e lambendo seu corpo e...

– Arrrrrrrrgh.

– Isso foi um grunhido? – perguntou ele.

– Não.

Minha nossa, que humilhação.

– Bom, venha cá, vamos fazer logo isso.

– Já falei que não quero.

Ele praticamente foi quicando no colchão até estar a menos de trinta centímetros de distância dela. Então deu um sorrisinho.

– Não acredito em você.

– Então vai me obrigar?

Ele sorriu. Um sorriso de libertino.

– Não chegaria a esse ponto.

– Pois bem, eu me recuso.

– Me beije – disse ele, abruptamente.

– Como é?

– Me beije. Só uma vez. Se depois disso não me quiser, eu vou embora.

Ela desdenhou.

– Não seja ridículo.

– Tem medo?

– Medo? Claro que não. Não tenho medo de você.

– Ótimo. Foi o que pensei. Você tem medo de si mesma.

– Não tenho, nada.

– Tem, sim.

– *Não* tenho.

– Está parecendo uma criança.

Estava mesmo, e a culpa era dele. Ele era a única pessoa que trazia à tona nela tal truculência. Com todo o resto do mundo, Charlotte era *adorável*.

– Que dia é hoje? – perguntou ela, de repente.

Ele parou, depois balançou a cabeça, confundido pela súbita mudança de assunto.

– Terça-feira, creio eu.

– A data – disse ela com urgência. – Eu me refiro à data.

– É 16 de setembro.

– Dias pares, então. Vamos fazer aquilo nos dias pares.

– Dias pares – repetiu ele.

– Foi o que eu disse.

E, se soava orgulhosa, que assim fosse. Reassumira o controle da situação. Ele poderia obter o que queria, mas dentro de seus termos.

Mas George a encarava com se ela fosse uma criatura um tanto estranha.

– Vamos ter uma agenda para a cópula.

Ela deu de ombros.

– Se preferir falar do assunto desse modo tão clínico...

– Dada a falta de sentimento entre nós, falar de modo tão clínico é a única forma possível.

– Obviamente.

– Pois bem.

Ele fez um sinal para o livro, ainda na mão dela.

– Que foi?

– Livre-se dele. Temos trabalho a fazer.

Ela sentiu a cabeça rodopiar de confusão. Do que ele estava falando?

– Estamos em dia par – explicou George.

Então pegou o livro e o jogou de lado.

– Ah.

Ah.

George

Foi uma vitória que custou caro, mas George decidiu que simplesmente não se importava.

– Não são sonetos de amor desta vez? – brincou.

– Da outra vez também não eram.

Ele afastou as cobertas e se aproximou mais um pouco dela, ainda apoiado nas mãos e nos joelhos.

– Não haverá sonetos esta noite, então – alertou ele.

Era cruel, mas a rejeição que sofrera também tinha sido cruel. Tinha pensado que a noite de núpcias havia significado *alguma* coisa.

Pelo visto, significara só para ele.

Ele procurou traços de temor nos olhos dela (não conseguiria viver em paz consigo mesmo se ela o temesse), mas o que viu foi um misto de excitação e desafio. Os olhos de Charlotte cintilavam, repletos de energia, e sua respiração ficou mais agitada e entrecortada.

Exatamente como a dele.

– É uma pena que você odeie tanto que eu a toque – provocou ele, descendo os dedos pelo pescoço dela.

Charlotte alcançou algo entre as pernas dele e apertou.

– É uma pena que *você* odeie tanto que eu o toque.

Ah, ela ia brincar desse jeito? Ele rolou de modo a fazê-la ficar por cima, em seguida agarrou a barra da camisola larga e a tirou.

– Sem botões – comentou, aprovando.

Ela gemeu em resposta à rapidez dos movimentos dele, mas, se sentiu algum constrangimento com a nudez, não demonstrou. Pelo contrário, apertou-o com mais força.

Até demais, para falar a verdade.

Mas tudo aquilo era novo para ela. Charlotte ainda não entendia a fronteira entre o prazer e a dor de um homem.

Pelo menos ele esperava que não. Do contrário, ela estaria tentando lhe causar sérios danos.

– Um pouco menos de vigor – orientou George, pegando a mão dela.

Seu roupão tinha se aberto e ele agora estava praticamente tão nu quanto ela.

– Assim – instruiu, mostrando como gostava de ser acariciado.

E, como o jogo limpo estava na ordem do dia, retribuiu o gesto.

– Gosta disso? – sussurrou ele, tocando delicadamente entre suas pernas.

Ela assentiu.

– Isso, assim. Quer dizer, *assim*.

Ele deu um sorriso voraz. Tinha movimentado os dedos com leveza e aparentemente encontrara o ponto que mais dava prazer a ela.

Acariciou ali, com muita suavidade.

– Isso...

Agora em círculos.

– Assim?

Ela assentiu freneticamente.

– Posso fazer melhor ainda.

Ela parecia não acreditar.

– Espere só – murmurou ele.

Então, antes que ela tivesse alguma possibilidade de entender o que George pretendia, ele colocou-a de costas na cama e desceu por seu corpo até enfiar o rosto entre suas pernas.

Ela soltou um gritinho de surpresa. Ele lambeu.

– George! O que está fazendo? Você não pode...

– Ah, eu posso – disse ele, levantando o rosto por um momento. – Você vai gostar disso também.

– Tem certeza?

Ele parou de novo.

– Se não gostar, me avise.

Charlotte assentiu. Pelo menos confiava nele nesse ponto.

Ele já fizera aquilo antes, mas não muitas vezes. A cortesã que seu tio lhe enviara aos 16 anos lhe garantira que as mulheres adoravam. "Serão suas para sempre", dissera a moça, depois de lhe dar um beliscão condescendente no nariz. "Desde que faça bem."

George tinha quase certeza de que aprendera razoavelmente bem, mas na verdade sempre lhe parecera uma tarefa a cumprir.

Não era um homem assim tão generoso. Queria que a mulher sentisse prazer no ato, mas aquilo era, francamente, um pouco entediante.

Era. Não mais.

Beijar Charlotte de um modo tão íntimo foi uma revelação. Seu sabor, o calor... os sons que ela emitia a cada lambida... O prazer dela despertou o dele de um modo que George não sabia ser possível. A cada vez que ela gemia e se remexia, ele ficava mais rígido. Não sabia por quanto tempo mais conseguiria manter tal nível de excitação. No entanto, algo dentro dele o impedia de parar.

Ele ia fazer com que ela explodisse. Isso se tornara a ambição de uma vida.

Enfiou um dedo nela.

– Ah!

Ela soltou um gritinho resfolegante. Ele sorriu.

– Gostou, não foi? – murmurou ele.

E colocou mais um dedo.

Ela empinou o quadril e gritou seu nome.

– Espere! – gemeu Charlotte. – Não posso!

Ele voltou a sorrir. Ela não só podia como o faria.

Ele a faria chegar lá.

– Ai, não... – gemeu ela. – Não...

Ele a olhou, perguntando-se se ela podia perceber o próprio fluido reluzindo na pele dele.

– Quer mesmo que eu pare?

– Não! – Ela praticamente uivou, enfiando os dedos no cabelo dele e puxando-o de volta para baixo.

Ele riu, deliciado, e redobrou os esforços. Ela podia dizer que não o queria, mas os dois sabiam a verdade. Ele a faria atingir o clímax e ela nunca mais conseguiria dizer que não o desejava.

Um belo dia, poderia decidir que não gostava dele, mas ele sempre saberia que ela o queria.

– George... – ofegava ela. – George George George...

Ele movimentava os dedos enquanto a lambia, simulando o ato amoroso, mas acrescentando uma novidade aqui e ali, até que...

Quando seu nome voltou a sair dos lábios dela, foi como um grito.

Quando terminou, George subiu deslizando pelo corpo da esposa e deixou o rosto junto ao dela.

– Gostou, não foi?

Ela não conseguia falar.

– Vou entender como um sim. – Então ele se posicionou, obrigando as pernas dela, já frouxas, a se abrirem mais. – Está pronta?

Ela fez um sinal positivo, atordoada, e ele a penetrou.

Estava gloriosamente molhada, mas era apenas sua segunda vez e ele sabia que ela precisava de tempo para se acostumar à sua presença.

– Me avise se eu machucar você.

Charlotte assentiu furiosamente.

Ele parou no mesmo instante.

– Está doendo?

– Não. Estava apenas querendo dizer que vou avisar.

Graças a Deus. Ele teria saído. Teria. Mas exigiria um esforço sobrenatural.

Ele se movimentou devagar, ou pelo menos o mais devagar que conseguiu, até estar todo dentro dela.

– Charlotte... – gemeu ele, porque naquele momento ela era verdadeiramente seu mundo inteiro.

Recuou. A fricção provocava calafrios de prazer em sua espinha.

Ela agarrou seus ombros, arqueou o quadril, e ele arremeteu. E de novo e de novo, até que os movimentos perderam todo o ritmo e tudo o que sobrou foi a necessidade.

A cama sacudia, rangia, e ele não parava de se lançar dentro dela, mas ela o recebia, mais e mais. Então ele sentiu que ela alcançava o clímax de novo, seu corpo se contraindo em torno do membro dele com tanta intensidade que ele já não pôde segurar mais.

– Charlotte! – gritou, transbordando dentro dela, consumindo-se de um modo como nunca sonhara ser possível.

E desabou, rolando para o lado a fim de não a esmagar.

– Meu Deus – murmurou ele.

Charlotte apenas respirava. Arfava.

– Isso foi... isso foi...

Ele não tinha palavras. De verdade. Ela o fizera perder o controle do próprio corpo e também da própria mente. Devia haver uma ironia nisso.

– Fizemos um bebê? – perguntou ela.

George virou a cabeça, atônito com a pergunta.

– Só saberemos depois de algum tempo.

– Jura?

– Achei que alguém lhe havia explicado.

– Explicaram. Disseram que talvez tenhamos que fazer isso muitas vezes, mas presumi que saberíamos na hora, caso funcionasse.

– É quando seu fluxo deixa de vir. É assim que se sabe.

– *Isso* eu sei – disse ela, um pouco impaciente. – Quer dizer, sei o que significa quando há atrasos. Presumi apenas que já saberia antes. Que... de alguma forma...

– Achou que sentiria quando acontecesse?

Ela assentiu.

– Não é assim – disse ele, voltando a olhar para o teto.

Ela emitiu um ruído de frustração. Não gostava de não saber as coisas, ele já havia percebido isso em sua personalidade.

Com toda a franqueza, não poderia culpá-la.

– Bem, suponho que você pode ir agora – disse Charlotte.

– Ir aonde?

– Está no meu quarto.

Sim, estava. E pensava que ficaria ali. Ela havia passado a noite no quarto *dele* na noite anterior, a primeira vez que dormiram juntos. Mas isso tinha sido antes de ela se tornar tão fria e distante.

Charlotte se sentou na cama, segurando as cobertas junto ao corpo. Por frio? Por recato? Aquilo parecia absurdo, considerando o que haviam acabado de fazer. Para George, as mulheres eram incompreensíveis, e Charlotte era ainda mais que todas juntas.

Pensara que ela gostasse dele. Ela dera todas as indicações de achar que ele era um ser humano digno. George saíra da cama, naquela manhã, transbordante de alegria. Mas, ao vê-la de novo no final da tarde, ela estava fria. Como se tivesse descoberto a verdade sobre ele. Ou, se não a verdade, quase isso. Que ele não era digno de seu amor. E era bem possível que nunca viesse a ser.

– E então? – pressionou ela, indicando a porta com um movimento da cabeça.

– Você está realmente me mandando embora? Depois... *disso*?

– O que fizemos não muda nada.

Ele afastou as cobertas, sem se importar com a nudez dos dois.

– Vejo que não.

– É nosso dever gerar um bebê – argumentou Charlotte. – Mais nada.

George tentou recuperar o roupão ao pé da cama. A movimentação havia sido tão acrobática que a roupa acabara enroscada em uma das colunas do móvel.

– Absolutamente nada – grunhiu ele, puxando o maldito roupão.

– Vejo-o depois de amanhã – disse ela, com afetação.

Ele amarrou o cinto dando um nó de qualquer jeito.

– Nem um minuto antes – rosnou.

– Será meu maior prazer não vê-lo.

– De fato – respondeu ele, à altura. – Quanto antes estiver esperando um filho, mais depressa poderemos interromper este... – ele fez um movimento para a cama, empregando seu melhor desdém – esta incumbência.

Ela deu de ombros.

– Nosso dever será cumprido. Então você poderá voltar para suas estrelas e o firmamento em Kew. E eu não precisarei mais olhar em seu rosto.

George se curvou em uma mesura sarcástica.

– Vossa Majestade.

Ela respondeu a ele com um régio aceno de cabeça. A *ele*! E apontou para a porta.

– Vá.

– Com prazer.

Ele abriu a porta num puxão e saiu.

Casa Buckingham
Laboratório de Monro
18 de setembro de 1761

Os dias que se seguiram não foram muito melhores. George continuava sem entender por que Charlotte estava tão transtornada, mas, francamente, ele andava tão zangado que não sabia se ainda se importava.

Para ser mais exato, não tinha tempo de se preocupar com ela. Monro havia intensificado o tratamento e George vinha passando a maior parte dos dias no porão da Casa Buckingham.

O médico lamentava a perda da cadeira de ferro e estava convencido de que isso prejudicava o progresso de George.

– A dieta também – disse o Dr. Monro. – É um problema.

– Se pudesse comer o mingau no jantar, eu o faria – respondeu George, exausto. – Mas geraria muito falatório.

– É um problema.

George resistiu à vontade de dizer "É, você já falou isso". Não seria bom demonstrar insolência com o médico. Aquilo lhe valeria mais tempo no banho gelado, e os assistentes de Monro tinham passado a manter sua cabeça debaixo d'água por períodos cada vez mais longos.

– Precisaremos compensar essas deficiências de outros modos – resolveu Monro. – A mordaça.

Um dos assistentes correu para executar a ordem. Os punhos e tornozelos de George já estavam amarrados a uma cadeira de madeira maciça. Naquele momento, ele ficou verdadeiramente subjugado.

– Não poderá falar – disse Monro. – Assim você será obrigado a pensar os pensamentos que eu lhe entregar. Está compreendendo, garoto?

George assentiu.

– Você precisa aprender a se submeter. Precisa perceber que não é ninguém. Que não é melhor do que ninguém.

Monro foi até a parede onde diversos de seus instrumentos estavam pendurados em ganchos. Ele demorou um pouco para escolher o mais adequado, decidindo-se enfim por uma vara fina.

– A cada golpe, precisa pensar consigo mesmo: "Não sou ninguém." Compreende?

George voltou a assentir, olhando a vara com trepidação. Até então, o Dr. Monro só batera nele com a mão.

Monro entregou a vara ao assistente.

– Vamos começar.

Ele fez um sinal com a cabeça e o assistente acertou as coxas de George com a vara. Ardeu, mas não doeu tanto quanto George imaginara.

– Pensou? – cobrou Monro.

George tinha esquecido. Balançou a cabeça em negativa. Precisava ser honesto se quisesse ver progresso no tratamento.

– Mais forte – instruiu Monro, dirigindo-se ao assistente.

A vara estalou.

Não sou ninguém, pensou George.

– Pensou?

Dessa vez George assentiu.
– Acreditou?
George deu de ombros. Talvez? Não poderia afirmar com certeza.
Monro o encarou. Após alguns segundos, deve ter decidido que era algum progresso, porque fez um sinal com a cabeça e dirigiu-se para o outro lado do aposento, onde se sentou, e pegou seu caderno. Praticamente sem tirar os olhos das anotações, ele ordenou:
– Repita.
Mais um golpe.
Não sou ninguém.
– Repita.
Mais um golpe.
Monro franziu a testa.
– Ele não parece estar reagindo.
George arregalou os olhos e grunhiu, amordaçado.
– Passe para as mãos.
George resistiu, forçando as amarras. Ao contrário das coxas, suas mãos estavam nuas. Aquilo ia...
Bam!
George gritou.
– Bem melhor – rosnou Monro.
Bam!
– Está seguindo minhas instruções?
George assentiu.
Bam!
Não sou ninguém.
Bam!
Não sou ninguém.
Bam!
– Cuidado para não arrancar sangue – ressaltou Monro. E franziu a testa ao se inclinar para o lado para observar melhor as mãos de George. – Senão vão fazer perguntas.
O golpe seguinte acertou os antebraços de George, que até então tinham sido poupados.
– Embora eu imagine que possamos simplesmente colocar luvas nele – ponderou Monro.

Não sou ninguém. Não sou ninguém.

Bam! Novamente as mãos.

Não sou ninguém.

– Está seguindo minhas instruções? – perguntou Monro.

George assentiu energicamente. Lágrimas haviam escapado de seus olhos e desciam até molhar a mordaça. Estava humilhado.

– Ótimo. Então está funcionando. – Monro voltou a olhar para o assistente. – Vamos continuar.

Bam!

Não sou ninguém.

Bam!

Não sou ninguém

Não sou ninguém...

Dois dias depois

Ele era o rei.

Não parava de dizer que não era ninguém e de pensar que não era ninguém, mas, quando despertava pela manhã, sabia que era o rei.

Tinha nascido para ser rei e nada mais.

Mas George queria ficar curado, e toda vez que passava por Charlotte no corredor via escrita em seu rosto a aversão que ela sentia por ele. Aquilo renovava sua determinação em levar o tratamento até o fim.

Seria ela capaz de enxergar por trás de sua fachada? Haveria ela detectado a loucura por trás de seus olhos?

Mesmo de noite, naqueles dias pares em que suavam, gritavam e, sim, copulavam, não havia carinho da parte dela, nada que indicasse que o considerasse algo além de uma fonte de prazer físico.

E de um bebê. Não podia esquecer isso.

Aquilo dava a ele vontade de redobrar seus esforços. Assim que ela engravidasse, eles não precisariam mais se ver. Não seria maravilhoso? Sem mais insultos lançados contra ele em todos os momentos. Sem mais olhares furiosos por parte daquele minúsculo e irritante criado dela. Como era o nome dele? Burdock? Bramwell?

Brimsley. Era isso. Brimsley. Ele lançava olhares raivosos para George como se ele fosse o culpado pelo clima no palácio, que variava entre "explosivo" e "em chamas".

Era Charlotte. A culpa era *dela*. Ele estava sendo razoável (ou pelo menos o mais razoável que um louco poderia ser) e ainda por cima vinha se submetendo a uma tortura sanguinolenta para tentar se curar.

Era bem verdade que ela não estava ciente de que ele vinha fazendo isso, nem que ele de vez em quando ficava fora do ar, mas alguém haveria de estar vendo tudo aquilo, e ele, com toda a certeza, estava fazendo sua parte.

– Maldição – tentou dizer.

Tentou porque, como de hábito, estava amordaçado.

– O que foi isso? – perguntou Monro, tirando os olhos do seu caderninho infernal. – Tirem a mordaça.

Um dos assistentes, a quem George resolvera chamar de Helmut, cumpriu a ordem.

George cuspiu quando ela foi removida.

– Estamos fazendo isso há dias. Quanto tempo mais vai levar?

– O tempo que for necessário para alcançarmos nossa meta – respondeu Monro, com toda a calma. – Foi o nosso acordo.

– Nossa meta era restaurar a minha pessoa. Se continuar com isso por muito tempo, não terei uma pessoa para ser restaurada. Será que um rei destroçado é realmente melhor do que um louco?

Monro pousou o caderno e fez um gesto no ar, parecido com um professor que pontua visualmente uma aula.

– Não dei o nome de "método terrível" sem motivo. O terror é sua base. Mas, a partir do terror, veja o resultado.

George não se sentiu tranquilizado pelo modo como o médico estremeceu de prazer ao falar "o resultado".

– Os lobos da Floresta Negra, na Alemanha, eram famosos – prosseguiu Monro, levantando-se. – Os mais ferozes do mundo. Não satisfeitos em roubar galinhas e cabeças de gado, eles levavam crianças. Idosos. Onde se encontram esses lobos no momento?

George realmente esperava que fosse uma pergunta retórica.

– Desapareceram! – rosnou Monro. – Existem apenas nas lendas, nos contos de fada. Com ajuda da ciência e da força de vontade, os alemães transformaram seus lobos em criaturas patéticas como aquele lulu-da-pomerânia que eu tinha. Veja, garoto, a natureza animal é barro. Com força suficiente, é possível moldá-la. Farei com você o que os alemães fizeram com os lobos. Vou moldá-lo. Até se tornar tão inofensivo e obediente quanto aquele maldito cãozinho.

– O lulu fugiu – murmurou George.

Monro se virou para encará-lo.

– Vi o novo animal de estimação da rainha, *Vossa Majestade*.

George se conteve para não exibir um ar desafiador. Não deveria desafiar o médico. Não queria fazê-lo.

– Você me desobedeceu – disse Monro. – E vai pagar por isso.

– Eu sou o rei.

– *Você* não é *ninguém*! – vociferou Monro. – Você é quem eu digo que é. Está compreendendo?

– Eu sou o rei – repetiu George.

Monro o esbofeteou.

– Repita – provocou.

– Eu sou o rei. – Mas a voz de George estava mais fraca.

Outra bofetada.

– Repita.

– Eu sou... o rei.

Mais uma.

– De novo.

– Eu sou... Sou...

Ele era o rei. Mas valia a pena? Havia alguma razão para dizê-lo? Ele só ia receber mais uma bofetada, e o Dr. Monro estava tentando ajudá-lo, não estava?

– Quem é você? – perguntou Monro, num tom baixo e autoritário.

– Não sou ninguém.

George não acreditava muito no que dizia, mas estava disposto a obedecer. Se aquilo fizesse os golpes pararem.

Por isso ele disse de novo. E de novo. Mas seus pensamentos estavam em algo completamente diferente.

Era dia par.

E, de algum modo, ele sorriu.

BRIMSLEY

Casa Buckingham
Em algum lugar nas dependências de serviço
22 de setembro de 1761
Dia da coroação

Brimsley estava nervoso.

Claro que seria o primeiro a admitir que não se tratava de um estado de espírito raro nele.

Quer dizer, admitiria para qualquer um exceto Reynolds.

A questão era que, em geral, Brimsley se sentia nervoso porque havia feito alguma coisa errada. Ou porque estava prestes a fazer algo errado. Ou possivelmente porque alguém tinha feito algo errado e era provável que ele fosse responsabilizado.

De um modo ou de outro, tinha muita relação com coisas que davam errado.

Naquele momento, porém, tudo estava dando certo. Em tese. O rei e a rainha estavam morando na mesma casa, e ele não precisava mais temer as chamas da ira da princesa Augusta porque *com toda a certeza* eles mantinham relações.

Relações muito ruidosas.

Brimsley passava um bocado de tempo afastando os criados do corredor diante dos quartos reais.

Mesmo assim se sentia inquieto. Reynolds estava escondendo algo dele, o que significava que o rei estava escondendo algo da rainha, o que significava que Brimsley não estava cumprindo seu dever de protegê-la.

Era o que ele havia jurado fazer.

Além do mais, apesar das relações ruidosas, o rei e a rainha pareciam se detestar. Era algo que não prenunciava algo bom para o futuro. Para o futuro de ninguém.

E havia chegado o dia da coroação. Isso significava que o rei George e a rainha Charlotte da Grã-Bretanha e Irlanda teriam que parecer tolerar a companhia um do outro. Brimsley tinha confiança de que a rainha seria capaz. Ela sabia o que se exigia dela. A preocupação dele era o rei. Seu estado de espírito era bem mais instável, e a propósito...

Onde ele tinha se enfiado?

Parecia a cerimônia de casamento de novo, a não ser pelo fato de que agora era o rei quem havia desaparecido.

Brimsley pôs as mãos no rosto, usando-as para literalmente abrir sua mandíbula tensa. O rei e a rainha o levariam à morte. Ele rangeria os dentes até virarem pó. E aí não seria capaz de comer. Morreria de fome, lentamente. Isso não facilitaria muito a vida dos vinicultores italianos e seu bode?

Aquilo precisava terminar. Pelo bem de sua sanidade e seus dentes. Precisava encontrar Reynolds. Estava na hora de saber o que estava acontecendo.

Brimsley desconfiava que Reynolds se encontrava lá embaixo, no labirinto de corredores e salas que constituíam o nível subterrâneo da Casa Buckingham. Ele já o pegara antes dirigindo-se para lá, esgueirando-se por uma das escadas dos fundos quando achava que ninguém estaria olhando. E, definitivamente, ele vinha se esgueirando. Reynolds, em geral, tinha o ar de um homem que esperava que o resto do mundo saísse de seu caminho para lhe dar passagem, mas, quando Brimsley o espiara, ele estava agindo de um modo extremamente furtivo, olhando em volta para ter certeza de que ninguém o veria deixando seu posto no andar principal.

Não havia nenhuma razão, nenhuma mesmo, para que Reynolds – *o criado pessoal do rei* – tivesse algo a fazer lá embaixo. Era onde se lavava a roupa, se armazenavam os alimentos e se limpavam as panelas. Ficava a um mundo de distância do palácio impecável lá em cima e quase ninguém atravessava aquela fronteira.

Naquele dia – o dia da coroação –, os corredores estavam repletos de criados, todos em suas melhores roupas. Haveria um desfile no fim da tarde e todos haviam recebido meio período de folga para celebrar. Mas Reynolds tinha 1,90 metro de altura e cabelos louros tão lindos e brilhantes que era difícil não se destacar.

Brimsley levou dois minutos para localizá-lo. Colocou-se ao lado dele.

– Preciso falar com você – disse baixinho.

– O que está fazendo aqui embaixo? – perguntou Reynolds. – Você nunca vem aqui.

– O que *você* está fazendo aqui embaixo? – replicou Brimsley.

– Trabalhando. Estou cumprindo uma tarefa.

– Então eu também preciso estar aqui. Estou aqui porque você está. Você acompanha o rei. E a rainha está procurando por ele.

– Pensei que não se falassem.

– É o dia da coroação – sussurrou Brimsley, ansioso. – Não importa se eles se falam ou não. Precisam estar unidos. Então me diga: cadê ele?

Reynolds o puxou para um canto onde seria menos provável que fossem ouvidos por terceiros.

– Você não deveria descer até aqui.

– Você não me deu escolha.

– Não seja ridículo. Sua obrigação é com a rainha.

– E a rainha precisa do rei. – Brimsley conteve a vontade de revirar os olhos. Ou de socar Reynolds. Estavam andando em círculos com aquela conversa. Tudo o que faziam era andar em círculos.

Reynolds olhou para o corredor antes de responder:

– O rei estará com ela em breve. Está estudando ciências na biblioteca.

Humm. Brimsley tinha passado na biblioteca pouco menos de uma hora antes e não havia sinal do rei por lá.

– Agora vá – ordenou Reynolds, com aquele jeito irritantemente superior. – Vá cuidar de sua rainha.

Mas ele parecia nervoso. Quase evasivo. E ficava olhando para trás. Como se… talvez…

Será que ele estava mantendo relações com mais alguém? Nunca tinham combinado explicitamente que não veriam outros homens…

– O que está acontecendo? – perguntou Brimsley, desconfiado.

– Não está acontecendo nada. – Reynolds olhou-o com um ar exasperado. – Você tem uma imaginação excessivamente fértil.

Brimsley ergueu o queixo. Não toleraria aquilo.

– Escute, Reynolds. Não pense que me importo que você se envolva com outros. Mas… – sua boca formou um bico zangado enquanto ele contemplava o ambiente acanhado onde se encontravam – cuide para que ele seja de uma posição apropriada.

Reynolds recuou, indignado.

– Eu não... Isso não é o que...

Brimsley cruzou os braços. Reynolds podia ser seu superior na casa, mas no quarto a situação era inteiramente diferente.

– Não há *outros* – balbuciou Reynolds por fim. – Eu apenas estou aqui embaixo.

– Sendo que você nunca vem aqui – resmungou Brimsley.

– Como sabe? *Você* nunca vem.

– Eu estava procurando você.

Reynolds bufou. Parecia em parte irritado e em parte... pois bem, com toda a sinceridade, Brimsley não sabia bem como interpretar a outra parte. Por fim, Reynolds disse:

– Apenas estou aqui. É só. Vá cuidar de sua rainha. O dia da coroação é muito importante para ela e para o país.

Brimsley franziu a testa, estranhamente sem querer se mexer.

– Não estou com ciúme – disse ele.

– Claro que não.

– Não tenho motivos para ter ciúme. Não fizemos promessas.

– Nenhuma – disse Reynolds.

Brimsley engoliu em seco. Ele queria uma promessa? Nunca lhe ocorrera estar em posição de pedir fidelidade. Porque o que aquilo poderia significar? Uma promessa entre dois homens? Não poderiam levá-la para uma igreja. Não poderiam exibi-la a um magistrado.

No entanto, ao olhar para Reynolds... quando os olhares dos dois se encontravam no corredor...

Aquilo tinha um significado para ele.

– Brimsley – disse Reynolds. E depois: – *Bartholomew*.

Brimsley ergueu os olhos. Reynolds passava a mão no cabelo. Sua postura inabalável estava...

Abalada.

– Não há mais ninguém – murmurou Reynolds. – Posso lhe assegurar.

Brimsley assentiu, desconfortável.

– Nem para mim.

– É melhor você voltar – disse Reynolds. – Há muito o que fazer por hoje. Muito.

– De fato.

Brimsley suspirou. Deu meia-volta para partir, mas então uma porta se abriu no final do corredor. De lá saiu uma pessoa carregando equipamentos médicos e...

O rei estaria lá dentro?

Reynolds praticamente pulou na frente dele para bloquear sua visão.

– Aquele ali é um médico? – perguntou Brimsley. – Por que o rei está sendo examinado por um médico desconhecido no porão?

– Brimsley.

– Por que não está sendo examinado pelo médico real?

– *Brimsley.*

Havia alguma coisa na voz de Reynolds. Brimsley parou de falar no mesmo instante.

– Você não viu nada – disse Reynolds.

Brimsley queria falar mais. Queria mesmo. Mas os olhos de Reynolds suplicavam que ele se calasse, e Reynolds nunca suplicava.

Brimsley assentiu.

– Preciso cuidar da rainha – disse ele.

Então girou nos calcanhares e se foi.

Casa Buckingham
Perto dos quartos reais
3 de outubro de 1761

A coroação fora esplêndida. Foi o que todos disseram. O rei e a rainha estavam gloriosos. Desempenharam muito bem seus papéis. De fato, a única ocasião em que Brimsley os viu perder a pose foi na volta para a Casa Buckingham. O peso das coroas era bem literal e ambos estavam exaustos.

Tão exaustos que cada um foi para seu respectivo quarto e ali eles permaneceram pelo resto da noite.

Mesmo sendo dia par.

– Como será que eles chegaram a esse pacto? – comentou Brimsley com Reynolds enquanto seguiam juntos pelo corredor, cada um portando uma bandeja de prata para seu respectivo monarca.

Começava a anoitecer, e o sol já baixava. O ar na Casa Buckingham ganhava tons dourados com o crepúsculo.

– Está falando dos dias pares? – perguntou Reynolds.

– Sim.

– Tremo só de pensar.

– É extremamente peculiar.

– Não cabe a mim questionar os hábitos da realeza – disse Reynolds.

– Mas...?

Sim, porque estava bem claro que havia um *mas* implícito na fala de Reynolds.

– Não terminarei a frase.

Brimsley levantou os olhos para ele.

– Você podia ser mais divertido.

– Sou tão divertido quanto preciso ser – respondeu Reynolds.

– Exatamente. Só alguém sem qualquer senso de humor faria uma afirmação dessas.

Reynolds lhe lançou um olhar exasperado, mas Brimsley pensou ter percebido também um quê de afeto.

– Não sorria – disse Reynolds.

Brimsley sorriu ainda mais.

– O que traz para o rei? – perguntou ele, gesticulando para a bandeja de prata que Reynolds carregava.

– Correspondência. E você?

Brimsley olhou para os papéis na sua bandeja.

– Ela está planejando um concerto. Com um menino pianista. A mim parece muito estranho, mas ela insiste que já o ouviu tocar e que ele é notável.

– Vem do continente?

– De Viena – confirmou Brimsley.

– Como se viaja de Viena? – ponderou Reynolds. – Por terra? Por mar?

Encontravam-se agora diante das portas dos quartos do rei e da rainha, onde já estavam fazia um bom minuto. Apenas conversando.

– Não sei bem – respondeu Brimsley. – A rainha veio por mar. Partiu de Cuxhaven. Disse que foi terrível. Vomitou em cima do irmão.

– Irmãs... – comentou Reynolds, soltando um risinho de quem sabe o que está falando.

– Você tem alguma? – perguntou Brimsley.

De repente, ele percebeu que não sabia. E queria saber.

– Irmã? Duas. Ambas mais velhas. E você?

– Não. Era apenas eu. Meus pais me tiveram já mais velhos. – E acrescentou, embora Reynolds não tivesse perguntado: – Eles já se foram.

– Sinto muito.

– Eu também – disse Brimsley suavemente.

Fazia tanto tempo que estava sozinho... Talvez fosse por isso que adorasse a vida no palácio. Tinha encontrado um lugar a que pertencia.

Mas ele não queria cair na pieguice. Fez um sinal com a cabeça na direção das portas dos quartos.

– Acredita que os dois vão querer se ver?

– Hoje é ímpar – lembrou Reynolds.

– Então talvez... seja silencioso?

– O rei já... – Reynolds fechou a boca com força.

– O rei já...?

– Cuidou de seus deveres reais.

Brimsley estava convicto de que *não* era aquilo o que Reynolds pretendera dizer originalmente. Sabia também que Reynolds não diria mais nada, por mais que ele insistisse.

Era um túmulo, aquele sujeito.

– O rei vai descer para o jantar? – perguntou Brimsley.

– Não sei – respondeu Reynolds. Seu rosto assumiu um ar meditativo que lhe era muito pouco característico. – Está cansado. Talvez prefira permanecer no quarto.

– Se ele tomar uma decisão, por favor me informe para que eu possa transmiti-la à rainha. Ela talvez queira alterar seus planos a partir dessa informação.

Reynolds virou a cabeça ligeiramente enquanto erguia as sobrancelhas.

– Está dizendo que se ele ficar no quarto, é *mais provável* que ela desça à sala de jantar?

– Sinceramente, não sei. São imprevisíveis.

– Quem? A realeza?

– Sim. – Havia um mundo de exaustão naquela palavra.

Reynolds riu. Então, depois de alguns momentos de silêncio amigo, ele suspirou e deu de ombros.

– É melhor retomarmos nossas tarefas.

– De volta à trincheira?

Reynolds deu outro sorriso... o tipo de sorriso que fazia o coração de Brimsley dar cambalhotas.

– É bem isso.

Reynolds voltou-se para o quarto do rei. Brimsley voltou-se para o quarto da rainha. Despediram-se sem uma palavra.

Por um breve momento, o mundo se encontrou em perfeito equilíbrio.

Casa Buckingham
Sala de jantar
22 de outubro de 1761

Dia par.

Era preciso ficar especialmente atento nos dias pares.

O rei e a rainha não tinham escolhido jantar juntos na noite anterior e, embora Brimsley tivesse todas as esperanças de que os dois se reconciliassem (o que exigia que passassem tempo juntos), mesmo assim precisava admitir que era bom ter uma noite afastado daquela tensão incessante.

Se a fúria fosse um líquido, o palácio inteiro estaria ensopado.

Com a diferença de que sopa tinha gosto bom. E não arremessava vasos.

Mas aquele era um dia par, então Brimsley e Reynolds estavam postados na sala de jantar, junto com seis James e um exército de criadas. Todos observavam o rei e a rainha com imenso temor contido.

– Poderia parar de respirar de modo tão ruidoso, por favor? – reclamou a rainha.

Como assim? Brimsley tremeu por dentro. Até ele, que sempre ficava do lado da rainha, achou que ela estava sendo pouco razoável.

O rei esfaqueou um pedaço de carne e olhou-a com fúria.

– E você poderia não falar, por favor?

– Se eu desejar falar, eu falo.

– Então vou respirar se quiser respirar.

Ela soltou um suspiro de sofrimento.

– É que você o faz de uma maneira deveras desagradável.

– O quê? *Respirar?* – disse ele com a voz arrastada, os olhos arregalados com sarcasmo e incredulidade.

Ela fez um pequeno gesto régio com a mão, como se dissesse: *Você ouviu o que eu disse.*

– É um fato da vida – continuou o rei com a voz arrastada, como se estivesse fazendo uma palestra. – A vida humana, para ser mais preciso. É necessário respirar. Diria que até mesmo *você* precisa respirar, embora no momento eu não esteja inteiramente convencido da sua humanidade.

– Olha só quem fala.

– O que quer dizer?

Ela deu de ombros e perguntou a um dos James:

– Temos arenque?

– Não se serve peixe perto do rei – lembrou Reynolds a todos os presentes no aposento.

– Mais uma razão para que eu prefira jantar sem ele – anunciou a rainha.

O rei deu um soco na mesa.

– Qual é o seu problema, afinal? Tem se comportado como uma criança desde a minha primeira manhã nesta casa e eu...

Mas a rainha já tinha se posto de pé. Brimsley deu um passo à frente. Quando viu o rosto dela, desfez o passo e recuou.

– Você está respirando o meu ar! – berrou ela.

Meu Deus. Tinham passado dos limites. Os dois.

Brimsley olhou para Reynolds. Será que deveriam sair?

Reynolds balançou a cabeça de um jeito levíssimo, do tipo que se faz quando se quer que apenas uma pessoa note.

Não que o rei e a rainha fossem reparar se um vulcão entrasse em erupção ao lado deles. O rei estava contornando a mesa, rosnando. Foi parar a poucos centímetros da rainha.

Brimsley engoliu em seco. Aquilo não ia terminar bem.

– É melhor eu me retirar – disse o rei, numa voz baixa e provocadora.

– Pois vá. – A rainha ergueu o queixo, desafiadora. – Agora mesmo.

E aí...

Meu bom Deus.

A rainha já tinha agarrado o rei pelo pescoço, e os dois estavam se beijando.

– Hoje é dia par. – Ele praticamente cuspiu.

– Aham, aham. – Ela ofegou.

Brimsley deu um salto bem a tempo de escapar de uma travessa inteira de frango assado voando pelos ares. O rei havia varrido da mesa todos os pratos e a comida da mesa e...

– Fora! – berrou Reynolds.

E, juntos, os dois praticamente arrastaram o resto da criadagem para o corredor.

Não olhe para o traseiro do rei. Não olhe para o traseiro do rei.

Ele olhou para o traseiro do rei.

Para ser justo, era um bel...

– Brimsley! – rosnou Reynolds.

– Saiam, saiam!

Brimsley afugentou os James que não se mexiam, junto com outras três criadas que tinham ido bisbilhotar. Alcançou as portas da sala de jantar quando Reynolds as fechava. Os dois então se recostaram nas portas cerradas, gemendo ao ouvir o ruído de vidro se quebrando.

– O cristal – disse Reynolds, com um suspiro.

Ouviu-se um baque surdo. Um gemido. Depois um *tremendo* barulho, cuja procedência Brimsley não queria nem imaginar. Depois o rei começou a grunhir.

– *Dia. Par.*

Brimsley fechou os olhos, horrorizado.

– *Dia. Par.*

Tinha visto o traseiro do rei. Seria fácil imaginar como ele estaria na mesa, com a rainha.

Sentiu o rosto ficar *muito* quente.

– Está passando mal? – perguntou Reynolds.

Brimsley ajustou a gravata, mantendo o olhar fixo à frente.

– O dia foi... quente.

A rainha gritou.

Reynolds pigarreou.

– Tive a mesma impressão.

Outro som veio da sala de jantar, alto e obsceno. Os dois estremeceram.

– Suponho que você não poderia permitir... hã... que eu me refresque um pouco em seus aposentos mais tarde? – perguntou Reynolds.

Brimsley se empertigou. Fazia algum tempo que Reynolds não lhe pedia isso. Era uma boa sensação, para falar a verdade.

– Talvez eu permita – respondeu ele. – Assim você me conta sobre o médico.
– Não há médico nenhum.
Brimsley se virou e o encarou. Estava cansado de mentiras.
– Você...
– *Assim! Vai! Vai!*
Ele recobrou a atenção de súbito. Reynolds que esperasse. Ele tinha uma porta a guardar.

Casa Buckingham
Orangerie
2 de novembro de 1761

Na prática, era difícil manter cinco passos de distância quando era necessário de fato resolver assuntos reais. Por isso, Brimsley se permitiu caminhar ao lado da rainha enquanto examinavam sua agenda de compromissos.
– Agora que a lua de mel acabou, temos galerias, óperas e peças às quais comparecer. Vossa Majestade também pode fazer o trabalho de caridade que escolher.
– Maravilhoso.
Ela abriu um sorriso. Andava animada nos últimos dias, apesar das discussões constantes com o rei. Brimsley desconfiava que tudo tivesse relação com as atividades dos dias pares, mas, naturalmente, não estava em posição de especular.
– Gostaria de fazer algo pelas pobres mães nos hospitais – decidiu ela.
– Muito bem, Vossa Majestade. Cuidarei...
A rainha esticou o braço para arrancar uma laranja de um ramo baixo.
– Laranja! – bradou Brimsley.
Dois criados vieram correndo. O mais veloz dos dois colheu a fruta e pousou-a delicadamente na mão da rainha.
– Como eu ia dizendo – prosseguiu Brimsley –, cuidarei desses arranjos o mais depressa possível. Além disso, amanhã haverá um encontro com suas outras damas de companhia.
– Isso é um absurdo. – A rainha olhou contrariada para a laranja em sua

mão, depois olhou para ele com ar de reprovação. – Daqui em diante, eu mesma pego minhas laranjas.

Brimsley considerou a delicadeza da situação. Era de fato absurdo que ela não pudesse colher as próprias laranjas. Por outro lado, não devia haver trabalho suficiente na estufa para justificar o emprego de dois criados. Naquele momento, metade do trabalho deles consistia em ficar por perto e colher laranjas para qualquer personagem real que porventura aparecesse por lá.

– Vossa Majestade...

– É ridículo que alguém tenha que colher minha laranja. Eu mesma colherei minhas laranjas. Sem discussão.

– Eu... – Mas ele decidiu não discutir. Como poderia? Ela era a rainha. Em vez disso, ele assentiu da maneira mais graciosa que pôde e disse: – Sim, Majestade.

– E quanto aos compromissos formais? – indagou Charlotte, sem imaginar que sua decisão provavelmente custaria o emprego de uma pessoa. – Bailes? Jantares? Com que frequência devo organizar eventos no palácio?

– O rei não permite eventos sociais no palácio. De nenhum tipo.

A rainha fez uma pausa em seu passeio.

– Que estranho. Bem, então podemos sair e socializar, imagino. Só pensei que...

– Ele não socializa – interrompeu Brimsley.

Imaginava que ela já soubesse disso àquela altura.

– Mas com a aristocracia...

– Ele não comparece a nenhuma reunião da alta sociedade, Vossa Majestade.

Ela se virou e o encarou com um olhar penetrante.

– Por que não?

– Eu... – Brimsley hesitou. – Eu não saberia dizer, Majestade. É simplesmente o jeito dele.

– Sempre foi assim?

Brimsley refletiu sobre os últimos anos.

– Há algum tempo.

– Mas por quê? Ele não parece tímido com as pessoas. Não gagueja. Sua postura social é impecável. Tem um belo sorriso. É alto, forte, atraente e cheira como... um homem.

Brimsley sorriu. Ela poderia estar descrevendo Reynolds.

– Talvez tenha alguma relação com o médico? – pensou Brimsley em voz alta.

– Médico? Que médico?

Maldição. Inferno. Ele não tivera a intenção de dizer aquilo.

– Posso estar errado – Brimsley apressou-se em dizer. – De fato, tenho certeza de haver me enganado.

Charlotte se aproximou dele, imperiosa e aterrorizante. Então recuou e ordenou para o restante dos criados:

– Deixem-nos.

Brimsley deu um passo atrás, mas ela o fez parar com um simples olhar.

– Você, não. Agora me conte. *Que médico?*

Agatha

Palácio de St. James
Sala de visitas da princesa Augusta
8 de novembro de 1761

Agatha odiava aqueles chás.
O chá em si era excelente. Os biscoitos, divinos. A companhia?
Um excesso de realeza.
Não se recusava um convite feito pela mãe do rei. A pessoa deveria parar o que estivesse fazendo, providenciar seu melhor vestido diurno e pegar a carruagem o mais depressa possível.
A urgência de toda a situação proporcionava apenas uma pequena vantagem: lorde Danbury estava prestes a agarrá-la e a chegada da convocação permitira a Agatha escapar de fazer *aquilo*.
Até Danbury compreendia que a mãe do rei tinha preferência.
– É muita gentileza sua comparecer – disse a princesa Augusta assim que Agatha se sentou.
– É muita gentileza sua me convidar novamente.
Augusta foi direto ao assunto:
– Ouvi dizer que você fez diversas visitas à rainha.
Agatha aceitou uma xícara oferecida pela criada. Não precisava informar suas preferências: todos já sabiam.
– Apreciamos caminhadas no jardim – respondeu Agatha.
A princesa Augusta se inclinou para a frente.
– Então ela confia em você.
– Confia.
– E então?
Agatha decidiu mentir.
– Ela e o rei estão muito felizes no momento.
– Você tem certeza.

Não era uma pergunta. Parecia mais uma dúvida.

– Absoluta – confirmou Agatha, tomando um gole de chá. – Os primeiros dias foram tensos, mas depois eles desfrutaram de uma maravilhosa lua de mel. E a coroação só os aproximou.

– De fato, os dois estavam esplêndidos na abadia... – murmurou a princesa Augusta.

– Ah, sim. O próprio retrato da felicidade.

Essa parte pelo menos não era mentira. O rei e a rainha podiam ter todos os defeitos, mas ninguém poderia dizer que não eram esplêndidos atores. Sorriram, acenaram, deram as mãos, se beijaram... Se não tivesse sido obrigada a ouvir todas as queixas de Charlotte, até Agatha acreditaria que o casal real estava perdidamente apaixonado.

– Eu o odeio – dissera Charlotte no dia anterior mesmo. – Ele é tão irritante. Faz todos acharem que é muito educado, mas é mentira. É um grandessíssimo mentiroso, mente até não poder mais, só o que faz é...

Deus do céu, me salve, pensara Agatha.

– ... mentir – concluíra Charlotte, finalmente.

Mas Agatha sabia como era viver um casamento sem amor, por isso tentou dar todo o seu apoio.

– Você vai sobreviver – disse ela à rainha. – Permaneça firme e...

– Gere um filho – interrompeu Charlotte, com irritação. – Por favor. Sei disso.

Agatha abriu a boca para dizer mais alguma coisa, mas Charlotte não tinha acabado.

– Eu *estou* firme. Sou a própria definição de firmeza. Sou *standhaft*. Sou *inébranlable*. Ficarei firme num quarto idioma, se quiser, basta que me encontre um intérprete. É só o que faço. Só o que fazemos: tentar pôr um bebê no meu ventre.

– Sinto muito – disse Agatha, pois parecia verdadeiramente terrível.

– É um pesadelo.

– É difícil. Eu sei. O ato...

Agatha pensou em lorde Danbury estocando-a sem parar. Era constrangedor, desconfortável e, que Deus a perdoasse, insuportavelmente tedioso. Agatha tinha passado a fazer listas de compras e de correspondência enquanto ele se satisfazia.

E Charlotte ainda precisava suportar tudo isso sob o olhar vigilante de um país inteiro. Não de forma *literal*, claro, porém o fato era que a rainha tinha poder, mas nenhuma privacidade. Cada movimento seu era comentado, dissecado, revirado de cabeça para baixo.

Agatha nunca trocaria de lugar com ela. Considerando que seu marido era Herman Danbury, isso dizia muito sobre a situação.

– Detesto tudo nele – continuou Charlotte. – Detesto seu rosto ridículo. Detesto sua voz. Detesto o modo como *respira*.

Hein? Agatha arqueou as sobrancelhas. Aquilo não era um pouco demais?

– Vossa Majestade não pode estar...

– É insuportável! – exclamou Charlotte. – Eu não aguento... Ele... *Uf puf uf uf puf uf.*

Agatha fitou-a aterrorizada. A rainha se sacudia como se tivesse sido possuída por cordas de marionete.

– Vossa Majestade... está se sentindo mal? – perguntou Agatha, com cautela.

– É *assim* que ele respira! – Charlotte praticamente berrou.

Não era assim que o rei respirava, mas Agatha não era louca de corrigi-la.

Assim como não era louca de relatar essas coisas à princesa Augusta.

– Ela está demonstrando sinais de gravidez? – perguntou a princesa. – Acha que haverá um bebê em breve?

Agatha resistiu à tentação de apontar que mal fazia dois meses que o rei e a rainha tinham se casado. Mesmo se Charlotte tivesse conseguido engravidar tão depressa, ainda não haveria sinais visíveis.

– Não notei nada.

– Fique atenta a isso – ordenou a princesa. – Estamos sob pressão.

Interessante. Intencionalmente aparentando indiferença, Agatha perguntou:

– Por parte de lorde Bute?

– Não é de sua alçada saber de onde vem a pressão.

Agatha esperou. Um, dois...

– Sim, de lorde Bute – confirmou a princesa Augusta, com irritação. – Precisamos de um bebê. Um bebê real é motivo de celebração para os plebeus. Para toda a nação. É sinal de amor para todos e garante a sucessão da linhagem.

– Claro – disse Agatha.

A princesa se inclinou para a frente só um pouquinho.

– Um bebê sela o Grande Experimento. Não podemos falhar.

Agatha viu ali sua chance.

– Talvez um baile contribua para o Grande Experimento – sugeriu.

– Um baile?

– Sim. Lorde Danbury e eu gostaríamos de dar o primeiro baile da temporada.

Não era bem verdade. Lorde Danbury queria, de fato, dar o primeiro baile da temporada. Agatha achava que era uma péssima ideia. Danbury tinha certeza de que todos compareceriam e festejariam com ele, agora que tinha conseguido entrar para o White's, mas ela não achava que seria tão simples. A maior parte da sociedade (ou melhor, da antiga sociedade) recusaria um convite dos Danburys. Eles poderiam arrulhar, dar sorrisos falsos e dizer coisas como "Lamentamos muito perder esse evento", depois se reuniriam em outro lugar, no mesmo dia e horário, e dariam gargalhadas.

Agatha tinha avisado ao marido que dificilmente a princesa Augusta aprovaria. Ele ficou tão abatido que quase lhe partiu o coração. Como ele parecia triste e pequeno ao dizer: "Eles sacodem a alegria na minha frente e nunca me deixam agarrá-la."

Apesar de todas as reservas que tinha em relação ao marido, Agatha lhe disse: "Você é tão bom quanto eles."

Porque era verdade. As coisas que tornavam Herman um péssimo marido eram as mesmas de todos os outros homens, pelo menos até onde Agatha via. E ela não podia admitir que ele se sentisse inferior apenas por causa da cor de sua pele.

Então Agatha prometeu tentar. Talvez até tivesse sucesso. Tinha convencido a mãe do rei a lhes dar terras, afinal de contas. Que dificuldade teria com um baile?

– Vossa Alteza Real – começou ela, com toda a devida deferência –, como uma das damas de companhia da rainha, faz sentido que eu organize o primeiro baile da temporada. Seria uma inspiradora demonstração de unidade para a sociedade, não acha?

A princesa balançava a cabeça antes mesmo de Agatha terminar.

– O primeiro baile da temporada? Vocês? Não. Não seria aceitável.

Agatha levara uma vida bem mais protegida que o marido. Não vivenciara os golpes e insultos diários que esgotavam o corpo, que se somavam lentamente até abrir feridas e se inflamar.

Ou talvez apenas não tivesse tentado. Ao contrário do marido, ela não tinha tentado entrar em estabelecimentos que sabia que não a aceitariam. Não tinha frequentado escolas onde nunca seria tratada como igual. Não tinha entrado em bancos onde aceitavam seu dinheiro, mas não lhe ofereciam uma xícara de chá.

E, naquele momento, a princesa Augusta a interrompia antes que pudesse defender seu ponto de vista. Estava lhe dizendo categoricamente que os Danburys não eram bons o suficiente, que toda a nova sociedade não era boa o suficiente.

Aquilo é que não era aceitável.

Agatha pousou a xícara. Era hora de ser um pouco mais direta.

– Vossa Alteza, sei que gostaria que nossos chás continuassem. Seria muito difícil para a senhora descobrir que a rainha espera um filho bem depois do fato, não seria?

A princesa suspirou.

Agatha pegou novamente a xícara. Precisava da porcelana para esconder o sorriso.

– Tratarei do assunto com lorde Bute – disse a princesa.

Maldição. Agatha sabia o que aquilo significava. Não seriam autorizados.

Precisava tomar uma decisão.

Ela levou três segundos.

Os Danburys dariam o primeiro baile da temporada. Ela só precisava garantir que os convites fossem entregues antes que a princesa Augusta tivesse a oportunidade de tratar do assunto com lorde Bute.

Púrpura, pensou ela, enquanto se dirigia para casa. Sempre gostara de púrpura. Seria uma cor maravilhosa para a decoração. Púrpura com prata e branco. Já podia visualizar todo o salão em sua mente.

De onde a ideia provavelmente jamais sairia. Porque lorde Danbury ia querer tudo em dourado, sua cor favorita.

Tudo bem. Era uma batalha pequena. Insignificante, no longo prazo. Herman podia achar que estava no controle, e ela, na maior parte do tempo, ficava satisfeita em lhe permitir aquela fantasia.

Ela sabia da verdade. Talvez não tivesse idealizado o Grande Experimento, mas ele agora estava em suas mãos. E ela não permitiria que falhasse.

Casa Buckingham
14 de novembro de 1761

Uma semana depois, Agatha não se sentia tão segura de si. As respostas para os convites do baile Danbury começaram a chegar e até o momento nenhum membro da antiga sociedade havia aceitado.

A princesa Augusta havia formalmente pedido que ela cancelasse.

Quer dizer, *pedir* seria um eufemismo. As palavras de Augusta haviam sido: "Seu baile será a ruína do Grande Experimento. Cancele."

A pior parte era que Augusta não estava errada. Seria um desastre se os Danburys oferecessem o primeiro baile da temporada e apenas metade da sociedade aparecesse. Demonstraria o que todos os pessimistas diziam: não havia como unir a sociedade e era inútil tentar.

Durante todo esse tempo, a rainha Charlotte permanecera indiferente. Não fazia o menor esforço para compreender a sociedade britânica para além dos belos muros de pedra de seu palácio. Agatha tentava não se zangar. A pobre moça era pouco mais que uma criança. Tinha sido arrancada de casa, casara-se com um desconhecido e recebera a tarefa de mudar toda uma cultura.

Só que ninguém lhe comunicara isso. Teria sido engraçado se não fosse tão terrível. A Grã-Bretanha se encontrava à beira de algo verdadeiramente grandioso e inspirador, só porque uma jovem de pele marrom tinha sido escolhida para ser rainha.

Mas ela não sabia disso. Charlotte não percebia que era o símbolo de esperança e de mudança para milhares de pessoas. Não, não era o símbolo. Ela *era* a esperança e a mudança.

Agatha tentava ser paciente. Charlotte merecia tempo para se aclimatar à sua nova vida. Tinha apenas 17 anos.

Mas Agatha (e toda a nova sociedade) não tinha tempo. O Grande Experimento estava se desenrolando *naquele momento*.

A princesa gostava de falar sobre a importância de tudo aquilo, que o Palácio precisava se manter firme na sua busca pela união da sociedade, mas Agatha sabia que Augusta não se importava de verdade com o destino dos Danburys, dos Bassets e dos Smythe-Smiths. Simplesmente não queria parecer fracassada. Só queria que o Grande Experimento tivesse sucesso porque ela, Augusta, o orquestrara. Nada importava mais para a mãe do rei do que a reputação da família real.

No entanto, para Agatha (e lorde Danbury, e os Bassets, e os Smythe-Smiths, e tantos outros), era mais do que uma questão de reputação. Era a própria vida deles.

Agatha precisava lutar por aquilo. Precisava.

Pela primeira vez se dirigia à Casa Buckingham sem ser convocada. Ninguém esperava sua chegada quando ela atravessou o grande pórtico e informou ao mordomo-chefe que gostaria de ver a rainha.

Era difícil acreditar que aquela era sua vida agora, que poderia entrar num palácio real com plena expectativa de ser recebida. Gostava de pensar que tal incredulidade não tinha relação com a cor de sua pele. Com certeza qualquer um ficaria estarrecido de se encontrar em tamanha proximidade com a realeza.

No entanto, lá estava ela.

– Lady Danbury.

Ela ergueu os olhos. Era Brimsley, o criado preferido da rainha.

– A rainha está na biblioteca, milady. Eu a acompanharei até lá.

– Está lendo? – perguntou Agatha, puxando assunto enquanto seguiam por um dos corredores longos e elegantes da Casa Buckingham. – Ela mencionou que desejava ler mais em inglês. Diz que ainda pensa em alemão na maior parte do tempo.

– Não sou capaz de especular sobre seus pensamentos – respondeu Brimsley. – Mas não, Sua Majestade não está lendo.

– Ah. O que está fazendo então?

Ele pigarreou.

– Ela aprecia a vista.

– A vista da biblioteca?

– Ela contempla a horta, milady.

– A horta – repetiu Agatha, porque com certeza não devia ter ouvido direito.

– Sim.

– Fascinante.

– Ela acha.

Ah, a realeza, pensou Agatha. Nunca os compreenderia.

De fato, quando entraram na biblioteca, a rainha estava diante da janela, praticamente colada ao vidro.

– Lady Agatha Danbury, Vossa Majestade – anunciou Brimsley.

– Não temos nenhum encontro marcado para hoje – disse Charlotte, sem se virar.

– Esperava que pudéssemos conversar sem a presença das outras damas de companhia – explicou Agatha.

– Certo – aceitou Charlotte, a atenção ainda voltada para a cena lá fora, e fez um gesto para que Agatha se aproximasse.

– É sobre o baile que meu marido e eu daremos – disse Agatha, assim que se aproximou.

– Vai dar um baile? Que adorável.

Charlotte falava com completo desinteresse. Mesmo assim, Agatha insistiu:

– Sei que Vossa Majestade não comparecerá, pois o rei não aceita compromissos sociais.

– Não é estranho? – Charlotte finalmente se virou. – Você sabe por quê?

– Não sei. Eu...

Mas Charlotte tinha voltado a olhar pela janela. O que estaria procurando? Agatha se postou a seu lado e olhou também. Não havia nada para se ver lá fora. Apenas hortaliças e... mais hortaliças. A rainha estava literalmente acompanhando o crescimento de pés de repolho.

Agatha respirou fundo, tomando coragem.

– O baile – continuou, sucinta. – Gostaria de lhe pedir que encorajasse as outras damas de companhia a comparecer.

– Não as convidou?

– Convidei.

– Então qual é o problema?

Agatha lembrou a si mesma que Charlotte era jovem. Num lugar que desconhecia. Num país que desconhecia. Com certeza precisava ser perdoada por ser tão obtusa. Com muita paciência, Agatha tentou:

– Vossa Majestade, elas não comparecerão se...

– Lá está ele! – exclamou Charlotte.

Agatha quase soltou um gemido de exasperação.

O rosto inteiro de Charlotte ficou amassado contra o vidro quando ela se deslocou para a esquerda a fim de enxergar melhor...

Agatha espiou.

... o rei, aparentemente.

Charlote começou a balançar a cabeça.

– Ele está mesmo...? Acredito que ele está mesmo cuidando da horta.

– Majestade? – tentou Agatha.

– É George. – Charlotte estava completamente atônita. – Ele está cuidando da horta. Com as próprias mãos. Por que faria isso? Há criados. – Ela se voltou para Agatha. – Temos criados.

– Vossa Majestade – insistiu Agatha, já exaurida –, sobre o baile...

– Achei que estivesse me pregando uma peça, mas todos os dias ele adentra o jardim. É muito curioso.

Santo pai do céu...

Agatha perdeu a paciência.

– Vossa Majestade – disse, incisiva, posicionando-se entre Charlotte e a janela. – Por favor.

– O que está fazendo?

– A princesa Augusta me pediu para cancelar o baile.

Charlotte lhe lançou um olhar impaciente.

– Não entendo como isso me diz respeito. Se a princesa Augusta já pediu...

– Você é a rainha – interrompeu Agatha. – E entendo que tudo isso pareça muito insignificante. Mas, se você não fosse a rainha...

– Mas eu sou – disse Charlotte com simplicidade.

Agatha conteve o impulso de estrangulá-la.

– Mas, se *não fosse*, sua vida por aqui seria muito diferente. Não compreende? Vossa Majestade é a primeira de sua condição. Sua presença abriu portas. E nos tornou os primeiros de *nossa* condição.

Charlotte ficou paralisada.

– Vossa Majestade transformou tudo para nós – prosseguiu Agatha, deixando bem clara a questão. – Somos novos. Não vê? Não vê o que precisa fazer por nós? Eu lhe disse que deveria consumar seu casamento. Disse que deveria gerar um filho. Disse que resistisse. *Por um motivo.*

Agatha ousou um olhar de relance para Brimsley, para ver se ele a interromperia. Estava fazendo um movimento arriscado. Mas o criado da rainha nada fez, o que estimulou Agatha a falar de modo ainda mais audacioso.

– Vossa Majestade está tão preocupada em saber se um homem a quer... Vossa Majestade não é uma menina passeando no parque. É a nossa rainha. Deve se concentrar em seu país. Seu povo. *Em nós.* Por que não compreende que nosso destino está em suas mãos? Por favor, precisamos que olhe para além deste cômodo. – Ela fez um gesto para o rei, lá fora, que estava (veja só) capinando a terra. – Precisamos que olhe para além deste jardim.

Charlotte nada disse.

Agatha fez a única coisa que ainda poderia fazer: uma reverência.

– Os muros de seu palácio são altos demais, Vossa Majestade.

CHARLOTTE

Casa Buckingham
Orangerie
Mais tarde no mesmo dia

Charlotte não estava acostumada a levar broncas. Quando criança, sim, supunha que a mãe a criticasse quando não se comportava como uma dama, mas aquilo não a incomodava de verdade. Quando a princesa Elisabeth Albertine ralhava com sua caçula, a caçula em geral transformava aquilo num jogo.

Como mostrar que *Mutti* estava errada? Como Charlotte poderia vencê-la pela astúcia? O documento que defendia seu direito a nadar no lago tinha sido apenas o princípio. Charlotte era mais inteligente que a mãe. Era mais inteligente do que toda a família, à exceção talvez de Adolphus, e mesmo ele se daria por satisfeito em declarar empate com ela nesse quesito.

Mas Agatha Danbury também era inteligente. Muito. Doeu ser repreendida por ela, na biblioteca. Porque Agatha tinha razão. Charlotte estava sendo egoísta. Não vinha prestando atenção nas pessoas à sua volta.

Tinha todas as desculpas para isso. Encontrava-se em Londres fazia quanto tempo? Dois meses? Ninguém poderia esperar que ela transformasse o mundo em dois meses.

Mas ela era a rainha.

Gostando ou não, não era igual às outras pessoas. E, aparentemente, as pessoas *esperavam* que ela transformasse o mundo em dois meses.

Com um suspiro, dirigiu-se à entrada da *orangerie*. Chovia. As gotas acertavam o vidro com batidinhas agradáveis ao ouvido. Era um som uniforme e regular, como um percussionista de orquestra bem-treinado.

Sentia falta de música. Tinha trazido o jovem Mozart para uma apresentação no palácio, mas fora isso...

Charlotte olhou para a própria mão. Tinha colhido uma laranja sem perceber. Virou-se para Brimsley, que estava a cinco passos de distância, como sempre.

– Colhi minha própria laranja – anunciou.

Ele permaneceu impassível.

– De fato, Vossa Majestade.

Ela olhou em volta.

– Onde estão os homens que trabalham na *orangerie*?

– Não há mais necessidade deles, Vossa Majestade.

– Você os dispensou?

– Vossa Majestade agora colhe as próprias laranjas – explicou Brimsley.

– Você não me disse que eles seriam dispensados.

– A senhora não admitiria discussão, Majestade.

Ninguém lhe dissera...

Se soubesse...

Brimsley deveria ter se esforçado mais para avisá-la.

Ou talvez ela devesse tê-lo ouvido.

Olhou novamente para a laranja em sua mão.

– Pode ficar – disse a Brimsley.

Tinha perdido o apetite.

Charlotte ainda estava pensativa e inquieta mais tarde, naquela noite. Era um dia par e ela se encontrava no quarto de George, na cama. Ainda pensava naquela laranja e nos dois homens que perderam seus postos porque ela não se dera ao trabalho de fazer perguntas.

Então se lembrou de outra conversa com Brimsley, quando ele mencionara o médico no porão.

Estava na hora de começar a fazer perguntas.

Sentou-se, puxando os lençóis para cobrir a nudez, e dirigiu-se ao marido:

– Está se sentindo mal?

Ele levou alguns instantes para assimilar a pergunta, claramente estarrecido.

– Não correspondi a seus padrões? Porque achei que fui...

– Não é isso – interrompeu ela. – Você esteve com um médico no outro dia. No porão.

Ela o observou com atenção, mas o rosto dele não demonstrava nada.

– Não sei a que se refere – disse ele.

Mas seu tom era cauteloso.

– Foi no dia da coroação.

– E você esteve no porão?

– Brimsley esteve. Ele o viu.

– Ah.

Charlotte esperou que ele dissesse mais alguma coisa. Como não o fez, ela suprimiu um suspiro exasperado.

– É tudo o que tem a dizer? "Ah"?

Ele ficou mexendo distraidamente nos lençóis enquanto dizia:

– Não gosto de ser espionado por seu criado.

– Ele não estava espionando. Tinha descido para... Bem, não sei para quê. Estava passando por ali. E viu você. Com um médico. Mas não era o médico real. Ele me disse que era outra pessoa.

George franziu a testa. Charlotte não sabia se ele estava tentando se lembrar ou decidindo o que dizer.

– Foi no dia da coroação, você disse? – respondeu ele, por fim. – Foi por isso. O rei deve ser examinado no dia da coroação.

– No porão?

Ele deu de ombros.

– Seria de esperar que quisessem examinar também a rainha – ponderou ela. – Todos só querem que eu gere um bebê. Seria de esperar que me cercassem de médicos.

– Você não iria gostar.

– Não falei que gostaria. Na verdade, tenho certeza de que odiaria.

George torceu o nariz e olhou para a janela. Mas Charlotte teve a impressão de que ele não olhava para algo. Parecia que estava *evitando* olhar para ela.

Concluiu isso principalmente pelo fato de que era de noite e as cortinas estavam cerradas.

– E, no entanto, nenhum médico me examinou – disse ela, quase pensando alto. – Embora seja eu quem vá carregar o bebê.

– Não estou...

– Mas para você há médicos – interrompeu ela. – No porão, imagine só!

– Você parece dar importância ao fato de ser no porão.
– Porque o porão dá um ar sigiloso ao acontecido.
– É onde fica a sala de exames.
– A sala de exames fica no porão – repetiu ela.
– Foi o que eu disse.
Ela balançou a cabeça.
– Parece muito estranho. Por que o médico estaria no porão?
– Não sou eu quem designa esses espaços – disse ele, dando de ombros.
– Não, claro que não – murmurou Charlotte.
Ele era ocupado demais para assumir a responsabilidade por tarefas tão comuns.
Então, quando ele estava para vestir o roupão e voltar para seu quarto, Charlotte perguntou:
– Por que você não me deixa conhecê-lo?
– O quê?
George pareceu sobressaltado.
Temeroso.
– O que há com você? Recusa-se a receber a corte. Nunca sai.
– Tenho deveres a cumprir.
– Seus deveres não se parecem em nada com os de qualquer outro rei que eu tenha conhecido. Como passa os dias?
Ele deu de ombros novamente.
– Plantando.
– Sério?
Era impossível acreditar, embora ela tivesse visto com os próprios olhos. Que tipo de rei escolhia passar seus dias trabalhando na terra? Talvez como um passatempo, tudo bem, uma hora aqui, outra ali...
– Sério – respondeu ele.
– E acha satisfatório? Passar o dia inteiro no jardim?
– Raramente consigo passar um dia inteiro por lá. Não seria nada mau. Eu lhe disse que aprecio a ciência, e parte da ciência é a agricultura. Gosto de cultivar.
– Quer dizer que o rei George é na verdade o Agricultor George.
– Sim – disse ele, quase como se a desafiasse a zombar dele. – O Agricultor George. George, o Agricultor. Estas são as mãos de um rei e de um agricultor. Um rei agricultor.

Ele as estendeu. As unhas eram quadradas e cuidadas com esmero, mas uma delas tinha uma linha escura de terra por baixo. Ela sorriu. Ele não devia ter visto aquela no banho.

George amava genuinamente trabalhar com as mãos, pensou ela com algum assombro. Nem todos gostavam.

Charlotte passou o polegar de leve ao longo daquela unha.

– Desculpe – disse ele, notando a borda escura. – Eu...

– Não. – Ela tomou a mão dele na sua. – Eu gosto. É honesta.

Era como *ele*.

Apenas George.

Como teria sido a vida dele caso não tivesse nascido para ser rei? Será que teria sido mais feliz?

As badaladas do relógio soaram.

Meia-noite.

– Não é mais dia par – observou George.

– Não é. Com toda a certeza é ímpar.

– O que está acontecendo, Charlotte? Por que está fazendo tantas perguntas? Você costuma me mandar embora logo depois de...

Ele inclinou a cabeça, apontando para os lençóis.

– Você vive em nome da felicidade e da desgraça de um grande país – murmurou ela.

– Charlotte...

– Não. – Ela deslizou a mão, subindo pelo braço dele, de leve. – Estou dizendo que compreendo. Vive em nome da felicidade e da desgraça de uma grande nação. Deve ser exaustivo. E solitário. Você deve se sentir enjaulado. Não surpreende que passe tanto tempo mexendo com a terra.

– Quando mexo com a terra, sou um homem comum.

– O Agricultor George.

– Não se compadeça de mim. Não conheço outra vida. Sempre fui assim. Uma peça de exposição e não uma pessoa.

Parecia terrível. *Era* terrível. Charlotte sabia que era porque sua própria vida se tornara isso também. Era uma peça em exposição tanto quanto ele. Nunca estava sozinha. Nem quando não havia ninguém com quem conversar, ao se sentar à mesa de jantar com uma dezena de cadeiras desocupadas, nem naquele momento ficava sozinha. Havia sempre uma pequena horda de criados postados, atentos, observando cada movimento seu.

Quando criança, ela fugia. Até mesmo fazia das suas. Já ele nunca tivera essa autonomia.

Que ironia. Um rei sem liberdade. Que vida.

Ela tomou o rosto do marido nas mãos.

– Você é uma pessoa para mim. Pode ser uma pessoa comigo.

Seus olhares se encontraram e, pela primeira vez em semanas, ela se obrigou a olhar de verdade naquelas profundezas. Viu cautela, temor, mas viu também esperança.

Ele tocou seu rosto.

– Me beija? – pediu ela, delicadamente.

Ele assentiu e roçou os lábios nos dela. Um movimento suave e real.

– Chega de dias pares e ímpares – disse Charlotte.

Ele sorriu e pousou a testa na dela.

– Vamos ter apenas dias.

– Dias – murmurou ela.

Ter apenas dias parecia ótimo. Apenas Charlotte e Apenas George.

Ele tomou sua mão, passando o polegar de leve na parte de trás de seus dedos.

– Posso saber o que levou a isso?

– Colhi minha própria laranja.

– Você colheu sua...

– Não pergunte. Eu não conseguiria explicar.

– Tudo bem.

– George, sei que não me deve nada depois do modo como me comportei e sei que não gosta de eventos sociais, mas há algo que nós dois precisamos fazer.

– O que é?

Ela pensou em Agatha Danbury. E em todos os nobres recém-elevados que agora tinham a vida e a posição numa balança cujos pratos ela segurava. Não era difícil a tarefa que lhe cabia. Era quase ridiculamente fácil.

Ela se virou para o marido e disse:

– Os muros do nosso palácio são altos demais.

Residência Danbury
Salão de baile
6 de dezembro de 1761

– Pronta, Majestade?

Charlotte se virou para o marido e sorriu.

– Sim, Majestade.

Os dois usavam seus melhores trajes reais: George, um brocado branco e prateado; Charlotte, um vestido com um drapeado requintado no mais claro dos tons de rosa, o tecido cravejado com centenas de cristais. Ela cintilava como o céu estrelado.

George fez um sinal de cabeça para o mordomo da Residência Danbury, que anunciou com voz trovejante:

– Suas Majestades o rei George III e a rainha Charlotte.

O salão de baile, que até então se agitava como uma colmeia, ficou em silêncio no mesmo instante. Charlotte conteve o nervosismo. Ia precisar se acostumar com aquele tipo de coisa. Deu um passo à frente, de braço dado com George.

Olhou para o lado esquerdo do salão. A antiga sociedade.

Olhou para o lado direito. A nova sociedade.

Completamente separadas.

– Isso não pode ficar assim – sussurrou George.

– Não – disse Charlotte. – Não pode.

Os dois se dirigiram para os anfitriões.

– Lorde e lady Danbury – cumprimentou George, talvez um pouco mais alto do que o necessário. – Obrigado por me receberem.

Lorde Danbury se curvou.

– Vossas Majestades.

Charlotte procurou o olhar de Agatha. Dizia silenciosamente: *Estou aqui. Não vamos falhar.*

– Tem uma belíssima residência, lady Danbury – disse Charlotte. – Estamos muito gratos pelo convite.

– Sim. – George beijou a mão de Agatha e em seguida sorriu para a esposa. – Acho que toda temporada deveria começar com um baile dos Danburys, não acha, meu amor?

– Eu acho. – Charlotte então se voltou para lorde e lady Danbury e acrescentou, alto o suficiente para que todos ouvissem: – Ordenamos que assim seja.

Lorde Danbury parecia incapaz de falar. Por sorte, lady Danbury mantinha a dignidade e compostura habituais.

– Estamos honrados, Vossas Majestades. Será um privilégio incomparável oferecer o primeiro baile de cada temporada.

– E nós compareceremos, naturalmente – anunciou Charlotte. – Nunca perderíamos o primeiro baile da temporada.

George fez mais um sinal de cabeça para os anfitriões, dessa vez indicando a intenção de se afastar, e estendeu a mão para Charlotte.

– Vamos?

A orquestra tinha ficado em silêncio com a chegada do rei e da rainha, mas, quando os dois alcançaram o meio da pista de dança, a música recomeçou. Era lenta e muito romântica.

– Apenas George – sussurrou Charlotte quando se deram as mãos para a dança.

– Apenas Charlotte – respondeu ele com um sorriso.

Com o canto do olho, Charlotte viu Agatha sendo conduzida para a pista por um cavalheiro da antiga sociedade. Não lembrava o nome dele, mas achava que era o marido de Vivian Ledger, uma de suas damas de companhia.

A antiga e a nova sociedades. Unidas.

Outro par chegou, e mais outro. Depois vieram os Smythe-Smiths, em seguida outro casal da antiga sociedade, e em pouco tempo a pista se encheu. Alguns pares combinavam o antigo e o novo, outros não, mas todos dançavam o mesmo minueto.

– Obrigada – disse Charlotte para o marido.

– Você nunca precisa me agradecer. – Ele tocou o nariz dela com a ponta do dedo, um breve gesto de carinho que certamente não era um passo de dança. – Somos uma equipe. Não somos?

– Sim. Realizaremos grandes feitos.

– Juntos.

– Juntos – confirmou ela. – Mas primeiro preciso que você faça algo sem mim.

– E o que é?

– Dançar com lady Danbury. Assim que acabarmos.

– Preferia dançar com você.

– E eu adoraria dançar só com você, mas isso é mais importante.

Ele soltou um suspiro zombeteiro.

– Vamos torcer para que todos os meus deveres reais sejam tão fáceis quanto tirar lady Danbury para dançar.

– Tomara.

Quando deixavam a pista, ele comentou discretamente com Charlotte:

– Não sei se você compreende o que fez. Numa noite, numa festa, fizemos mais mudanças, mais avanços do que durante todo o último século na Grã-Bretanha. Mais do que eu sonharia.

Charlotte apertou a mão dele.

– Você pode fazer qualquer coisa, George.

E talvez ela também pudesse. Não era apenas Charlotte, não era apenas Lottie.

Era uma rainha.

Era mais do que uma pessoa. Era um símbolo. Já sabia disso antes, naturalmente, mas só naquela noite, ao ver tudo com os próprios olhos, compreendia todas as implicações disso.

Ela tinha poder. Um mero acaso, um acidente de nascença, como George já dissera. Ou talvez fosse um acidente matrimonial. De um modo ou de outro, ela tinha poder e estava na hora de usá-lo.

Estava na hora de fazer jus a esse poder.

– Vá dançar com lady Danbury – disse ela. – Ficarei com sua mãe e me mostrarei encantada com a conversa. Parecerá um prazer genuíno.

– Meu sacrifício é menor – disse George.

– Vá logo. – Charlotte lhe deu um empurrãozinho afetuoso. – Quanto antes dançar, mais cedo poderemos ir para casa e ficar a sós.

– Gosto do seu jeito de pensar.

Ela sorriu.

– Mas, primeiro, acho que há algo mais que podemos fazer – disse George.

– É? O quê?

Ele sorriu.

– Me beije.

– Que tal se *você* me beijasse?

Ele fingiu considerar a ideia.

– Não. Me beije você.

– Ah, muito bem, então.

Ela ficou na ponta dos pés e lhe deu uma beijoca no rosto.

Alguém soltou uma exclamação de espanto.

– Só uma esposa de verdade faria algo assim diante de uma plateia – disse George, baixinho.

– Sou uma esposa de verdade?

– Para sempre.

Ele segurou o rosto dela com uma de suas mãos largas, então se curvou e roçou os lábios nos dela. Foi um beijo suave, delicado, mas também uma promessa. Uma promessa de amor, de respeito, de determinação.

Juntos eles transformariam o mundo.

Aquela noite era apenas o começo.

AGATHA

Residência Danbury
Mais tarde na mesma noite

– Obrigada, muito obrigada.
– Foi um prazer.
– ... com toda a certeza uma favorita da rainha...
– A limonada estava deliciosa.
– ... uma casa tão linda...

A sociedade (a antiga e a nova) deixava o salão de baile rumo à porta da frente. Agatha e o marido se encontravam junto ao pórtico fazendo as despedidas.

O baile tinha sido um triunfo.

Agatha dançara com o rei.

Com o rei!

O rei dançara com a rainha e depois com *ela*. E com mais ninguém. Nem com a mãe. Não poderia ter demonstrado sua aprovação de forma mais clara.

Os Danburys eram oficialmente os favoritos da realeza.

A sociedade se uniria.

Era um novo dia na Grã-Bretanha.

Houve duas vitórias naquela noite. A primeira era ruidosa e suas implicações eram compreendidas por todos: o domínio da antiga sociedade tinha acabado. A sociedade seria mista; a cor da pele não determinaria mais a posição social dos indivíduos.

Mas a segunda vitória... essa era silenciosa. E era dela. Agatha nunca poderia compartilhá-la com ninguém, mas sabia. *Ela* é que conseguira.

Havia falado a verdade para o poder. Fizera Charlotte compreender que tinha responsabilidades, que poderia usar sua posição como jovem rainha para transformar o mundo.

Assim como Agatha poderia usar sua posição como confidente da jovem rainha.

Agatha não conhecia nenhuma sociedade ou cultura onde as mulheres assumiam o poder explicitamente. Precisavam atuar nos bastidores, manipular os homens para que eles pensassem que tinham todas as boas ideias.

Ser mulher significava nunca receber o crédito por suas realizações.

Mas isso não valia para uma rainha. Uma rainha podia *agir*. Podia *fazer*. Podia precipitar os acontecimentos.

Podia mesmo? Agatha ficou em dúvida. Tinha pedido à rainha que unificasse a sociedade com sua presença no baile Danbury, mas o que Charlotte fizera fora garantir a presença do *rei*.

Agatha decidiu não perder tempo com detalhes. Merecia se sentir orgulhosa por seus feitos. E tinha certeza de que Charlotte, à medida que se sentisse mais à vontade em seu papel, aprenderia a exercer seu poder para fazer o bem.

– Obrigada mais uma vez – disseram os últimos convidados ao descerem os degraus de entrada.

– Tenham uma boa noite! – saudou Agatha.

Então ela e o marido entraram. Toda a criadagem aguardava no saguão.

O mordomo fechou a porta. Lorde Danbury ergueu a mão e todos o olharam, com a respiração suspensa. Ele espiou pela janela, esperando que a última carruagem partisse. Então, quando estava certo de que ninguém ouviria, soltou um grito de alegria.

Todos gritaram juntos. Danbury, Agatha, toda a criadagem – cheios de felicidade, unidos no triunfo.

– Somos um sucesso – disse Agatha para o marido.

Ela não conseguia se lembrar de ter visto aquele ar de alegria e de orgulho no rosto de Danbury antes. Quase o abraçou.

Ele merecia. Apesar de todos os defeitos (e eram muitos), ele merecia aquele momento de triunfo. Depois de uma vida inteira de desfeitas e insultos, tinha sido apontado como favorito do rei. Era finalmente o homem que sempre sentira que deveria ser.

Que belo momento.

– O rei! – vangloriou-se Herman. – Ele escreveu pessoalmente para a sociedade, informando que planejava comparecer. Sua boa vontade não poderia ter ficado mais explícita.

– Não mesmo – disse Agatha.

– Lorde Ledger me convidou para uma de suas caçadas – prosseguiu Herman. – E o duque de Ashbourne mencionou uma festa.

– Magnífico.

– Tudo o que sempre quis. Eles precisavam apenas me ver.

– É verdade.

– Sou um sucesso! – vibrou Herman. – Vamos celebrar!

Ele agarrou a mão de Agatha e puxou-a rumo às escadas. Estava rindo, feliz, e Agatha também tinha vontade de rir. O problema era que (*argh*) estava claro que ele queria que ela se deitasse com ele e aquilo era a última coisa que Agatha queria fazer.

Mas era sua função. Assim como Coral preparava os banhos e a Sra. Buckle assava o pão, Agatha precisava se deitar com o marido e ocasionalmente ter um filho. Não era mais tão ruim quanto antes. Já havia se acostumado. Às vezes até usava o tempo para planejar as tarefas semanais e a correspondência.

Mas não era assim que gostaria de celebrar aquela noite.

Ela suspirou quando entraram no quarto. Danbury estava muito empolgado. Talvez não demorasse tanto.

– Vamos lá – disse ele, dando um tapinha no traseiro dela.

– Claro, querido. Deixe-me apenas vestir minha camisola.

– Não é necessário. Vamos fazer com seu vestido real – gabou-se ele.

E assim ela se pegou de quatro na cama, a seda dourada amontoada nas suas costas. Danbury se divertia num entra e sai. A mente de Agatha vagava, contando seus parceiros de dança. Bem, primeiro foi lorde Ledger, depois o rei e aí ela dançou com o marido porque apenas o marido teria coragem de vir depois do rei.

E depois lorde Bute – Agatha desconfiava que havia sido por manobra da princesa Augusta. Em seguida, Frederick Basset, amigo de Danbury. Depois, lorde Smythe-Smith, sir Peter Kenworthy e...

Estranho.

O marido havia parado.

– Milorde?

Ela virou a cabeça. Não era possível que ele tivesse acabado, mas ela também não estava prestando atenção.

– Milorde, já acabou?

Ele estava calado, prostrado sobre as costas dela. Ela se contorceu, tentando se desvencilhar daquele peso. Então ele desabou, aterrissando no chão com um baque.

– Milorde? – repetiu ela, dessa vez num sussurro. Engatinhou para a beirada da cama e olhou para baixo. – Herman?

Mas não havia motivo para dizer seu nome. Lá estava ele, estatelado no chão com os olhos arregalados.

Morto.

Agatha engoliu em seco. Aquilo era... Ela estava...

Com cuidado, ela contornou o corpo do marido e vestiu o roupão. Não sabia ao certo o que deveria estar sentindo naquele momento.

Voltou para junto de lorde Danbury e cutucou-o de leve com o pé. Só para ter certeza.

Ele continuava morto.

Pois bem.

Aquilo mudava tudo.

Parecia ridícula com o roupão roxo jogado sobre o vestido de baile. Mesmo assim, abriu a porta e espiou no corredor. Coral, sua criada, aguardava numa cadeira a poucos metros de distância.

– Milady – disse Coral, levantando-se. – Pedi ao lacaio do andar de cima que trouxesse água para seu banho.

Agatha assentiu. Era o procedimento de praxe. Coral a acompanhava desde antes do casamento e sabia que, dado o vigor de lorde Danbury, Agatha geralmente precisava de um banho quente depois.

– Obrigada, Coral. – Agatha pigarreou. – Hã... Não será mais necessário preparar esses banhos com tanta frequência.

– O que é isso, milady? É muito simples agora que temos a criadagem completa. Hoje até pedi à nova camareira que prensasse óleos de alfazema. É um perfume divino, soube que deixa a pele menos...

– *Coral.*

Agatha falou de forma lenta e clara:

– Não será preciso preparar esses banhos com tanta frequência.

Coral arregalou os olhos. Foi se aproximando.

– Milady... – sussurrou ela. – Acabou?

Agatha deu um passo para o lado e permitiu que Coral espiasse dentro do quarto.

– Acabou.

Coral respirou fundo e levantou o dedo em um pedido de silêncio. Então, com um suave clique, fechou a porta com cuidado.

Agatha não aguentou mais: deixou escapar um gritinho de alegria e abraçou a criada. As duas fizeram uma dancinha, pularam, depois se afastaram para o lado, porque, ó céus, lorde Danbury ainda estava estirado ali no chão e, bem, aquilo não era um comportamento respeitável, provavelmente era até imoral, mas *ela estava livre*!

Agatha Danbury finalmente estava livre.

Coral a soltou e perguntou, com um brilho nos olhos:

– Quer trocar de roupa primeiro?

– Acho que não precisa... Quer dizer, talvez eu deva tirar o roupão.

Coral a ajudou a tirá-lo e o colocou no encosto da cadeira.

– Está pronta?

– Estou – respondeu Agatha.

Estava pronta. Mais pronta que nunca.

– Boa sorte. Vou voltar para o meu posto.

Agatha assentiu e fechou a porta. Contou até três para dar a Coral tempo de voltar a seu posto. Então começou a gritar.

Céus, ela não fazia ideia de que era capaz de produzir tal som.

– Socorro! Socorro! Oh, não! Socorro!

A porta se escancarou. Coral apareceu tomada pelo pânico.

– Ah, milady! O que aconteceu?

– É lorde Danbury! – choramingou Agatha. – Acho que ele está...

– Não! – exclamou Coral. – Oh, não!

– Meu amor! – soluçou Agatha. – Meu amor!

O corredor logo se encheu de lacaios e aias, a maioria ainda em seu uniforme de festa.

– Aconteceu alguma coisa com lorde Danbury – disse Coral. – Henry, chame o médico. Charlie, acorde o criado pessoal dele. Rápido.

– Ele se foi! – lamentou-se Agatha. – Meu amor se foi!

Coral voltou-se para os outros criados, ainda amontoados no corredor.

– Esperem aqui. Preciso ter certeza de que tudo está digno para minha senhora e então podem entrar e ajudar.

Ela colocou a cabeça na entrada e olhou para Agatha.

Agatha voltou a soluçar.

– Precisamos retirá-la do quarto – disse Coral. – Ela não pode permanecer aqui com o corpo de lorde Danbury.

– Nãããããão! Nãããããão! Preciso ficar com ele. Eu preciso!

– Venha comigo, milady.

Coral tomou seu braço e a conduziu, passando por todos os criados, que a olhavam com compaixão.

Agatha sentiu uma pontada de culpa por enganá-los daquele modo, mas certas fachadas precisavam ser mantidas.

– Vamos para o quarto de hóspedes – disse Coral.

– O que será de mim? – gemeu Agatha. – O que será de nós? Meus filhos... meus filhos...

– Venha, milady, venha comigo. Os outros receberão o médico quando ele chegar.

Agatha assentiu, chorosa, e se permitiu levar por Coral.

– Vou pegar algo para a senhora vestir – disse Coral, assim que Agatha se instalou.

– Sim.

Agatha ainda estava com o vestido dourado. Herman o chamara de seu vestido real. Era belo. Lindíssimo. E lhe caía perfeitamente.

Mas ela não sabia muito bem se voltaria a usar aquele tom dourado. Queria escolher as próprias cores. Queria escolher os próprios vestidos.

Tudo agora seria de sua própria escolha.

Residência Danbury
Gabinete de lorde Danbury
Horas depois

Fazia quase uma hora que Agatha perambulava pela casa. Não sabia bem por quê, a não ser pelo fato de estar cansada, se sentir estranha e, de algum modo, parecer necessário examinar as coisas do falecido marido.

Suas relíquias.

Ele tinha sido uma relíquia.

Mas a casa era nova. Aquelas paredes não encerravam lembranças. O que era bom. Seria a casa *dela*. Não dele.

Nunca dele.

Passou os dedos pelas lombadas dos livros dele. Teria lido algum? Não se lembrava de vê-lo imerso na leitura uma vez sequer.

O jornal. Ele lia o jornal.

O mordomo o passava a ferro e o entregava a lorde Danbury. Agatha lia depois dele. Em seguida, era lançado ao fogo.

Havia uma metáfora ali? Devia haver, mas Agatha não conseguia precisá-la. Pelo menos não naquele momento.

– Lady Danbury?

Era Coral, à porta.

– Milady, o que está fazendo aqui?

– Nada – respondeu Agatha.

Tudo.

– Posso fazer algo pela senhora? – perguntou Coral.

– Não, obrigada. – Mas depois: – Espere.

– Sim?

– A babá disse que as crianças não tiveram problemas para dormir.

– Dominic fez algumas perguntas, mas era o esperado, já que é o mais velho. – Coral observou Agatha com uma expressão bondosa. – Está com frio? Com fome?

– Não. Não pareceram se abalar muito com a morte do pai. Suponho que não seja uma surpresa. Lorde Danbury era um estranho para eles. Viam-no apenas algumas vezes por mês.

Coral não sabia o que dizer.

– Posso acordar Charlie e pedir que acenda o fogo. Ou então a cozinheira pode preparar algo rápido. Talvez adiantar o desjejum.

– Desjejum?

– São quase quatro da manhã, milady.

Agatha ficou boquiaberta.

– Nem me dei conta. Sinto muito. Coral, por favor, volte a dormir.

– Não vou deixá-la. Não é de estranhar que a senhora lamente sua perda. Era seu marido, por mais que...

Agatha ergueu as sobrancelhas.

– Um chá, talvez? – sugeriu Coral. – Em vez de... O que a senhora está bebendo?

Agatha olhou para o cálice em sua mão.

– Vinho do porto. Horrível. Mas é a bebida favorita de lorde Danbury. *Era*. Era sua bebida favorita.

Ela pousou o cálice. Não queria beber aquilo.

Sua mão tremia. Por que sua mão tremia? Não tinha ficado abalada. Não sentiria falta dele. Então por que sua mão tremia?

– Milady? – Coral parecia preocupada.

Agatha afastou um pouco mais a taça.

– Eu tinha 3 anos quando meus pais me prometeram em casamento para ele. Sabia disso?

Coral assentiu.

– Três anos. Só no ano passado, quando Dominic completou 3 anos, é que fui compreender inteiramente como eu era pequena. Fui prometida para um homem nessa idade. Onde estavam com a cabeça?

Coral permaneceu em silêncio.

– Fui criada para ser esposa dele – disse Agatha, fitando a parede. – Ensinaram-me que minha cor favorita era dourado, porque era a cor favorita dele. Disseram-me que minhas comidas favoritas eram as comidas favoritas dele. Li apenas os livros de que ele gostava. Aprendi a tocar suas canções favoritas no piano. Estou bebendo isto porque era a bebida preferida dele e por isso também deve ser a minha.

Ela olhou bem nos olhos de Coral.

– Não gosto de vinho do porto.

– Não, milady.

– Por mais que eu tenha sonhado, imaginado, esperado e planejado, nunca pensei como seria realmente depois que ele partisse. Depois que fosse levado deste mundo. Fui criada para ele. E agora eu sou... uma nova pessoa.

Agatha olhou para o vinho.

– Sou totalmente nova. E não sei sequer respirar se não for o ar que ele exalava.

Ela se virou para a porta.

– Acho que vou me deitar agora.

– Claro, milady.

Coral deu um passo para o lado, dando-lhe passagem, mas Agatha não parecia pronta para se mexer.

– O mundo não para de mudar – disse ela.

– É verdade, milady.

Agatha finalmente se levantou. Estava na hora de encontrar seu lugar no mundo.

Mas, primeiro, descansar.

George

Casa Buckingham
Quarto do rei
Naquela mesma noite

George nunca tinha entendido por que acordava antes de o dia raiar. Um som vindo lá de fora, talvez? O vento? Um pássaro? Ou talvez por motivo algum.

Quem saberia dizer por que as pálpebras de alguém se entreabriam enquanto a lua ainda brilhava no céu? Só o que sabia era que, uma vez desperto, ele *despertava*.

Então percebeu que estava feliz demais para conseguir dormir.

Também estava com fome. Queria... O que queria? Qualquer coisa, menos mingau. Nunca mais voltaria a comer aquela lavagem. No dia seguinte – talvez hoje mesmo – informaria ao doutor Monro que a relação entre os dois estava encerrada. Tinha pensado que os tratamentos pouco convencionais do médico vinham funcionando, mas agora percebia que a responsável por sua melhora era Charlotte.

Ela era o segredo para sua saúde. Ela alimentava sua felicidade.

Ela o tornava um homem melhor.

Bastava ver o que tinham realizado naquela noite no baile dos Danburys. A sociedade estava transformada. E tinha sido muito fácil. George passara tanto tempo se lamuriando sobre o que significava ser rei que havia esquecido o que um rei significava para as outras pessoas.

Era um acidente de nascença, como tinha comentado com Charlotte. E de fato acreditava nisso. Mas poderia fazer coisas *boas* com aquele acidente. Com a esposa ao lado, para guiá-lo, ajudá-lo...

Não havia nada que ele não pudesse fazer.

Mas primeiro precisava de um lanche.

Levantou-se da cama tomando cuidado para não acordar Charlotte, vestiu o roupão e saiu do quarto. Não tinha muita noção do horário. Seriam duas da manhã? Três? A Casa Buckingham estava adormecida, e ele não via motivo para acordar alguém na sua busca por um lanche.

Que dificuldade teria em encontrar um pedaço de pão e queijo?

Sabia onde ficava a cozinha. Passava por ela todos os dias, a caminho do laboratório do Dr. Monro. Saberia o caminho se estivesse em St. James? Era uma boa pergunta. Achava que nunca tinha entrado na cozinha de lá.

Não importava. Agora, Buckingham era seu lar. Com Charlotte. Era só o que importava.

Ali embaixo estava mais frio e, ao se aproximar da cozinha, ele se arrependeu por não ter calçado um chinelo. Por que os pés ficavam mais frios do que o resto do corpo? Devia ser por causa da distância do coração. O sangue não devia estar mais tão quente quando alcançava os dedos dos pés.

Parou por um momento para esfregar os pés, então cruzou a porta e...

Não estava sozinho ali.

– Monro – disse, parando assim que entrou no aposento. – O que está fazendo aqui?

Monro ergueu os olhos. Estava mexendo numa panela no fogão.

– Não consegue dormir, Majestade?

– Não, eu só...

– Sua insônia não me surpreende – interrompeu Monro. – Este ambiente não é adequado para você. Estávamos fazendo bem mais progressos em Kew.

– Não vou voltar para Kew.

Monro parecia irritado.

– Preocupo-me com os efeitos causados por este lugar. Desde que se mudou para Buckingham, você não fez uma vez sequer o procedimento da cadeira. Se não retomarmos o tratamento em breve, corremos o risco de perder tudo o que realizamos.

George quase soltou uma gargalhada.

– Você e eu, doutor, não realizamos nada. Tudo o que me beneficiou tem sido obra da minha esposa. Os métodos dela fizeram mais por mim do que você e sua cadeira jamais poderiam sonhar.

– *Métodos* – zombou Monro. – Rá. Ela não foi educada em medicina. Não tem nenhuma formação. Se Vossa Majestade acredita que ela o ajuda...

– *Sei* que ajuda.

Mas Monro jamais seria capaz de compreender o poder redentor da felicidade. Aquela noite, no baile dos Danburys, havia feito mais pela alma de George do que qualquer banho gelado ou vara de bétula.

– Vossa Majestade está esquecendo de si – acusou Monro, irritado. – Ficou imprudente. Segue livremente seus impulsos mais caprichosos.

George cruzou os braços.

– Assim como minha esposa.

– Exatamente – resmungou Monro.

George atravessou devagar a cozinha, passando os dedos num balcão de madeira, e começou a devanear em voz alta:

– Quando eu era bebê, minha cólica nunca era apenas uma cólica. Minha cólica era um desastre, um mau agouro, a ruína potencial da Inglaterra. Depois, quando eu era menino, deixar de comer minhas verduras era a ruína potencial da Inglaterra. Uma soma errada na tarefa de matemática era a ruína potencial da Inglaterra. Passei a vida inteira com medo de agir de forma incorreta, porque cada passo em falso poderia causar a ruína da Inglaterra. Esse terror quase me destruiu. Descobri lugares para me esconder. Minhas hortas. Meu observatório.

Ele se voltou para Monro com um olhar duro.

– Minha loucura – completou.

Monro nada disse. George encontrou um pão e partiu um pedaço.

– Achei que o terror fosse o preço a pagar por ser da realeza. Mas agora...

Colocou um pedaço na boca e mastigou. Engoliu.

– Agora encontrei uma mulher que nunca se aterroriza. Que faz o que quer. Que desobedece às regras. Que corteja o escândalo. Que comete impertinências impensáveis. E ela é a pessoa mais nobre que já conheci.

Monro deu de ombros.

– *Ela* vai me curar.

A voz de George agora estava incisiva. Ele não compreendia a falta de reação do médico. Aquilo o perturbava.

– Está tarde, Majestade. – Monro tirou a colher da panela, cheirou e voltou a mexer o preparo. – Volte para a cama. No momento não estou disponível para auxiliá-lo em seu tratamento.

Deus do céu, o sujeito não ouvia uma palavra?

– Talvez eu não tenha me expressado com clareza – disse George. – Você não é mais meu médico.

– Não? Que pena. – Monro continuou a mexer o líquido na panela, aparentando indiferença. – De qualquer maneira, continuo a ser o médico da rainha.

George gelou.

– O que disse?

Monro apontou para a mistura borbulhante na panela.

– Neste exato momento, estou preparando um cataplasma para ela.

Os braços de George começaram a formigar. Ele ouviu um zumbido atordoante. Sua voz, quando a encontrou, parecia ter sido arrancada de sua garganta.

– *Fique longe dela.*

Monro sorriu.

– Mas, Vossa Majestade, foi ela quem me procurou.

– Ela não faria isso.

Mas Monro já estava falando por cima dele:

– Ela soube que o médico do rei estava por aqui e, aparentemente, decidiu que não deveria se satisfazer com nenhum profissional abaixo disso. – Ele tirou os olhos da panela para encarar George. – Mulher inteligente.

George ignorou aquela pequena provocação.

– Por que ela precisaria de um médico?

– Bem, obviamente porque está esperando um filho.

Os lábios de George começaram a tremer como se ele tivesse algo a dizer. Mas havia apenas o terror.

– Ela não tinha certeza. – A boca de Monro sorriu. Os olhos se mantiveram frios. – Mas eu tenho.

– Não – disse George. – Não.

– Mas por que está tão surpreso? É para isso que os dois vêm se esforçando tanto, não é?

Sim. Não. Ainda não. Ele não estava pronto.

Monro voltou a cheirar a colher.

– Perfeito. – Ele bateu o cabo na lateral da panela, deixando que algumas gotas errantes voltassem para a mistura borbulhante. – Aplicaremos isso diretamente nela... Bem, você não quer ouvir todos os detalhes, não é?

George deu um passo para trás. Ainda estava completamente escuro lá fora. A única luz vinha das lamparinas levadas por ele e por Monro à cozinha. A luz vacilante lançava sombras sinistras no rosto do médico. George só podia imaginar o que elas faziam com o seu.

Será que parecia apavorado?
Grotesco?
Insano?
Sentia-se tudo isso e mais.
Sentia...
Sentia...
Sentia demais. Sentia coisas demais, com intensidade demais. Não sabia o que fazer com tudo aquilo.

– Um bebê real – disse o Dr. Monro. – Meus parabéns, Vossa Majestade. É um dia alegre para a Inglaterra.

George saiu da cozinha, a passos lentos. Não sabia o que dizer. Não sabia o que pensar. Era uma boa notícia. Um filho. Deveria ser uma boa notícia.

Charlotte. Charlotte com um bebê no ventre. Charlotte com um bebê e com um médico. Com o Dr. Monro.

Monro gostava da cadeira. E dos banhos gelados. E da vara de bétula e as amarras.

Charlotte com um bebê.
Charlotte com um bebê com o médico com a cadeira.

Não. Charlotte não seria paciente do Dr. Monro. Ele não permitiria. Tinha que ser outro médico. Alguém que não soubesse...

Charlotte. Charlotte era uma estrela. Um cometa. Ela cintilava. Cintilava com o bebê com o médico com a cadeira.

Piscou. Estava de volta no quarto. Como havia ido parar ali? Tinha caminhado? Não se lembrava de caminhar.

Olhou para a cama. A cabeceira era vermelha. Vermelha como o amor. Vermelha como sangue.

Olhou para Charlotte. Estava dormindo. Parecia tão tranquila...
Ela sabia?
Sabia que estava grávida?
Sabia que ele era louco?
O que era mais forte? O amor ou o sangue?
Charlotte com o bebê com o médico com a...

O que estava acontecendo? Aquilo não era a mesma coisa. Semelhante, mas não igual. Onde estava o firmamento? Onde estavam as estrelas?

Vênus, Trânsito de Vênus.

Ele correu para a janela e a escancarou.

Por que havia nuvens? Não conseguia enxergar. Ele era o rei. Ordenou que se dissipassem.

Vênus. Onde estava Vênus?

Poderia calcular sua posição. Se conseguisse encontrar uma única estrela, encontraria outra e aí poderia calcular a posição de Vênus.

Vênus, Trânsito de Vênus.

Charlote era uma estrela. Ela cintilava.

Uma pena para escrever. Precisava de uma pena. Onde estava a sua?

Correu para a escrivaninha. Nenhuma pena, mas havia carvão. Por que havia carvão? Não se importava. Não fazia diferença. Podia usar carvão.

Encontrou uma área lisa na parede, sem quadros nem nada, e começou a escrever números. Contas. Cálculos. Equações balanceadas.

– Trânsito de Vênus – disse a si mesmo.

Também escreveu. *Trânsito de Vênus. 1769. Um mais sete mais seis mais nove.*

Ele escrevia. Calculava. Escrevia mais.

George, o Agricultor, o Agricultor George, o Rei Agricultor, em busca de Vênus, preciso calcular.

Imagens. Precisava também de imagens. Geometria. Ângulos. Isósceles obtuso. Isósceles agudo. *Agudo agudo agudo agudo.*

– George?

Era a voz dela, mas ela era uma estrela. Estrelas não falavam.

Trânsito de Vênus, o Rei Agricultor, George, o Agricultor, não está certo.

– George, o que está acontecendo?

– Shhhh, você é uma estrela.

Ele rabiscava. Escrevia. Calculava.

Um mais sete mais seis mais nove.

– George, você está me assustando.

– Pare. Não. Preciso tentar. – Acrescentou números. Não fazia sentido. – O Rei Agricultor – lembrou a si mesmo. – O Rei Astrônomo. Recalcular para encontrar. Trânsito de Vênus. Vênus, Vênus, Vênus.

Olhou para ela. Quem era ela? Uma estrela. Por que estava ali?

– Preciso ir – disse ele. – Preciso ver.

Saiu para o corredor. Precisava sair, chegar ao jardim. Dali poderia ver o céu. Precisava do céu.

Alguém se colocou diante dele no hall.

– Vossas Majestades. Posso ajudar?

– George está trabalhando em suas pesquisas – disse a estrela. – Volte para seu posto. Estamos bem, obrigada.

Ele não estava bem. Precisava do céu. Por onde se chegava ao céu?

O céu o céu. O firmamento. Vênus. Trânsito de Vênus. Um mais sete mais seis mais nove. Um mais sete mais seis mais nove.

Por aqui. Agora vire aqui. Tantas voltas para chegar lá fora. Não estava certo. Ele deveria ser livre. Era um agricultor. George, o Agricultor. Pertencia ao ar livre.

– George, está frio – disse a estrela. – Você está descalço.

Os pés não importavam. *Um mais sete mais seis mais nove.* Estava quase lá. *Um mais sete mais seis mais nove.*

Ele abriu a porta e disparou noite adentro.

– EU VEJO VOCÊ! – gritou ele.

Atravessou o gramado. Cada vez mais rápido. Mais rápido.

Mas a estrela corria atrás dele. Ela cintilava como o céu e era veloz.

– Estou aqui com você – disse a estrela. – Não se preocupe.

– Você não é uma estrela. – Ele a fitou com assombro. Sabia quem era ela. Como não tinha percebido? – Você é Vênus.

– Sim, sou eu – disse ela. – Eu sou Vênus.

– Estou vendo você! Vênus! Meu anjo! Estou aqui!

Ele tentou tocá-la, mas ela se afastou. Por quê? Por que Vênus não o queria?

– Fale comigo – suplicou. – Não se vá! Fale comigo! Eu sabia que você viria. Sabia. Vênus, não se vá. Não se vá. Não tenha medo. Sou eu. Não me reconhece?

Ele tirou o roupão. Expôs a pele para a noite.

– Não me vê?

– Vossa Majestade! – exclamou alguém.

George se virou. Era um cume dourado. Parecia quente. O cume estava em chamas. Não podia tocá-lo.

Quente como o sol. Ardente como uma estrela.

219

– Vossa Majestade, achei que fosse querer se aquecer – disse o cume dourado. – Lembra? Quando éramos pequenos? Chá quente. Ou leite quente. Com açúcar para ficar doce como uma sobremesa. Poderíamos entrar...

George balançou a cabeça. Não estava com frio.

– É Vênus! – disse ele, apontando. – Você a vê?

– Eu a vejo, Majestade – disse o cume dourado. – Vossa Majestade...

– O Agricultor George! – exclamou George, feliz. Levantou os braços, esticou-os na direção do céu. – O Astrônomo George!

– Astrônomo George, permita-me cobri-lo com isso...

George o olhou alarmado. O que o cume dourado estava segurando? O que estava tentando fazer?

– Não, quero Vênus. – Ele desviou. O cume dourado não ia pegá-lo. Ele era rápido. – Só Vênus. – E, ao olhar para Vênus, ele abriu um sorriso largo. – Olá, Vênus!

– George!

Ele deu um passo para a direita. O cume dourado continuava tentando alcançá-lo.

– George – repetiu Vênus, dessa vez mais alto. – AGRICULTOR GEORGE!

Ele parou. Olhou para ela.

– Eu sou Vênus.

– Eu sei. Olá, Vênus. Você é Vênus.

– Sim. E Vênus vai voltar para dentro de casa. Você precisa me acompanhar.

– Está bem. – Ele gostava de Vênus. Vênus cintilava. Vênus era bondosa. Mas não era estranho que se encontrasse ali, no jardim? Ele a olhou com curiosidade. – Achei que estivesse no céu...

– Eu estava – disse ela, pousando a mão suavemente em seu braço. – Mas agora vou entrar na Casa Buckingham. Você vem comigo?

Ele olhou para Vênus, depois para a casa, depois para o cume dourado.

– Aqui. – Ela pôs algo nos ombros dele. – Vai aquecer você.

– Está frio – disse ele.

– Venha comigo – insistiu ela.

E, juntos, eles entraram.

– Vênus entrou – disse ele. – Um planeta. Dentro de casa. Que estranho.

– É muito estranho – disse Vênus. – Estranhíssimo.

Ele se virou. O cume dourado os seguia, mas Vênus parecia não se incomodar. Olhou para ela e fez um movimento com a cabeça, indicando o cume dourado atrás deles, para o caso de ela não ter percebido.

– É um amigo – disse Vênus.

– Tem certeza?

– Tenho. Venha. Já entramos. Vênus está dentro de casa. Com você. Ela está com você.

Vênus.

Ele estava com Vênus.

Ele sorriu.

– Obrigado, Vênus.

Ela fez um sinal com a cabeça e por um momento ele achou que ela talvez estivesse chorando. Não era possível. Planetas não choravam.

Era apenas uma faísca. Porque Vênus cintilava.

Vênus estava dentro de casa.

Tão estranho.

Mas ali estava ela.

Com ele.

Charlotte

Casa Buckingham
Momentos depois

– Por aqui – disse Charlotte, guiando-o pelos corredores silenciosos do palácio.

– Vênus...

Ele tinha um sorriso cansado. Parecia prestes a dormir de pé.

– Ele é pesado – disse ela para Reynolds, que vinha a dois passos de distância. Na mesma hora Reynolds avançou e a ajudou a carregar o rei, servindo de apoio pelo outro lado.

– Ele é um cume dourado – disse George.

Charlotte e Reynolds se entreolharam.

– Cumes dourados são bons – disse Charlotte a George. Não sabia o que mais poderia dizer. – São bondosos.

– Eu não deveria, mas vou tocar – disse George, com uma risada.

Ele estendeu a mão e tocou no cabelo de Reynolds.

O cabelo *dourado* e brilhante. Charlotte finalmente compreendeu.

– Não é quente – comentou George. – Achei que seria.

Charlotte parou para ajeitar o cobertor, que escorregara dos ombros do rei. Apenas o cobertor cobria sua nudez e eles se encontravam numa área bem pública da Casa Buckingham. Era madrugada e parecia não haver ninguém por perto, mas mesmo assim...

– Brimsley garantiu a segurança da área – informou Reynolds.

Charlotte olhou para ele sem dizer nada. Não fazia ideia do significado daquelas palavras.

– Ele está garantindo que ninguém virá para esta parte da casa. Mandei-o trancar os criados em suas dependências se for necessário.

– Ah, sim. Há... obrigada. – Suas palavras soavam fracas. No mínimo embotadas.

Era estranho. Não deveria estar exaltada? Não deveria estar cheia de raiva ou de preocupação, ou de algum sentimento intenso e volátil? No entanto, sentia-se como uma sonâmbula. Como se a mente e o corpo tivessem se separado.

De algum modo, seu corpo sabia o que fazer: levar o rei para o quarto, limpá-lo, fazê-lo dormir. A mente, porém... estava em outro lugar. Tinha perguntas.

– Há quanto tempo? – perguntou ela a Reynolds.

– Vossa Majestade?

– Há quanto tempo ele tem isso?

– Hã... não sei dizer com precisão, Majestade.

Se tivesse forças, Charlotte teria lhe dado uma bofetada. Se não estivesse segurando o rei.

– Saberia dizer sem precisão?

– Há alguns anos – admitiu ele.

– E é sempre assim? Como hoje?

– Hoje foi pior que o habitual – afirmou Reynolds.

Chegaram ao quarto. George bocejou.

– Estou tão cansado...

– Já vamos botá-lo na cama – garantiu Reynolds.

– Precisamos limpá-lo – lembrou Charlotte, a voz ainda densa e inexpressiva.

– Sim, sim – concordou Reynolds. – Poderia ficar com ele enquanto busco água e sabonete?

Charlotte assentiu. O demônio que havia possuído George, fazendo com que ele corresse e berrasse feito um louco, se fora, deixando para trás um homem muito cansado. Ele voltou a bocejar. Charlotte e Reynolds o seguraram como puderam enquanto ele se deixava cair lentamente no chão. Apoiaram-no contra a parede (agora coberta com seus números rabiscados em carvão) e ele fechou os olhos.

– Está dormindo? – perguntou Charlotte.

Parecia que sim, mas como ela saberia? Nunca tinha visto um homem agir como o marido agira naquela noite. Até onde ela sabia, sono já não era sono.

– Acredito que sim – respondeu Reynolds. – É bem comum que ele se sinta exausto depois de...

Ela o olhou, desafiando-o a dizer as palavras seguintes. A chamar as coisas pelo nome.

– Vou providenciar água e sabonete – disse ele.

– Isso.

Reynolds partiu, deixando Charlotte sozinha com George, que ainda se apoiava na parede de olhos fechados. Resmungava. Murmúrios desconexos. Não conseguia sequer distinguir uma palavra aqui ou ali. Era como se o fogo o tivesse movido e impulsionado durante toda a crise e agora a imensa chama que o lançara para fora tivesse se reduzido a umas poucas brasas vacilantes.

Exausta, Charlotte se sentou no chão ao lado do marido. Ele estremecia, por isso ela tomou sua mão.

– O que é isso, George?

Ele suspirou.

– Foi por isso que me deixou e foi para Kew? Não queria que eu o visse assim?

Ele balbuciou. Mais incoerências.

Charlotte fechou os olhos com força, contendo uma lágrima que descia pelo rosto. Estava casada com aquele homem. E gostava dele. Até o amava.

Amava? O George que ela amava... ele existia de verdade? Ou seria apenas parte de um todo impenetrável? E, se assim fosse, qual seria o tamanho daquele fragmento?

E se Apenas George – o *seu* George – fosse só uma lasca?

Ele falava de matemática. Ora, ela também sabia fazer somas, produtos e percentagens. Qual seria a percentagem do *seu* George? Ela o teria metade do tempo? Três quartos do tempo?

Menos?

– O que vou fazer com você? – murmurou Charlotte.

Ele não respondeu. Tampouco ela esperava que respondesse.

Bateram de leve na porta e logo em seguida Reynolds entrou, sem esperar resposta, carregando uma bacia com água. Atrás dele, Brimsley trazia toalhas.

Brimsley sabia? Tinha servido a ela por semanas e semanas, mantendo-se a cinco passos de distância, sem lhe contar que seu marido era louco?

Brimsley engoliu em seco, constrangido.

– Se Vossa Majestade preferir se retirar, o Sr. Reynolds e eu somos perfeitamente capazes de...

– Não tenho permissão de lavar o rei? – quis saber Charlotte.

Brimsley parecia aflito.

– Apenas não é... habitual.

– Confesso que ainda tenho muito a aprender sobre os procedimentos palacianos – retrucou Charlotte. – Por exemplo, acabei de tirar o rei de uma vala na horta, onde ele estava muito ocupado discursando para o céu. *Isso é habitual?*

Brimsley não respondeu. Foi uma decisão acertada, pois Charlotte não queria ouvir nada que ele tivesse para dizer. Não naquela noite.

– Vamos cuidar disso – disse Reynolds a Brimsley. – Você... Vigie o corredor.

– Claro.

Brimsley saiu e fechou a porta.

– Círculos concêntricos...

– Perdão? – disse Reynolds.

– Somos círculos concêntricos em torno do rei. Eu e você somos os mais próximos. Lavamos o corpo dele. Em seguida, Brimsley, que vigia a porta. Depois... Não sei mais quem. A mãe dele, suponho. Lorde Bute? O conde Harcourt? Presumo que todos saibam.

– Eles sabem, Majestade.

Charlotte mergulhou uma toalha na bacia. A água estava aquecida o suficiente, não quente demais. Com delicadeza, ela começou pelas mãos de George, enquanto Reynolds limpava seus pés.

– Todos sabiam – disse Charlotte. – Como devem ter rido de mim.

– Não, Vossa Majestade. Não riram.

– Como você pode saber? Vejo que é próximo do rei. Provavelmente seu principal confidente. Mas você não participa das reuniões de governo, não ouve o que se diz no Parlamento.

– Os criados ouvem mais do que imagina, Majestade.

Charlotte abriu um sorriso amargo.

– Então eram *vocês* que riam.

– Não! – exclamou Reynolds, e se voltou para Charlotte com uma expressão febril. – Nós... eu... eu jamais riria da senhora. Pelo contrário, Vossa Majestade é minha maior esperança.

Ela sentia as lágrimas encherem seus olhos, mas não ia chorar. Era a rainha. Não choraria diante daquele homem.

– Vossa Majestade fez mais por ele do que eu jamais sonharia. É muito boa para ele.

Mas ele é bom para mim?

Era uma pergunta que ela nunca poderia fazer em voz alta.

Palácio St. James
Na manhã seguinte

Charlotte não dormiu.

Assim que conseguiram botar o rei na cama, ela voltou para seu quarto, entrou debaixo das cobertas, o corpo envolvido pelo mais macio dos lençóis, e se deitou de barriga para cima, olhando fixamente o dossel acima.

Em algum momento, o torpor deu lugar ao desespero. Em algum momento depois disso, o desespero deu lugar à raiva.

E era nesse ponto que se encontrava agora.

Com raiva.

Enfurecida.

E a caminho de encontrar a princesa Augusta.

– Vossa Majestade...

Charlotte atravessou o saguão, as botinas batendo zangadas no piso a cada passo.

– Pare de me seguir, Brimsley.

– Eu lhe imploro. Isso não vai terminar bem.

Charlotte se virou com uma expressão tão feroz que Brimsley cambaleou para trás.

– Não vai terminar bem, é o que está me dizendo? Está me dizendo isso *agora*? Por onde andou durante todas essas semanas? Você diz que vai me servir. Diz que jurou dedicar sua vida ao meu bem-estar. E guarda esse segredo?

– Eu não sabia, Vossa Majestade.

– Não sabia – cuspiu Charlotte. Mas ela o tinha visto na noite anterior. – Não acredito em você.

– Eu não sabia! – exclamou Brimsley, e estendeu o braço, quase como se quisesse segurar o braço da rainha. Claro que não fez isso. – Eu desconfiava – admitiu. – Mas não disso. Nunca teria desconfiado. Sabia que escondiam algo e tentei descobrir o que era. Juro que tentei.

– Posso compreender isso vindo da parte *dela* – prosseguiu Charlotte, fazendo um gesto brusco com o braço na direção da sala da princesa Augusta. – Uma mulher egoísta. Só se importa com a Coroa. Mas você eu esperava que estivesse do meu lado.

– Eu *estou* do seu lado, Majestade.

Charlotte não disse mais nada. Já havia chegado à sala de visitas da princesa e agora se precipitava para dentro sem se importar com o decoro ou com o protocolo. Augusta tomava o desjejum com uma amiga.

– Charlotte? – Augusta deu um sorriso ao mesmo tempo surpreso e afetuoso. – Não a esperava hoje. O baile Danbury foi um triunfo. Saiu-se muito bem, minha querida.

Charlotte rechaçou as amenidades.

– Vossa Alteza por acaso já tentou cortar carne de cordeiro inglês com uma faca cega?

Augusta ficou sem reação.

– Perdão?

– As facas na Casa Buckingham costumavam ser bem afiadas. Um belo dia, ficaram todas cegas.

– Não sei se estou compreendendo.

– Foi no dia em que o rei se mudou para Buckingham.

Charlotte manteve a placidez, apenas esperando a reação de Augusta.

– Acredito que precisaremos nos encontrar para o desjejum em outra manhã, lady Howe – disse a princesa, virando-se para a amiga.

Lady Howe partiu com o máximo de pressa. Mesmo assim, Augusta manteve a mão erguida por vários segundos depois de a porta ter se fechado.

– O que você estava dizendo?

– As facas – repetiu Charlotte. – Do nada, cegas. Estranho, pensei, mas com certeza era uma coincidência. Com certeza também foi coincidência que, no mesmo dia, as janelas dos pisos superiores tenham sido bloqueadas. Achei um pouco incômodo. Gosto de ar fresco quando durmo.

– Eu...

– Mas de repente havia cadeados por toda parte. Cadeados no arsenal, na cozinha, no abrigo onde os jardineiros guardam as tesouras. Coincidências. – Charlotte avançou, semicerrando os olhos. – O que não consegui interpretar como coincidência foi o súbito desaparecimento de *Rei Lear* da biblioteca.

– Queira me perdoar. Não sou grande fã de Shakespeare.

– Não? Então me permita informá-la. *Rei Lear* é a peça que trata de um rei louco.

– *Charlotte*.

Aquilo foi a gota d'água. O tom condescendente e tranquilizante de Augusta, como se Charlotte estivesse imaginando tudo aquilo. Como se ela fosse estúpida, como se fosse *ela* que estivesse perdendo o juízo.

– Sabe o que percebi, *Augusta*?

Augusta ficou visivelmente indignada por Charlotte chamá-la pelo seu nome de batismo.

– Estou vivendo num asilo de loucos. – Ela se pôs a andar de lá para cá, tentando controlar as emoções. Não adiantou muito. Virando-se de volta para Augusta, ela declamou, praticamente aos gritos: – *O rei é louco, e eu moro num asilo de loucos!*

– Você está fora de si.

– Durante todo o tempo, achei que o problema fosse *eu*, que tivesse algo errado comigo. Quando ele é que…

– O rei não é louco – sibilou Augusta. Suas mãos, posicionadas na frente do corpo, se enrijeceram a ponto de parecerem garras afiadas, como se ela precisasse daquele momento, daquela tensão, para se estabilizar. – O rei está simplesmente exausto por carregar nos ombros o peso da maior de todas as nações do mundo. – Cada palavra era uma enunciação perfeita de sílabas e mentiras.

– Não venha me…

– Não venha *você* – cortou Augusta, empurrando a cadeira ao se levantar. – Chega aqui como se soubesse tudo. Não sabe. Você é uma criança.

– Sou um mero peão neste jogo.

– Talvez seja. E daí? Vai se queixar? Você foi elevada a rainha da Grã-Bretanha e Irlanda. Como *ousa* se queixar disso?

– Ninguém me informou que…

– Quem se importa?! *Eu* não me importo. O que você poderia saber do assunto? Como poderia ter compreendido? O peso de uma nação sobre os ombros de um rapaz? O peso sobre uma mãe ao ver o filho começar a envergar? Se, Deus queira, você vier a gerar um herdeiro, talvez comece a aprender alguma coisa, e sua primeira lição será a seguinte: você faria qualquer coisa para impedir que ele sucumba a esse peso. Recorreria a médicos horrendos e seus inúmeros tratamentos repugnantes.

Ela olhou no fundo dos olhos de Charlotte e acrescentou:

– Vasculharia a Europa inteira em busca de uma rainha que fosse grata o suficiente para ajudá-lo.

Charlotte estremeceu. E se odiou por isso. Queria ser forte, imponente e indiferente. Acima de *tudo*, queria ser indiferente. Daria tudo para não se sentir *assim*.

– Você acha que a cor da minha pele me torna grata?

– Acho que você mudou o mundo – respondeu Augusta.

– Eu não pedi para mudar o mundo.

– Eu não pedi para ter um filho imperfeito. Mas é o que tenho, e eu o protegerei com todas as minhas forças.

– Imperfeito? – repetiu Charlotte, incrédula. – Ele estava conversando com o *céu*.

– E daí? Você não era nada. Veio do nada. E agora está sentada no trono do mundo. Qual é o problema se seu marido tem as peculiaridades dele?

– Peculiaridades? Chama isso de peculiaridade? Vossa Alteza não o viu agora de madrugada.

– Já o vi outras vezes – disse Augusta, baixando a voz.

– Ele acha que sou Vênus.

– Então seja Vênus.

Charlotte balançava a cabeça, quase sem compreender o que estava ouvindo.

– Eu não pedi para ocupar o trono do mundo. Não pedi para me casar. Mas, se é preciso, se devo deixar meu lar, minha família, minha língua, minha vida, então…

– Então o quê, Charlotte? – perguntou Augusta, sua voz estranhamente inexpressiva. – O quê?

– Não pode ser com um homem que não conheço. Um homem que não tenho *permissão* de conhecer.

– Agora você o conhece.

– Você me fisgou com uma mentira!

– E você mordeu a isca com prazer.

Charlotte quase riu. Que diferença fazia àquela altura se estava ali por vontade própria ou não? Tinha se casado com um rei. Não havia como dissolver essa união. E ela nem sabia se queria mesmo dissolvê-la. Queria apenas…

O quê?

O que queria?

Honestidade?

Verdade?

Confiança?

Não obteria nada disso da princesa Augusta.

– Diga: está esperando um filho?

– Não sei – mentiu Charlotte.

Estava quase certa da gravidez. O Dr. Monro não tinha dúvida.

– Me diga quando tiver certeza – ordenou Augusta.

– Vou dizer quando me der vontade.

– Você verá que não há nada a ganhar em contestar pelo simples prazer de contestar.

– Hum, será que não? – murmurou Charlotte.

A expressão tensa no rosto de Augusta foi o único ponto positivo do seu dia.

O único ponto positivo de toda a porcaria de sua vida.

Nenhuma das duas notou o homem no corredor, bem próximo à entrada da sala de visitas. Nenhuma das duas ouviu seus passos quando ele deixou o palácio e subiu na carruagem que o trouxera da Casa Buckingham até ali. E nenhuma das duas soube que ele seguiu para Kew, onde encontrou o Dr. Monro em seu laboratório.

– Vossa Majestade? – disse o médico, surpreso.

Monro estava embalando suas coisas. Não esperava ver o rei.

George atravessou o aposento e se sentou na cadeira terrível.

– Me amarre.

Agatha

Residência Danbury
Sala de leitura de Agatha
12 de janeiro de 1762

– Lorde e lady Smythe-Smith desejam vê-la, milady.

Agatha soltou um suspiro pesado. Não queria receber visitas, mas já se passara um mês desde a morte do marido. As boas maneiras ditavam que ela deveria ser deixada em paz durante as primeiras semanas do luto, mas que estava na hora de a sociedade começar a aparecer para lhe dar as condolências.

Levantou-se, alisando a saia do vestido preto.

– Vou recebê-los no salão.

– Muito bem, milady – disse o mordomo. – Já os conduzi até lá.

– Claro.

– Bem como o duque de Hastings.

– O quê? – falou Agatha com um gemido.

Não gostava do sujeito quando ele era Frederick Basset e continuava não gostando agora que ele era duque de Hastings.

– E lorde e lady Kent.

– O tsar da Rússia também veio?

– Não, milady.

O mordomo dos Danburys nunca tivera senso de humor. Tinha sido contratado por Herman, claro.

– Mas lorde e lady Hallewell vieram.

Agatha encarou o mordomo com algo próximo ao horror.

– E estão todos no salão?

– Solicitei chá, milady.

– Sem biscoitos. Não quero que se demorem.

– Claro, milady.

Ele abriu a porta para Agatha e a acompanhou.

– Que gentileza aparecerem para uma visita – disse ela ao entrar no salão.

Estava lotado. Parecia que metade da nova sociedade se encontrava ali.

Ela se instalou no sofá novo após cumprimentar um por um. O estofado era de tecido dourado, claro. Uma aquisição anterior à morte de lorde Danbury.

– Agatha, minha querida – começou lady Smythe-Smith. – Estamos arrasados com o que aconteceu. Por sua perda. Lamentamos muito.

Estão, é?, Agatha teve vontade de dizer. Ninguém gostava de Herman Danbury, com exceção, talvez, do novo duque de Hastings.

– Um grande homem – disse o duque.

– Um vencedor – complementou lorde Smythe-Smith.

Então foi a vez novamente de lady Smythe-Smith, para fechar a rodada:

– Lamentamos muito.

Agatha esperou. Olhou para os Kents e para os Hallewells atrás dos Smythe-Smiths. Em seus rostos estavam as expressões mais compassivas, mas pareciam inclinados a deixar que os outros conduzissem a conversa.

– Porém... – disse Agatha enfim. O peso das palavras não ditas tornava o ar verdadeiramente denso. – Há um *porém*, não há?

Eles não teriam se dirigido a sua casa todos juntos para lhe dar condolências. O normal era que essas visitas fossem feitas individualmente.

Lorde Smythe-Smith pigarreou.

– De fato, há um *porém*. E pedimos desculpas por aparecermos aqui em grupo. Mas precisamos saber: o que acontece agora?

– Como assim o que acontece agora?

– O que sabe até agora? – perguntou ele.

– O que você se torna? – acrescentou sua esposa.

– O que *nós* nos tornamos? – acrescentou o duque de Hastings, com mais intensidade.

– Queiram me perdoar – disse Agatha, olhando para cada rosto. – Não tenho a menor ideia do que estão falando.

– A senhora é um membro de confiança da corte – disse lorde Smythe-Smith.

– É uma favorita da rainha – continuou a esposa.

O duque de Hastings se inclinou para a frente.

– Com toda a certeza o Palácio lhe disse algo. Sobre o procedimento. Ou sobre o que acontecerá a seguir.

Agatha continuou perdida. A seguir?

– Lorde Danbury foi o primeiro de nós a falecer – atalhou lorde Smythe-Smith, e secou a testa com um lenço. – É o primeiro cavalheiro com título dentre nós. E a senhora tem um filho.

Ah.

Ah.

Agatha finalmente compreendeu.

– Os senhores estão me perguntando se meu filho de 4 anos agora é lorde Danbury.

– Precisamos saber se as leis de sucessão *deles* serão aplicadas também a *nós*. O título será transmitido adiante?

– Nem tinha pensado nisso...

Por Deus. Danbury havia morrido fazia um mês e nem lhe ocorrera conjeturar se ficariam com o título. Simplesmente presumira que a posição do filho estava garantida.

Agatha olhou para a dezena de olhares fixos nela.

– Podemos perder tudo em uma geração.

– Sim – disse lady Smythe-Smith. – O que você perder, nós perdemos. Você estabelece o precedente. Você é o precedente.

O duque de Hastings a encarou com o cenho franzido.

– Vai permanecer como lady Danbury ou agora é apenas *Sra.* Danbury?

– Eu vou... descobrir – respondeu Agatha.

Que escolha tinha?

– O mais depressa possível, por favor – pediu o duque.

Lady Smythe-Smith pegou a mão dela.

– Dependemos de você. Todos nós.

Agatha abriu um sorriso débil. Mais uma vez, o destino do Grande Experimento pesava sobre seus ombros.

Residência Danbury
Gabinete de lorde Danbury
Mais tarde no mesmo dia

Agatha abriu mais uma gaveta e continuou revirando documentos. Deveria ter feito aquilo antes, mesmo que não fosse para resolver os assuntos de sucessão, mas porque agora era uma mulher sozinha e precisava entender de finanças.

Na verdade, já deveria entender de finanças quando lorde Danbury ainda era vivo, mas ele nunca teria lhe permitido acesso a tais assuntos.

– Maldição, Herman – resmungou.

Os arquivos pareciam não ter ordem alguma. Ele não era um estúpido. Deveria ter se organizado melhor.

Coral entrou no aposento e fechou a porta.

– O criado pessoal de lorde Danbury não tem nenhuma informação – disse ela. – Nem o mordomo. Talvez ele não tivesse um representante legal.

– Tinha. Sei que se reuniu com ele inúmeras vezes para tratar de... assuntos. – Que assuntos eram aqueles, Agatha não sabia. Não havia prestado atenção. Um erro, como agora ficava claro. – Só preciso encontrar o nome do sujeito.

Coral ficou parada perto da porta por alguns momentos, mexendo distraidamente no avental.

– Tente ver o lado positivo, milady.

Agatha parou e a encarou, atônita ou incrédula. Não sabia dizer o que sentia.

– Lado positivo?

Estava com dificuldade para encontrá-lo nos últimos tempos.

– A senhora está livre. Não era o que queria?

Agatha soltou um suspiro.

– Você acha que estou livre? Eu pensei que estaria. Achei que a morte de lorde Danbury me deixaria desimpedida, mas o que descubro é que carrego o fardo de ser uma mulher sem um vínculo com um homem.

– E isso não é bom?

Agatha deu de ombros.

– Quem sabe? Estou livre de amarras, mas a vida está fora do meu alcance. Não obtive avanço algum em liberdades pessoais. A única coisa certa é o luto, bordados e chás tediosos com outras viúvas. Para sempre.

Coral nada disse. O que havia a dizer?

Agatha fechou a gaveta com força e abriu outra com um puxão.

– E agora nem consigo encontrar o nome do advogado! Tenho que cuidar da preservação dos títulos de dezenas de boas pessoas e nem consigo encontrar o nome do homem que pode me ajudar.

– Seria tão ruim assim, milady? Perder o título?

Agatha ergueu os olhos.

– Sim, Coral, seria ruim. Eles vieram aqui... todos eles... em busca de respostas. Dependendo de *mim*.

– Não é responsabilidade sua.

– Assumi essa responsabilidade quando insisti em realizar o baile. Quando pedi ao rei e à rainha que comparecessem. Demos esperança para a nova sociedade. Eles sentiram o gostinho das alturas. Da igualdade. Não conseguirão largá-la com tanta facilidade. – Ela revirou outra pilha de documentos. – E por que deveriam?

– Mas...

– Encontrei!

Agatha ergueu uma carta no ar, triunfante.

– O advogado?

– Sim. – Ela olhou o nome. – Um tal Sr. Margate. Ele vai cuidar disso. Saberá o que fazer. Escreverei para ele e ele virá.

Agatha se sentou à escrivaninha do marido e começou a escrever uma carta.

– Acha mesmo que um advogado virá se reunir com uma mulher? – perguntou Coral.

Maldição.

Às vezes ela odiava os homens. De verdade.

– Vou assinar apenas "Danbury". Vamos torcer para que ele presuma que seja um homem que não conhece as regras de etiqueta.

– Mas ele não saberá que seu senhor morreu?

– Achará que o remetente é um irmão, um primo, qualquer um menos eu. É assim que são os homens.

– Espero que esteja certa, milady.

– Tenho que estar – disse Agatha com um suspiro. – Não posso errar. Não em relação a isso.

Residência Danbury
Quarto de Agatha
Três dias depois

– Há um cavalheiro à sua procura.

Agatha tirou os olhos do livro.

– Um cavalheiro?

– Ele afirma ser o advogado – disse Coral. – À procura da dama que não assina seu nome completo.

– Santo Deus. – Agatha se levantou da cama de um pulo. – Estou apresentável? Este vestido é austero o suficiente?

– É preto, senhora. Preto é sempre austero.

– Sim, imagino que esteja certa.

– Ele está esperando no gabinete de lorde Danbury.

Agatha assentiu, enfiando os pés nos sapatos.

– Me deseje sorte.

– Não vai precisar.

Agatha deu um sorriso grato e saiu em disparada pelo corredor e escada abaixo.

– Sr. Margate – cumprimentou ela ao chegar ao gabinete do falecido marido. – Obrigada por vir.

Era um homem idoso, de peruca e com a aparência que ela esperava de um advogado.

Agatha contornou a escrivaninha para se sentar e o convidou a se sentar na cadeira à sua frente.

– Temo não ter boas notícias – disse ele.

Agatha sentiu a mandíbula se enrijecer, mas conseguiu dizer com calma:

– Explique, por favor.

– Simplesmente não há precedente para um caso como este. Não é à toa que chamam de experimento.

– E meu marido foi o primeiro a falecer.

Margate fez uma careta. Mesmo Agatha, com sua pouca experiência com advogados (nenhuma, na verdade), percebia que aquela expressão em seu rosto era empregada quando profissionais como ele estavam prestes a dar más notícias.

– O problema é que o título e a propriedade foram concedidos muito especificamente para o falecido lorde Danbury, que Deus o tenha – disse Margate. – E não para a senhora.

– Claro que não – disse Agatha com impaciência. – Títulos raramente são concedidos a mulheres.

– Normalmente, passaria para o lorde Danbury seguinte.

– Tenho um filho, como sabe.

Margate assentiu com o mais leve dos movimentos de cabeça.

– Mas não há informação alguma que esclareça se os novos títulos de nobreza são transmitidos para a geração seguinte. É possível que revertam para a Coroa.

– O que me torna lady Nada. Com nada além do dinheiro e da antiga casa de meu marido.

Margate voltou a fazer aquela expressão.

– Ah, não – disse Agatha. – O que foi?

– É que... – Ele soltou um grande suspiro. – Quando aceitou a nova propriedade, seu marido empregou boa parte de suas posses para sustentar a nova vida. Alfaiates, pagamentos a clubes, cavalos, mais criados...

Agatha não podia acreditar no que estava ouvindo.

– Meu marido tinha uma das maiores fortunas de todo o continente. Já ouviu falar de Serra Leoa, Sr. Margate? Sabe das riquezas que há por lá? As minas de diamante?

– Temo que seu marido possa ter exagerado sua riqueza para a senhora. Além disso, ele tinha altos gastos para conseguir manter uma vida digna de um lorde.

– Não fazia muito tempo que ele tinha o título.

– Mesmo antes. As roupas dele. As roupas *da senhora*...

Ele olhou para o tecido preto que Agatha usava como se o vestido fosse o culpado por sua derrocada.

Agatha queria gritar. Queria pular a escrivaninha e torcer o pescoço do sujeito. Mas não fez isso. Manteve a dignidade, porque, aparentemente, era a única coisa que havia lhe sobrado.

– O senhor disse que ele passou a gastar mais depois que se tornou lorde.

Margate assentiu.

– Então, com o título que nem sabemos se será possível manter, eu fico... como? Falida? E quanto à nossa antiga casa?

Não fazia muito tempo que tinham se mudado para a nova residência.

– Foi arrendada. Os donos já a alugaram para novos inquilinos.

– Então não estou apenas falida. Também estou sem teto.

Margate voltou a fazer careta. Agatha começou a imaginar se aquela expressão era ensinada como parte dos estudos de direito. Ninguém receberia o certificado como advogado até aprender a fazer a careta das más notícias. Era preciso apenas um toque de falsa compaixão para ser aprovado com louvor.

– O que vou fazer? – perguntou ela.

– Ora, o que todas as viúvas empobrecidas fazem. Recorrer à bondade de um familiar do sexo masculino. Ou se casar de novo.

Residência Danbury
Hall de entrada
Dois dias depois

Margate tinha razão. Agatha *precisava* buscar a ajuda de um familiar do sexo masculino. O que a exasperava, porém, era que esse familiar fosse seu filho de 4 anos.

– Dominic, por favor. – Ela aguardava à porta. – Deixe que a babá amarre sua gravata.

– Vamos lá, danadinho – disse a babá. – É só um lenço de pescoço.

– Parece o laço da forca! – guinchou Dominic.

Agatha respirou fundo. Ele não fazia ideia.

– Ai, ai, ai – ralhou a babá. – Quanta impertinência.

Ele deu um sorriso travesso. Um sorriso que ele nunca dirigia aos próprios pais. Agatha sentiu uma pontada de arrependimento. Ia fazer alguma coisa para resolver aquilo. Seria uma mãe melhor do que havia sido até então, mas aquele não era o dia para arrancar sorrisos do filho.

– Dominic, pare já com isso – disse ela, severa. – Hoje é um dia importante e você precisa se comportar.

Ele olhou para a babá em busca de orientação. Ela assentiu brevemente.

– Seja um bom menino. Obedeça à sua mãe.

Agatha o pegou pela mão e o levou até a carruagem que os esperava.

– Quando vamos voltar para a babá?

Agatha engoliu em seco.

– Dominic – disse ela, com uma suavidade que não empregava fazia semanas –, lamento muito que você não me conheça. Eu também não conhecia bem meus pais e sei que deve ser muito assustador se afastar da sua babá desse jeito. Mas sou sua mãe, e seu pai foi encontrar os anjos. Você agora é o homem da família.

Ele a olhou com toda a solenidade de seus 4 anos.

– O homem da família – repetiu.

Que Deus os ajudasse.

– Sua família precisa que você cumpra seu dever – continuou Agatha.

– Tudo bem. – Ele pensou por um momento e pareceu se animar. – Estamos indo encontrar uma princesa?

– Estamos.

– Uma princesa de verdade?

– De verdade.

– Ela vai estar usando uma coroa?

Agatha pensou. Achava que nunca havia visto a princesa Augusta sem uma tiara.

– Provavelmente.

– E ela vai gostar de mim?

– Como ela poderia não gostar de você?

Dominic sorriu.

Ele espiou pela janela quando partiram na carruagem. Não demorariam a chegar, já que a nova Residência Danbury tinha uma localização privilegiadíssima, a menos de dois quilômetros do Palácio St. James.

– Sabia que eu sei contar, mamãe?

Agatha não sabia, mas mentiu.

– Claro.

– Um. Dois. Três.

Ele balançava a cabecinha a cada número.

– Quatro. – Fez uma pausa. – Eu tenho 4 anos.

– Eu sei.

– Depois vem o cinco. Vou fazer 5 anos em breve.

– Podíamos dar uma festa.

– Com bolo e doces?

– Com certeza.

Dominic bateu as mãos de felicidade e continuou a contar:

– Depois vem o seis. E sete. Oito. – Ele olhou para a mãe. – Vou precisar de ajuda depois do dezenove.

– Posso ajudar você.

Juntos, eles conseguiram chegar a 143.

Agatha tomou a mão de Dominic para descerem do veículo.

– Não se esqueça do que lhe pedi para fazer.

Agatha entregou seu cartão de visitas ao mordomo, embora ele soubesse muito bem quem ela era.

– A princesa a espera? – perguntou ele.

– Não. Mas ela me receberá.

O mordomo os fez aguardar em um banco num dos longos corredores. Momentos depois, voltou.

Agatha tomou de novo a mão do filho. Tão pequena. E no entanto ele já tinha mais idade do que ela quando seu destino fora selado com a promessa de casamento com Herman Danbury.

Os dois seguiram o mordomo até a sala de visitas da princesa Augusta. Ela estava em seu lugar habitual, as saias amplas ocupando quase metade do sofá. Como sempre, lorde Bute e o conde Harcourt se encontravam atrás dela, um de cada lado. Agatha os ignorou, dirigindo-se à princesa:

– Acredito que seja hora de Vossa Alteza Real conhecer meu filho, lorde Danbury.

Ela apertou o ombro de Dominic com delicadeza, para encorajá-lo, e o menino executou uma saudação graciosa antes de dizer:

– Encantado, Vossa Alteza.

A princesa Augusta sorriu, nitidamente encantada com aquela demonstração de fofura.

– É um prazer conhecê-lo, lorde...

Lorde Bute pigarreou com força. Augusta se virou para trás.

– Está se sentindo bem? – perguntou ela a Bute.

– A questão da herança – sussurrou ele.

Agatha teve que fingir não ouvir.

– Está longe de ser decidida – disse conde Harcourt.

– Os interesses envolvidos...

Agatha não conseguiu distinguir o fim da frase, mas ouviu claramente o conde Harcourt dizer:

– Compreende as implicações?

Silêncio.

A princesa Augusta então se dirigiu aos convidados:

– Que menino lindo. Por favor, voltem a nos visitar em breve.

E, com um gesto, dispensou os dois.

Não havia mais nada que Agatha pudesse dizer, não na frente de Bute, Harcourt e Dominic. Por isso, fez uma reverência e recuou até a porta, partindo em seguida.

– Cumpri meu dever, mãe? – perguntou Dominic assim que chegaram ao corredor.

Não exatamente, mas havia tentado. Os dois tentaram. Agatha se ajoelhou diante dele e tomou suas mãozinhas.

– Você mostrou a eles quem é.

Ele a olhou com expressão solene.

– Sou Dominic Danbury. Filho de Herman Danbury.

– Isso. É você. E você é lorde Danbury e vai ocupar seu merecido lugar porque é direito seu. E também porque é *meu* filho. É filho de Agatha Danbury, nascida com o nome Soma, sangue real da tribo Gbo Mende de Serra Leoa. Você vem de uma linhagem de guerreiros.

– Guerreiros? – sussurrou ele.

– Nós somos vitoriosos. – Ela apertou suas mãos. – Nunca se esqueça disso.

Ela só precisava se lembrar daquilo.

BRIMSLEY

*Casa Buckingham
Jardins do rei
31 de janeiro de 1762*

Quase dois meses haviam se passado desde o episódio do rei.

Episódio.

Brimsley não sabia de que outra forma descrever a situação, mas, por Deus, *episódio* parecia suave demais.

Não sabia se perdoaria Reynolds por guardar um segredo daquela natureza. Sim, compreendia que ele precisava defender o rei, mas a rainha tinha o *direito* de saber.

Portanto Brimsley deveria ter sido informado. Ele poderia tê-la ajudado. Poderia tê-la preparado.

Tudo bem, ele *não* poderia tê-la preparado. Nada prepararia a rainha para *aquilo*. Mas teria tentado. Teria feito *alguma coisa* para que não tivesse sido tão terrível.

Quanto ao rei, não voltara à Casa Buckingham desde aquele dia fatídico. Partira para Kew e desde então se recusava a receber visitas.

Não via sequer a rainha.

Ela lhe escrevia. Escrevia muitas cartas para ele, mas não recebia resposta nenhuma.

Brimsley tentou obter respostas, mas Reynolds não lhe dizia quase nada. Mencionou apenas que o rei tinha voltado a se devotar a seus interesses científicos. E que estava recebendo tratamento. Brimsley perguntou que tipo de tratamento era (*como* se tratava algo daquele tipo?), mas Reynolds o mandou cuidar da própria vida.

Mandou-o também calar a boca.

Brimsley não andava muito feliz com Reynolds.

– Está bem aquecida, Vossa Majestade? – perguntou ele.

A temperatura estava amena para janeiro, mas não deixava de ser janeiro e estavam no perímetro da horta do rei.

– Sim. Não vou passar muito tempo aqui.

Brimsley olhou para os canteiros. Não estavam mais transbordando vida, mas diversas verduras resistentes ainda cresciam e desabrochavam. Era realmente notável.

– O rei é muito habilidoso – disse Brimsley.

– Perdão?

– Por conseguir cultivar plantas que crescem durante o inverno.

– Ele realmente gosta dos seus estudos e pesquisas.

– O que é isso? Brócolis? Repolho? Devem ser deliciosos.

– Providencie a colheita. Que sejam distribuídos aos pobres.

– Imediatamente, Vossa Majestade.

Ele estava justamente pensando quem deveria procurar para fazer aquela tarefa quando um lacaio chegou correndo.

– A princesa Augusta chegou – anunciou o lacaio, baixinho.

Brimsley teve que se esforçar para não soltar um gemido audível.

– Ela traz uma carta do rei? – perguntou Charlotte, cheia de esperança.

O que mais doía era aquela esperança.

– Sinto dizer que não, Majestade.

A rainha não fez qualquer tentativa de disfarçar seu incômodo.

– Então o que ela quer?

Brimsley olhou para o lacaio.

– Ela veio com lorde Bute – disse o lacaio.

– Não estou disponível – disse Charlotte, afastando-se.

O lacaio agarrou o braço de Brimsley.

– Não é só isso – disse ele, com urgência. – Ela trouxe o médico real.

A rainha obviamente o ouviu, pois se virou e disse:

– Eu me recuso categoricamente a ver o médico.

Casa Buckingham
Quarto da rainha

Trinta minutos depois, o médico real examinava a rainha, que se encontrava esticada na cama, as saias levantadas, as pernas abertas. Brimsley se encontrava postado na parede mais distante do quarto, respeitosamente olhando na outra direção. A princesa Augusta havia tentado convencê-lo a esperar em outro cômodo, mas a rainha o impediu. Brimsley acreditava que ela quisesse um aliado por perto, embora ela não tivesse expressado isso diretamente.

Esperava que ela o considerasse um aliado. Ela tinha levado algum tempo para perdoá-lo pela suposta deslealdade. Brimsley torcia para que um dia a rainha acreditasse que ele ignorava a gravidade da doença do rei.

Na verdade, ele ignorava que o rei tivesse alguma doença.

– Está demorando muito – disse a princesa Augusta, provavelmente para o médico.

– De fato – concordou lorde Bute.

– Sou minucioso – respondeu o homem.

A rainha suspirou. Foi mais um gemido de dor, na verdade.

– Majestade? – disse Brimsley.

Ele tinha visto os instrumentos do médico antes de a rainha se deitar. Pareciam instrumentos de tortura. Todos em metal reluzente, com formatos estranhos. Brimsley não conhecia muito bem o corpo feminino (era provável que tivesse aprendido tanto quanto a rainha durante a lição de lady Danbury naquele chá, meses antes), mas não entendia como alguma daquelas terríveis geringonças se encaixaria em alguma parte.

– Não é nada – respondeu a rainha, estoica.

– Pelo contrário – retrucou o médico, anunciando por fim: – Ela espera um filho.

A princesa Augusta fez um som que lembrava uma expressão de alegria.

– Então está feito?

– Tem certeza? – perguntou lorde Bute.

– Não há dúvida.

– As dúvidas são as melhores partes do interior de uma mulher – afirmou a princesa Augusta.

Brimsley achou esquisito. O que ela queria dizer com aquilo?

– Certeza absoluta? – insistiu a princesa Augusta.

– Ah, sim, absoluta. Inclusive, Sua Majestade já está avançada. Fazendo um magnífico progresso.

– Graças a Deus – disse lorde Bute. – Podemos anunciar?

– Só depois que começar a se mexer – disse a princesa Augusta, com o tom de quem trama um ataque estratégico. – Quando será?

– Daqui a um mês, espero eu – respondeu o médico.

A princesa soltou outro gorjeiozinho feliz.

– Meus parabéns, Vossa Alteza – disse lorde Bute à princesa Augusta. Ele estava radiante.

– Acho que o senhor também merece congratulações, lorde Bute – respondeu ela.

E a *rainha*?, Brimsley se perguntou. Por que ninguém a parabenizava? Era ela quem estava carregando o bebê no ventre. Era a única no aposento a ter realmente contribuído para gerar aquele herdeiro real.

Brimsley a olhou de soslaio. Estava mais perto de sua cabeça do que de seus pés, por isso não via nada inconveniente. Olharam-se. A rainha então encarou o teto e suspirou.

– Já acabaram? – perguntou Brimsley.

Porque a rainha, com toda a sinceridade, não parecia nada confortável.

Mas ele foi ignorado. A princesa Augusta se aproximou da cabeça de Charlotte e a olhou bem nos olhos.

– Ordenarei que minhas coisas sejam transferidas para a Casa Buckingham imediatamente.

Brimsley estremeceu por dentro. A rainha não ia gostar daquilo.

Augusta deu um tapinha no ombro de Charlotte. Provavelmente pretendia que fosse um gesto maternal, mas Brimsley achou um tanto monstruoso, isso sim. Pobre rainha, ali prostrada, com o rosto de Augusta ocupando todo o seu campo visual.

– Você carrega a coroa – disse a princesa Augusta. – Sua segurança é de extrema importância. Não vou deixá-la sozinha nem um momento sequer. Vamos esperar juntas pela chegada do futuro rei.

– Juntas – concordou a rainha, com um fiapo de voz.

Augusta então se dirigiu ao médico:

– Doutor, aquele negócio ainda está dentro dela.

– Ah, é. Sinto muito.

Ele arrancou algo de dentro da rainha. Parecia um pato de ferro.

Brimsley desejou fortemente não ter visto aquilo.

Não era fácil ser um homem que amava outros homens, mas, por Deus, era melhor do que ser mulher.

Palácio Kew
Pórtico frontal
24 de fevereiro de 1762

– Mais uma? – perguntou Reynolds.

– Ela escreve para ele no mínimo duas vezes por semana – dizia Brimsley. – Por que está surpreso em me ver aqui entregando outra carta?

– Geralmente nos encontramos no parque.

– A rainha não recebeu resposta para as cartas que entreguei a você no parque. Por isso achei prudente vir diretamente a Kew.

– Brimsley. – Reynolds suspirou. Passou os dedos no cabelo. – Por favor.

– O quê?

– É que...

Mas Reynolds não terminou a frase. Nunca terminava as frases que envolviam o rei.

– A rainha está sofrendo – disse Brimsley.

Sua voz era incisiva, num tom que ele nunca empregara com Reynolds.

– Você sabe que não posso – disse Reynolds. – Meu dever...

– *Ela está sofrendo* – insistiu Brimsley.

– Não posso... Não tenho meios de...

– Por mais que eu adorasse ficar aqui e ajudá-lo a encontrar as palavras, tenho minhas obrigações a cumprir. Entregue a carta a Sua Majestade.

Brimsley entregou o envelope e se virou para embora.

– Espere! – chamou Reynolds.

Brimsley se virou.

– Quero que saiba que... eu as entrego – disse Reynolds, vacilante. – Entrego todas. Pessoalmente.

– E ele está lendo?

Reynolds engoliu em seco.

– Não sei. Não tenho como saber.

Brimsley tinha fortes desconfianças de que aquilo equivalia a uma resposta negativa.

– Talvez haja algo que possamos fazer para reconciliá-los. Com certeza seria o melhor.

Reynolds parecia hesitante, quase em sofrimento.

– Limpei todas as paredes – continuou Brimsley. – Não há mais vestígios daquela noite. E podemos cercar o jardim. Se Sua Majestade desejar tomar um banho de lua sem suas vestimentas, podemos instalar uma tela.

– Uma tela? – repetiu Reynolds, incrédulo. – Acredita mesmo que tudo pode ser resolvido com uma tela?

– Há algo mais – disse Brimsley. – Sua Majestade... Nunca a vi nesse estado. Estou preocupado, Reynolds. Temo que esteja à beira de um colapso. Não seria melhor que ela se consultasse de novo com aquele homem? O médico do rei? Pela saúde de sua mente, desta vez.

– De maneira alguma – disse Reynolds, com urgência.

– Reynolds, escute...

– *Eu disse que não!* – E dessa vez foi um verdadeiro rosnado.

Brimsley sentiu o rosto ficar quente.

– Você não me dá nada. Não me diz nada além de mentiras. Peço ajuda e você se recusa a me tratar como um parceiro ou como um igual.

– Eu não posso ajudá-lo! – vociferou Reynolds.

Ou foi um uivo?

Uma combinação das duas coisas.

Ele arrebatou a carta da mão de Brimsley antes de se dirigir à porta da mansão.

Brimsley balançou a cabeça e se dirigiu à carruagem.

– Espere! – Reynolds chamou novamente.

Brimsley se virou.

– Diga a ela que... Diga que ele sente falta dela.

– E é verdade?

– É verdade. Tenho certeza disso.

– Ele *disse* isso?

Reynolds não respondeu.

Então a resposta era negativa.

Brimsley ficou com isso na cabeça durante todo o trajeto de volta à Casa Buckingham, mais tarde.

– Alguma notícia? – perguntou a rainha ao vê-lo chegar.

Estava a caminho de posar para um retrato, vestida com as roupas do casamento. Era dolorosamente irônico.

– Lamento dizer que não, Majestade.

– Tem certeza de que ele está recebendo as cartas?

Brimsley tinha certeza de que o rei *não* as estava recebendo. Ou, no mínimo, que não as lia. Para não mentir, disse:

– Eu as entrego, Majestade.

A rainha franziu a testa e espiou o corredor.

– *Ela* ainda está aqui? – perguntou, referindo-se à princesa Augusta. – Não despencou da escada, não se engasgou com um pedaço de carne?

– Lamento informar que ela permanece viva e em boas condições de saúde, Vossa Majestade.

A rainha gemeu.

– Está na hora do seu retrato, Majestade – lembrou Brimsley.

Ela voltou a gemer, embora não tão alto quanto antes.

– É tão entediante...

– Mas é uma parte indispensável da vida da realeza, Majestade. Uma rainha deve ser lembrada por muitas eras.

– É estranho, não é? Minha imagem ficará nestas paredes por séculos. E a sua, não.

Ela não teve a intenção de ser indelicada. Brimsley sabia. Era simplesmente a rainha. Era diferente.

– Você também deve ser lembrado de algum modo. Talvez todos nós mereçamos.

– Isso seria quase revolucionário, Vossa Majestade.

– Não seria? – Ela deu um sorriso sem graça. – Deve ser porque me irrito demais com a estadia da princesa viúva.

– Como todos nós – murmurou Brimsley.

– Está ficando ousado, hein!

– Peço desculpas.

– Desculpas não são necessárias – respondeu a rainha, dirigindo-se ao salão onde vinha posando para o retrato real.

– Aí está você – gorjeou a princesa Augusta. – Por favor, volte à sua pose.

– Por aqui, Majestade – disse Brimsley, conduzindo-a ao lugar marcado. – Posso providenciar alguma coisa? Algo para beber?

– Ela não vai estar bebendo limonada no retrato – disse a princesa Augusta.

– Não preciso de nada, Brimsley, obrigada.

Brimsley voltou para seu lugar, num canto. Era pelo menos a quarta sessão de pintura para aquele retrato. Posar era chato de doer, mas ela estava magnífica. O cabelo tinha sido arrumado como uma nuvem para aparar a tiara nupcial, exatamente como usara no dia do casamento.

Como alguém podia não amá-la?

– Está terminando? – perguntou a rainha.

– Temo que eu não tenha chegado ainda à metade – respondeu o Sr. Ramsay.

– Não pode ser. Não sou uma mulher tão grande assim.

– Não, Vossa Majestade, mas...

Ele virou a tela. Brimsley deu um passo à frente para olhar melhor. A rainha Charlotte estava quase pronta, e era mesmo um excelente retrato. Mas ao lado dela... nada havia além de um imenso vazio no lugar onde deveria estar o rei.

– Precisamos do rei – disse o Sr. Ramsay, constrangido.

– Ele ainda não está disponível – falou a princesa Augusta.

– Mesmo assim, é um retrato de casamento – argumentou o artista. – Solicitado por Sua Majestade.

– Sim – disse a rainha com ênfase. – Sua Majestade solicitou um retrato de casamento.

– Sua Majestade é um marido muito atencioso – disse a princesa Augusta.

Os olhos de Brimsley foram de uma mulher para a outra. Conversas inteiras se desenrolavam nas entrelinhas. Diatribes. Guerras.

– Minha pele está clara demais – disse a rainha, de repente. E virou-se para o artista. – Pinte mais escura. Como realmente é.

– Vossa Majestade...

Brimsley quase sentiu pena do artista.

– Vamos ver – disse a princesa Augusta. Ela se levantou de seu posto no sofá e inspecionou o retrato ainda não terminado. – Não – disse com aquela sua voz estridente. – Pinte-a mais clara. Branca. Sua Majestade quer que ela brilhe.

A rainha e a princesa se encararam.

– Devo ser pintada como sou – disse a rainha Charlotte.

– Deve ser pintada como seus súditos desejam que seja – retrucou a princesa Augusta.

– Talvez seja melhor parar por hoje – interrompeu Brimsley, e se colocou entre as duas. – Vossa Majestade está cansada, não está?

Ela semicerrou os olhos, irritada.

– Eu estou...

– Cansada – completou ele, antes que ela pudesse dizer algo que ele lamentaria.

Ela não lamentaria, isso era certo. Mas ele, sim, porque precisaria lidar com as consequências.

– Vossa Majestade está esperando um filho – disse ele. – Merece tranquilidade e uma companhia repousante. – Ele lançou um olhar expressivo para o pintor. – E a melhor luz do dia já se foi, não é verdade?

– Hã... Sim – respondeu o Sr. Ramsay. – As nuvens. Apareceram tão depressa.

– Mas estamos dentro de casa – disse a princesa Augusta.

– Mesmo assim – disse o Sr. Ramsay.

– Outro dia, talvez – disse Brimsley. E se voltou para a rainha: – Vossa Majestade? Talvez prefira se deitar, não?

– Sim – respondeu ela.

Mas algo em seu tom de voz deixou Brimsley nervoso.

– Preciso escrever mais uma carta.

– Mais uma, Majestade?

Brimsley estava surpreso. Em geral, ela esperava pelo menos um dia.

– Eu me correspondo com outras pessoas além de meu marido – disse ela, saindo da sala.

Que outras pessoas?

– Que outras pessoas? – perguntou ele.

– Pare de me seguir.

– Sabe que não posso.

– Talvez eu só goste de repetir isso.

– Então continuarei a ter o prazer de ouvir.

Ela parou por um segundo, apenas para soltar um ruído alto de frustração. Brimsley esperou com paciência. Estava acostumado.

Charlotte se dirigiu para o quarto, mas parou na porta antes de entrar.

– Vai esperar aqui até que eu saia?

– Claro, Vossa Majestade.

– Ótimo. Então até algum momento.

E bateu a porta na cara dele.

Estava acostumado com isso também.

Palácio Kew
Hall de entrada
Mais tarde na mesma noite

– Você voltou – disse Reynolds.
– Voltei, mas não por um bom motivo.
– O que quer dizer?
Brimsley tentou ignorar a acidez que lhe queimava a garganta.
– Trouxe mais uma carta.
– Já?
– Não é para o rei.
– Então por que a trouxe para cá?
– Ela escreveu para o duque Adolphus.
A surpresa transpareceu claramente no rosto de Reynolds.
– O quê? O irmão da rainha? Na Alemanha? Para quê?
– Porque ela não pode ir embora da Inglaterra se não encontrar refúgio em outro país.
– O quê? – Reynolds se virou para um lado e para o outro. – Não. Ela não faria isso.
– Faria. Ela está muito infeliz, Reynolds. Eu tentei avisar você.
– E você tem certeza de que ela está pedindo...
– Tenho certeza.
Brimsley não estava orgulhoso de si mesmo, mas tinha usado gelo para congelar o lacre de forma a tirá-lo sem rompê-lo. Tinha lido a correspondência particular da rainha antes de lacrá-la de novo, com todo o cuidado.
– Ah – disse Reynolds.
– Ah. Ah? É só isso o que tem a dizer? Reynolds, eu li a correspondência particular da rainha. Tenho certeza de que é um crime passível de ser punido com a forca.
– Não contarei a ninguém.
– Eu *sei*. – Brimsley estava frustrado além dos limites. – Contei isso apenas para demonstrar até onde estou disposto a ir para protegê-la. Estou preocupado, Reynolds. E com muito medo.
Reynolds balançou a cabeça, o gesto inexpressivo e automático de uma pessoa que não tinha respostas.
– Me ajude – suplicou Brimsley. – Devo postá-la?

– Pergunta para mim?

– Sim, pergunto para você. O rei não ouve a mais ninguém. Isto é um... Ela quer *ir embora*.

Reynolds desviou o olhar para algum ponto distante e indeterminado no horizonte.

– Posso não mandá-la – disse Brimsley. – Devo deixar de mandá-la?

Reynolds engoliu em seco, pouco à vontade.

– A decisão é sua.

– Não. É nossa. Trabalhamos juntos. Você pode contar para Sua Majestade. Ele tomará uma atitude. Voltará para ela. Tudo será resolvido.

Brimsley esperou. Mas Reynolds continuou sem dizer nada.

– Devo deixar de mandá-la? – Brimsley voltou a perguntar.

Reynolds fechou os olhos. Parecia estar sofrendo.

– Não há nada que possa ser feito. Mande-a.

Brimsley praguejou. Amaldiçoou aquela situação insustentável. Amaldiçoou aquele homem que ele talvez amasse.

– Tudo corre perigo. E você guardando segredos.

– Não me cabe revelar segredos que não são meus – disse Reynolds.

E se afastou.

Brimsley concluiu que deveria se acostumar com aquilo também.

Charlotte

Casa Buckingham
Sala de recepção
22 de abril de 1762

Charlotte estava cansada de ler. Estava cansada de bordar. Estava cansada de mandar os criados prepararem cestas para os pobres. Estava cansada de tudo. Estava entediada e solitária e sua única diversão era imaginar novas maneiras de evitar a princesa Augusta. Jurava que a mulher era uma bruxa, porque, por Deus, ela aparecia em todos os lugares.

Pessoaameaçadorainescapável. Aquela seria sua nova palavra. George dissera que, como rainha, ela teria o direito de inventar todas as palavras que quisesse.

Superrebuliçomaterno. Havia certa elegância naquela.

Ou talvez devesse voltar para a boa e velha *Backpfeifengesicht*: Rosto pedindo um punho.

Pois bem. Era o máximo de diversão que ela desfrutava em semanas.

Brimsley entrou no aposento batendo de leve os calcanhares. Ela achava que ele vinha tentando agir de modo alemão para agradá-la. Era um tanto comovente.

– Vossa Majestade, o duque Adolphus Frederick IV, de Mecklenburg-Strelitz, chegou.

Seu irmão! Charlotte foi tomada por um profundo alívio. Ele finalmente havia chegado. Ela poderia ir para casa.

Adolphus entrou e fez uma reverência profunda e formal.

Charlotte lançou um olhar para Brimsley e perguntou:

– Onde está... ela?

Os dois sabiam que se referia a Augusta.

– Acredito que esteja com a modista.

Charlotte soltou um suspiro de alívio.

– Espere lá fora, Brimsley.

Ele não ficou feliz, mas obedeceu.

Adolphus voltou a saudá-la:

– Vossa Majestade.

Ela revirou os olhos.

– Levante-se. Está ridículo.

Ele deu um sorriso bobo.

– Também estou feliz por vê-la, irmã.

– Você não podia ter vindo mais depressa? – cobrou ela.

– *Mein Gott*, você nasceu para ser rainha.

Charlotte se levantou com esforço (tinha começado a se sentir um pouco desajeitada no próprio corpo) e foi para o lado dele. Sorriu para seu rosto amado e lhe deu um abraço.

– Deveria, mas foi uma travessia difícil – disse Adolphus. – Ainda não consigo segurar a comida.

– Temos isso em comum.

Ela então deu um passo para trás e arrumou o vestido, revelando a barriga.

– Vossa Majestade! – Adolphus ficou radiante. – Vou ser tio. Que notícia feliz!

– O único problema é que *eu* não estou feliz. – Ela agarrou a mão dele. – Quero ir para casa, Adolphus.

– Para casa? Que bobagem. Além do mais – ele apontou para o ambiente luxuoso ao redor –, este é o seu lar.

O tom era pomposo e condescendente. Nossa, como ela odiava os homens às vezes.

– Não ouse me acusar de desejos frívolos – retrucou Charlotte. – Você vai me levar para casa. Agora mesmo. E não pode se negar. Quando viemos para cá, você me disse que eu não poderia negar nada para o Império Britânico, e agora eu sou a rainha.

– Você está exaltada – disse Adolphus.

– Por favor, diga isso mais uma vez e mando cortar sua cabeça.

– Charlotte – começou ele, ainda mais condescendente –, dentro de você amadurece o fruto da Inglaterra. E até que este fruto esteja maduro, seu corpo não é nada além de...

– Não me chame de flor – alertou ela.

– ... uma árvore.

Uau, bem melhor.

– Você é uma árvore no pomar da Coroa. E na hora certa ela vai florescer...

– Sou uma árvore – repetiu Charlotte. Ia matá-lo.

– Quis dizer apenas que a criança que está dentro de você não é sua.

– É no meu corpo que ela está crescendo.

– Qual é o problema?

– *Qual é o problema*? Cuide você dela, então.

– Seu corpo não é seu – disse Adolphus com severidade. – Seria traição deixar o país neste momento. Rapto do príncipe. Talvez um ato de guerra.

– Só quero ir para casa. – Charlotte percebia as lágrimas que brotavam por trás de sua voz. Sabia que estava infeliz, mas não percebera todo o seu desespero até ver o rosto do irmão. – Quero estar em Schloss Mirow. Com minha família.

Estava se esforçando muito para não chorar.

Rainhas não choravam.

– Não faço mais parte da sua família – disse Adolphus.

Ele parecia lamentar a situação, mas não o suficiente para ajudá-la.

– Claro que não faz – resmungou ela. – Fui negociada como uma cabeça de gado. Você me *vendeu*.

– Charlotte...

– É verdade. Você me vendeu, e isso quer dizer que minha família deixou de ser minha.

– O rei George é sua família agora – disse Adolphus. – A não ser... – O rosto dele assumiu uma expressão de verdadeira preocupação. – Tem alguma coisa errada, Charlotte? Algo que você talvez não pudesse ter escrito na carta?

– Não – respondeu ela, depressa. Com um pouco de sorte, não depressa demais.

Mas ela não poderia revelar o segredo de George. Estava desesperadamente infeliz, mas não poderia traí-lo. O que estava acontecendo não era culpa dele.

Adolphus continuou a inquirir:

– Ele não anda machucando você, espero.

– Não, claro que não. Está tudo bem.

Devia tê-lo convencido, porque ele falou em seguida:

– É um alívio ouvir isso. Teria sido dificílimo assumir uma posição nesse caso. Eu teria assumido. Você é minha irmã. Mas mesmo assim.

Ela não estava certa se gostava do nível da ressalva em seu tom.

– O que está dizendo, Adolphus?

Ele reparou num prato de biscoitos sobre uma mesinha lateral e foi pegar um deles.

– Fiz uma negociação brilhante para o seu casamento. Consegui forjar uma aliança entre nossa província e a Grã-Bretanha.

– Uma aliança – repetiu Charlotte. – Foi por isso que você me despachou para essa gente?

– Foi vantajoso para todos. – Ele deu uma mordida. – Nossa, que delícia.

– Adolphus.

– Perdão. – Ele mastigou e engoliu. – Mas, Charlotte, estávamos correndo grande perigo. Graças a essa aliança, Mecklenburg-Strelitz agora é defendida pelo poder da Grã-Bretanha.

– Claro.

Ela já sabia isso. Mas era a primeira vez que o irmão o dizia explicitamente.

– Nossos destinos estão ligados – prosseguiu Adolphus, alheio à agitação da irmã. – Por isso, é ótimo que esteja feliz aqui.

Ela o encarou.

Ele sorriu, sem nem desconfiar do que se passava.

– Mas que importância teria se eu não estivesse feliz? – disse ela com um suspiro. – Meu corpo é dele, não é? Meu corpo pertence a este maldito país.

– Charl…

– Temos faisões tártaros – anunciou ela. E sorriu. Aquele sorriso belo, vazio, régio. – Gostaria de vê-los?

O rosto dele se iluminou.

– Seria maravilhoso. Mostre-me tudo. Que vida incrível você leva, irmã. Simplesmente gloriosa.

Realmente gloriosa.

Casa Buckingham
Sala de jantar
Mais tarde na mesma noite

Como sempre, era impossível evitar Augusta. Charlotte tinha expectativas de fazer uma refeição relativamente informal com o irmão, mas assim que a princesa viúva ouviu dizer que ele estava na residência, insistiu em jantar com eles.

– Quanta delicadeza sua fazer uma visita à sua irmã – disse Augusta. – Quando me casei, quase não vi mais minha família. Você tem sorte, Charlotte.

Charlotte fitou seu prato. *Sole meunière*. Com a ausência de George, era permitido comer peixe.

– Charlotte?

– Hummm?

Ela interrompeu sua divagação. O irmão a olhava com preocupação. Augusta também. Ou com algum sentimento que simulava uma expressão preocupada.

– Ela está exausta – disse Augusta. – Lembro-me bem de como era este período. Carregar o futuro rei não é fácil.

– Pode ser uma menina – murmurou Charlotte.

– E seria perfeitamente aceitável – disse Augusta. – Eu mesma tive uma filha antes do meu querido George. – Ela se virou para Adolphus. – Ela deverá se casar em breve. Estamos em negociação com a Casa de Brunswick.

– Minhas felicitações.

Charlotte suspirou.

– Onde se encontra o rei atual? – perguntou Adolphus. – Sua Majestade virá jantar conosco?

– Está ocupado – disse Augusta, passando o guardanapo delicadamente na boca. – Charlotte tem sido um grande apoio para ele.

Charlotte olhou para a janela: poderia atravessá-la. Teria que abri-la primeiro, claro. Não era tão louca assim. Mas poderia atravessá-la e simplesmente ir embora.

– *Vossa Majestade?* – chamou Augusta, incisiva.

Charlotte despertou.

– Sinto muito.

– Estávamos falando sobre o apoio que oferece a Sua Majestade.

– Ah. Sim, claro. – Ela conseguiu dar um sorrisinho. – Escrevo cartas para ele.

– Cartas? – perguntou Adolphus.

– Ele se encontra em Kew – respondeu Charlotte.

Ela levou um pedaço do linguado até a boca, mas mudou de ideia. Cheirava demais a peixe para seu nariz de grávida. Não era uma ironia refinadíssima? Finalmente tinha peixe à mesa e não conseguia comê-lo.

– Kew? – repetiu Adolphus, sem entender.

– É a outra propriedade de Sua Majestade em Londres – Augusta apressou-se a dizer, e lançou um olhar significativo para Charlotte.

Charlotte fechou os olhos. Estava cansada.

– Fica perto daqui? – perguntou Adolphus.

– Ah, sim – respondeu Augusta. – Muito perto. É onde ele gosta de conduzir seus experimentos científicos. Sua Majestade tem um observatório.

– É – disse Charlotte, obediente. – É um observatório magnífico, ímpar. O único na Inglaterra.

– George tem uma mente brilhante – prosseguiu Augusta. – É verdadeiramente uma das maiores de nossa geração. Ele precisa permanecer livre de interrupções enquanto faz seu trabalho.

Adolphus olhou para Charlotte. Ela assentiu e voltou a olhar para a janela. O que diriam se ela se levantasse e fosse até lá? O que fariam?

Será que conseguiria abri-la? Ela nunca tinha visto aquela janela aberta. Devia estar empenada.

Uma porta seria melhor. Não seria uma saída tão dramática, mas existe mérito na simplicidade e na facilidade. Será que alguém a deteria se levantasse da mesa e saísse? Se continuasse andando e andando sem parar?

Tirou o peixe intacto do garfo. Cortou uma batatinha assada ao meio. Não estava com muita fome, mas precisava comer algo, no mínimo para que Augusta não a importunasse mais tarde.

A mãe do rei tinha muitas opiniões sobre a melhor maneira de gestar o futuro monarca.

Por isso Charlotte comeu a batata.

E não pulou a janela nem atravessou a porta, por mais vontade que tivesse.

Mais tarde naquela noite, quando estavam no salão ouvindo música, Augusta se inclinou e disse de um modo que apenas Charlotte ouvisse:

– Minha querida, a parte difícil já passou. Você cumpriu o seu dever. Concebeu um herdeiro. Agora está livre.

Charlotte não se sentia livre, mas de que adiantaria dizer isso?

– Quanto a meu filho – prosseguiu Augusta –, você nem precisa voltar a vê-lo se for o que deseja. Quer dizer, pelo menos não até precisarmos de mais um herdeiro.

Charlotte deu um minúsculo sorriso tenso.

– Vou me recolher – disse ela.

– Claro – disse Augusta. Ela bateu de leve no braço de Charlotte. – Está cansada. Precisa de seu repouso.

Mas Charlotte estava mais do que cansada. Era algo diferente. Era mais do que a necessidade de dormir. Queria se deitar não pela necessidade de repousar, mas porque simplesmente não conseguia se obrigar a andar, falar, sorrir e fazer tudo o que esperavam dela.

Queria só ficar deitada.

Fechar os olhos.

Desaparecer.

Casa Buckingham
Jardins do palácio
Três dias depois

Desde que as condições climáticas permitissem, Charlotte se obrigava a sair todos os dias por no mínimo uma hora. A sensação do ar frio na pele era boa. Às vezes, parecia ser a única coisa capaz de lembrá-la de que estava viva.

Seu cérebro parecia embotado. Não vinha usando sua mente e vivia cansada o tempo todo. No entanto, o pouquinho da força de vontade que ainda lhe restava a mantinha ereta e a obrigava a vestir a capa e a tomar o ar invernal.

Ou talvez fosse apenas o espartilho que a mantinha ereta. Era difícil saber.

Como sempre, ela se pegou perambulando perto dos canteiros do rei. Não havia nada digno de nota por ali, apenas algumas trepadeiras ressecadas e folhas em decomposição.

– Será que devemos replantar para ano que vem? – perguntou Brimsley.

– Não. Deixe morrer.

Não era correto oferecer esperança nem para plantas.

– Vossa Majestade...

Ela olhou para Brimsley. Os olhos dele transmitiam preocupação. E tristeza. Charlotte tentou sorrir. Ele realmente se preocupava, e ela nunca manifestara a devida gratidão.

– Vossa Majestade não pode ir embora.

– Sei disso.

Ela não deveria ter escrito para Adolphus. No fundo, sabia que não poderia ir a lugar algum.

– Da *Inglaterra* – acrescentou ele. Ajeitou a gravata, soltando-a como se, de repente, tivesse ficado apertada demais. – Não pode deixar a Inglaterra.

Ela o olhou com atenção. Tinha ouvido direito? Ele a estava aconselhando a deixar o palácio?

– Você não poderia vir comigo – lembrou ela.

– Preciso permanecer a seu...

– Não – interrompeu ela. – Você será responsabilizado se me acompanhar. Precisa ficar aqui.

– Mas...

– Não permitirei que seja punido por minha causa. Você já fez... – Ela engoliu em seco. Brimsley tinha sido seu único apoio desde que chegara à Inglaterra. Era a única pessoa que sempre se mantivera a seu lado. – Você não pode ser responsabilizado.

– Sabe para onde ir? – perguntou ele. Na verdade, era uma afirmação.

Os dois sabiam para onde ela iria.

Residência Danbury
Sala de visitas
Uma hora depois

– Vossa Majestade, a que devo o prazer?

Charlotte atravessou o aposento e sentou-se na cadeira indicada por lady Danbury.

– Vim oferecer minhas condolências oficiais, é claro. Meus sentimentos. Minhas preces.

Agatha era gentil demais para indicar que já haviam se passado vários meses desde a morte do marido. E Charlotte contava com sua polidez.

– É muita gentileza – disse Agatha. – Mas Vossa Majestade deveria se poupar. Repousar em seu lar. É um momento crítico.

Os lábios de Charlotte começaram a tremer. Nada de lágrimas. Não poderia haver lágrimas. Ela era a rainha. Não chorava.

– Majestade? – Agatha tomou sua mão. – Charlotte?

– Lar – repetiu Charlotte. – Aquele lugar não é um lar. Saí de lá e nunca mais voltarei.

Agatha ficou claramente horrorizada.

– Mas para onde irá, Vossa Majestade?

Charlotte fungou alto.

– Ora, estou aqui.

Agatha ficou paralisada por um tempo. Um bom tempo.

– Aqui, Majestade?

– Com certeza há um quarto de hóspedes.

– Sim, claro, mas...

– Não serei um transtorno.

– Seria uma honra hospedá-la, mas...

– Obrigada – disse Charlotte. Com grande emoção.

Agatha se levantou.

– Poderia me dar licença por um momento? – Ela correu até a porta. – Vai ficar bem na minha ausência?

– Claro – respondeu Charlotte.

– Vou providenciar biscoitos.

– Seria ótimo.

– Hã... Chá?

– Sim, obrigada.

Agatha assentiu de novo. Parecia um tanto alvoroçada, para dizer a verdade. Depois fechou a porta.

Charlotte suspirou e deixou-se escorregar na cadeira. Estava muito feliz. Ali ela ficaria confortável.

Bem melhor do que na Casa Buckingham.

AGATHA

Casa Danbury
Do lado de fora da sala de visitas
25 de abril de 1762

Precisava se livrar da rainha.

E depressa.

Para ontem, se possível.

Agatha fechou as portas duplas com muito cuidado. O séquito de guardas reais que acompanhavam a rainha fazia o hall de entrada parecer ao mesmo tempo menor e mais grandioso. Eles ocupavam muito espaço, mas as fardas em tom vermelho vivo eram indubitavelmente régias.

Coral vinha correndo em sua direção, com dezenas de perguntas nos olhos. Agatha pôs um dedo nos lábios, exigindo silêncio, e apontou com a cabeça para um canto onde ninguém as ouviria.

– Sua Majestade pretende ficar – sussurrou Agatha.

– Ficar? – exultou Coral. – Que honra!

– Não, não é uma honra – retrucou Agatha. – É aterrorizante. Ela espera um filho. Um filho real. O futuro do Império Britânico se encontra, literalmente, em seu ventre. Não posso ser responsável por ela.

– Nem por uma tarde?

– Ela não pretende ficar uma tarde! Quer estabelecer residência em um de nossos quartos de hóspede.

– Ooooh! – Coral estava encantada.

– Pare com isso. Agora.

Agatha lhe lançou um olhar severo. Severo e petrificado. Severo e petrificado e apavorado.

– Isso não pode acontecer. Está me entendendo? Eu estaria abrigando...

– Uma rainha? – completou Coral, muito solícita.

– Ela está me pedindo para cometer traição, Coral.

– Minha nossa. – Coral franziu a testa. – Tem certeza?

– Sim, tenho certeza.

Não, não tinha certeza. Mas tinha certeza de que traição podia ser qualquer coisa que o palácio decidisse que era. E abrigar a rainha em oposição aos desejos da Corte não seria visto com bons olhos.

– O que precisa que eu faça? – perguntou Coral.

– Mande um mensageiro à Casa Buckingham. *Agora*.

Coral foi às pressas buscar um criado.

Agatha olhou para as portas do salão com receio. O que deveria fazer? Voltar lá para dentro? Esperar do lado de fora? Tinha dito à rainha que mandaria chá e biscoitos, mas já havia despachado Coral e não ousava sair dali para ir até a cozinheira.

Pegou uma cadeira e a fincou bem na frente das portas do salão. Sorriu para os guardas. Sentou-se.

Cruzou os braços.

Não arredaria o pé dali.

O destino de uma nação dependia disso.

Vinte minutos depois, Brimsley chegou com um belo homem de pele negra, que foi apresentado a ela como irmão da rainha, o duque Adolphus de Mecklenburg-Strelitz.

– Ela está no salão – disse Agatha, sem saber a quem dirigir a palavra.

Os dois avançaram.

Ela ergueu a mão.

– Talvez seja melhor que eu anuncie a chegada dos senhores. Para preparar o terreno.

Ela se levantou, moveu a cadeira para o lado e entrou com cautela no salão. Fechou a porta.

– Não ia pedir chá? – perguntou a rainha.

Estava largada no canapé em uma posição que só outra mulher com a experiência de uma gravidez poderia compreender.

– Queira me perdoar. Acabei esquecendo. Mas devo informá-la de que seu criado, Brimsley, está aqui.

– Ele é mesmo bom no que faz – resmungou a rainha.

– Seu irmão também.

– Não vou recebê-los – declarou a rainha.

Agatha pigarreou, pensando qual seria a melhor forma de falar.

– Vossa Majestade, não tenho a pretensão de conhecer os problemas que a aguardam lá fora. No entanto, sei que eles não serão resolvidos aqui dentro.

– Não serão resolvidos em parte alguma – retrucou Charlotte.

Agatha soltou um suspiro trêmulo.

– Gostaria de me contar o que a preocupa?

– Gostaria muito. Mas não posso. Não posso contar a ninguém. Só o que posso dizer é que todos em seu país mentiram para mim e me traíram, menos você. Você é minha única amiga.

Não. Agatha não vinha agindo como amiga de Charlotte. Tinha vendido seus segredos à princesa Augusta em troca daquela casa, da admissão de lorde Danbury no White's e, agora, possivelmente, pelo direito de seu filho herdar o título de lorde.

Tinha traído Charlotte de todas as maneiras possíveis.

– Vossa Majestade, não sou sua amiga – disse Agatha, sentando-se na frente dela. – Mas quero ser. Neste momento, porém, sou apenas sua súdita. E venho agindo como súdita. Sem levar em consideração seus sentimentos. Transformei-a numa coroa, não permitindo que mantivesse sua humanidade. E sinto muito por isso.

Não sabia se contaria para Charlotte o que havia feito. Não sabia se uma sinceridade retroativa faria algum bem. Mas jurou a si mesma que agiria melhor dali para a frente.

– Para sermos amigas, precisamos recomeçar do zero – disse Agatha. – Porque também preciso muito de uma amiga.

Charlotte olhou fixamente para ela. Por muito tempo. Até que, por fim, numa voz de garota e não de rainha, disse:

– Você vai ser minha amiga?

Agatha assentiu com gratidão.

– Serei sua amiga.

Charlotte tomou sua mão e a apertou.

– Esta não é a vida que eu quis para mim.

– Posso ver que está profundamente infeliz.

– O que me aconselha a fazer?

Agatha escolheu as palavras com cuidado.
– Não posso aconselhá-la a menos que compreenda a situação.
A boca de Charlotte estremeceu. Mas o olhar permaneceu firme quando ela falou:
– Posso contar com sua discrição?
– Pode – jurou Agatha.
– O rei... Ele é... Ele está...
Uma centena de coisas passou pela cabeça de Agatha num segundo. Nenhuma delas foi o que Charlotte finalmente disse.
– Ele está doente.
– O quê? – disse Agatha, espantada. – Ele está morrendo?
– Não – garantiu Charlotte. – Não é isso. É uma doença da... da cabeça.
Agatha arregalou os olhos. Não conseguiu sequer dar uma resposta.
– Não o tempo todo – acrescentou Charlotte rapidamente. – Na maior parte do tempo... ou pelo menos na maior parte do tempo que o vi... ele é perfeitamente são. Mas uma vez... – Ela mordeu o lábio e não terminou a frase. – Foi assustador.
Agatha inclinou-se para a frente.
– Preciso perguntar: ele a machucou?
– Não.
Agatha agradeceu aos céus por ela ter respondido com tanta ênfase, sem a menor hesitação.
– Não – repetiu Charlotte. – E acho que ele jamais faria isso. Mas quando ele estava... *daquele* jeito... ele não me reconhecia. Acho que não reconhecia nem a si mesmo.
– E ninguém lhe contou nada antes do seu casamento – deduziu Agatha.
– Não. Foi por isso que me escolheram – disse Charlotte, a voz vacilante, indicando o próprio rosto, sua linda pele marrom. – Acharam que eu ficaria tão grata pela posição que ignoraria as peculiaridades dele.
– *Peculiaridades?*
Charlotte deu um suspiro lúgubre.
– É como a princesa Augusta gosta de chamar. Não parece descrever a realidade.
– Bem, eu... Não sei bem o que...
Agatha tinha muitas dúvidas, mas como insistir para obter detalhes? Provavelmente a mera pergunta seria traição.

– Só vi uma vez – disse Charlotte. – Estava dormindo, acordei e o encontrei falando disparates sobre as estrelas, o céu e não sei o que mais.

Agatha apertou a mão dela. Estava sem palavras. Um gesto precisava bastar.

– Ele estava escrevendo nas paredes – continuou Charlotte. – E repetindo números. Acho que tentava resolver alguma equação matemática, e aí... ele... – Ela ergueu os olhos, em súplica. – *Promete*? Promete que não vai contar nada a ninguém?

– Juro pela vida dos meus filhos.

– Ele saiu correndo da casa e arrancou as roupas.

Agatha soltou uma exclamação de surpresa. Não conseguiu se conter.

– Começou a gritar com o céu. Achou que eu fosse Vênus.

– Meu Deus – sussurrou Agatha. – Quem testemunhou isso?

– Brimsley, embora apenas uma parte do incidente. E Reynolds, o criado pessoal do rei. Acho que ele sabe mais do que qualquer pessoa.

– E o que vocês fizeram?

Charlotte deu de ombros tristemente.

– Nós o levamos de volta para dentro de casa, Reynolds e eu, o lavamos e o botamos na cama. Estava muito cansado. Adormeceu no mesmo instante. E no dia seguinte...

Agatha se aproximou ainda mais.

– ... ele tinha ido embora.

– Embora?

– Sim. Para Kew. E não o vejo desde então.

Agatha tentou absorver todas aquelas informações.

– Faz quanto tempo?

– Mais de quatro meses.

– O quê? – Agatha *não* esperava aquilo.

– Ele está em Kew desde então. Eu permaneço na Casa Buckingham. Sozinha. – Charlotte deu uma risada amarga. – Quer dizer, tão sozinha quanto é possível ficar com um exército de criados. E a princesa Augusta. *Mein Gott*, aquela mulher está em toda parte.

Agatha assentiu. Já tinha visitado o palácio. Estava claro que a rainha realmente não tinha privacidade.

– O rei está recebendo tratamento? – perguntou.

– Sim, ele tem um médico. Eu o encontrei uma vez. Não gostei dele. Não sei bem por quê. Foi só uma impressão.

– Ele está melhorando?

Charlotte deu de ombros, impotente.

– Não sei. Ninguém me diz nada. Escrevo cartas para ele, mas não recebo resposta. Só posso presumir que ele não está melhorando. Com certeza alguém me diria se estivesse melhor.

Agatha se recostou, levando um momento para se acalmar. O que a rainha acabara de dizer... tinha o potencial de derrubar a monarquia. O governo. Todo o estilo de vida dele.

– Quem sabe disso? – perguntou ela.

– A mãe dele, claro.

Claro, pensou Agatha com acidez.

– E lorde Bute. E o conde Harcourt. Mas acho que os três não estão cientes da gravidade de sua condição. Eles não o viram naquela noite.

– Charlotte... Posso chamá-la de Charlotte?

Ela havia usado seu nome antes, mas achou melhor perguntar dessa vez. Charlotte assentiu.

– O que *você* quer? – perguntou Agatha.

Charlotte tinha um olhar vazio. Como se nunca houvesse lhe ocorrido que sua opinião tinha importância. Que tinha alguma voz na situação.

– Ninguém nunca me fez essa pergunta.

– Você quer ir embora? – perguntou Agatha. – Porque isso você não pode fazer. Sabe disso. Mas nem é o que deseja, é?

– Não. Nem sei direito por que vim para cá hoje. É só que...

Agatha teve a impressão de que só agora ela estava realmente refletindo sobre a pergunta.

– Há coisas que você *não pode* fazer – disse Agatha. – Você não pode ir embora do país. Não pode se divorciar do rei. Mas pode, se quiser, viver longe dele. Não aqui – acrescentou depressa.

– É o que venho fazendo. Ele está em Kew, e eu, em Buckingham.

– Mas é o que você quer?

Agatha tinha estado com o rei apenas duas vezes. A primeira, no dia do casamento real, quando trocaram umas poucas palavras, e depois no baile Danbury, onde ele tinha transformado o mundo inteiro ao tirá-la para dançar. Era impossível julgar alguém com base em dois encontros, mas Agatha sentia lá no fundo que ele era um homem bom, um homem decente.

E, claramente, muito perturbado também.

– Charlotte – ela segurou as mãos da jovem –, que tipo de homem é o rei? Fale-me dele. Conte-me quem ele realmente é. Quando é... ele mesmo.

Os lábios de Charlotte abriram um sorriso trêmulo.

– Ele é engraçado. E é bondoso. E muito inteligente. Eu não esperava que... Sei que muita gente acredita que todos na realeza são uns grandes idiotas que já nasceram moldados para seus papéis, mas ele é realmente inteligente. Tem um telescópio gigante. Você já viu um telescópio? Não, claro que não. Ele tem o único de toda a Bretanha.

Agatha a observou com atenção. Charlotte parecia outra pessoa quando falava do marido. Quando falava dele como um homem, não como o rei.

– Ele me enxerga – prosseguiu Charlotte. – Me *enxerga*. Quem eu sou, não apenas o que represento ou o bebê que carrego. Pede minha opinião. Sabia que antes da cerimônia de casamento ele me disse que eu poderia ir embora se quisesse? Estávamos lá, com meu irmão e... Ah, *Himmel*. – Ela olhou para a porta. – Ele ainda está lá fora?

– Ele pode esperar – disse Agatha.

Aquilo era bem mais importante.

– Tentei fugir logo antes do casamento – disse Charlotte, um brilho travesso iluminando seu olhar.

– Eu sabia!

– O quê? Como?

– Eu a vi. No balcão. E estava tudo demorando tanto... Sabia que havia algo errado. – Agatha estava adorando. Aquilo tinha se transformado numa maravilhosa conversa de mulher para mulher. Estava claro que as duas precisavam desesperadamente de uma conexão como aquela. – Esqueça isso. Conte-me o que aconteceu.

– Tentei pular o muro do jardim.

– Mentira!

– Pois foi. Quer dizer, eu tentei. Não consegui. Aí George apareceu, e eu não sabia quem ele era e pedi que me ajudasse a pular o muro.

Agatha caiu na gargalhada.

– Juro! – exclamou Charlotte.

Alguém bateu à porta.

– Está tudo bem aí? – perguntou a voz com sotaque alemão do irmão de Charlotte.

– Só um momento – disse Agatha a Charlotte, e correu para a porta.

Ela pôs apenas a cabeça para fora.

– Precisamos de um pouco mais de tempo – avisou aos dois homens.

– Não temos tempo – respondeu o duque Adolphus.

Agatha olhou impassível para ele.

– Por que não?

– Porque... – Ele olhou para Brimsley, que deu de ombros. – Suponho que temos tempo desde que ela volte para o palácio.

– Ela voltará – disse Agatha. – Mas, no momento, ela precisa de uma amiga.

Agatha bateu a porta na cara de um surpreso duque Adolphus e voltou para perto de Charlotte.

– O que aconteceu depois? – perguntou, curiosíssima.

– Conversamos, e ele foi encantador.

Agatha assentiu.

– Ele é bem encantador mesmo. Dançamos juntos, lembra?

– Claro. Bem, então Adolphus apareceu e ficou horrorizado.

Agatha riu.

– Imagino.

– Então George disse que eu estava decidindo se queria ou não me casar com ele. E Adolphus disse alguma coisa do tipo "Claro que ela vai se casar com o senhor", e George disse: "Não, ela ainda está se decidindo. É ela quem vai dizer."

Agatha achou que era a coisa mais romântica que já ouvira.

– Acho que eu talvez o ame – sussurrou Charlotte.

– Então precisa lutar por ele.

Charlotte ergueu o olhar para ela bruscamente.

– Eu disse isso a ele, uma vez. Pedi que lutasse *por mim*.

– Talvez ele esteja tentando – disse Agatha. – Do jeito dele.

O olhar de Charlotte ficou triste, meditativo.

– Nunca vou compreender o jeito dele. Ninguém compreende.

Agatha não fazia ideia do que dizer.

– Mas não perguntei nada a seu respeito – disse Charlotte, de repente. – Sei que já faz meses, mas você ainda está de luto depois de uma grande perda. E as crianças? Há algo que eu possa fazer?

Agatha entreabriu os lábios. Seu coração parou. Havia tanto que Charlotte poderia fazer... Bastava estalar os dedos e todos os problemas de Agatha desapareceriam. Dominic se tornaria lorde Danbury de verdade, um milhar de cabeça de gado seria transferido para as terras dos Danburys e de repente ela teria uma fonte de renda.

No entanto... Agatha não podia pedir isso. Não quando tinha jurado ser apenas uma amiga.

– Isto. Isto é tudo de que preciso – disse ela, com firmeza. – Um tempo com uma amiga. Ajuda muito.

– Excelente – disse Charlotte com aquele sorriso dela, tão singular. – Ah! Fiz perguntas ao médico real. Ele disse que tirar o bebê de dentro de mim deve ser rápido e indolor. Você, que tem filhos, me diga: dói?

– Ter um filho é a pior dor imaginável.

– Eu sabia. – Só então Charlotte pareceu se dar conta do que ouvira. – Espere. De verdade?

Agatha viu o mal-estar nos olhos dela e deu uma risadinha para disfarçar.

– Não. Dói só um pouquinho – mentiu. – E você mal vai se lembrar depois que passar.

– Ufa. – Charlotte suspirou. – Que bom.

– Não tem nada com que se preocupar – garantiu Agatha.

– Exceto por meu irmão lá fora e meu marido em Kew fazendo sabe-se lá Deus o quê com aquele médico.

Agatha pegou novamente as mãos de Charlotte.

– Somos mulheres. E os homens que controlam nosso destino não conseguem conceber que temos desejos e sonhos próprios. Se quisermos viver a vida que desejamos, precisamos fazer com que entendam isso. Nossa coragem, nossa força de vontade, provará isso a eles.

– Sim – disse Charlotte. Apenas isso. Apenas *sim*.

Então se levantou.

Agatha fez o mesmo.

– Nunca poderei agradecer publicamente o que você fez por mim hoje – disse Charlotte. – Sua ajuda. Mas, por favor, saiba que em meu coração serei sempre grata.

Agatha fez uma reverência humilde.

– Vossa Majestade.

Charlotte mandou que ela se levantasse.

– Neste momento, para você, apenas Charlotte.

Em seguida, foi até a porta e a abriu. No momento em que saiu para o corredor, ela se transformou. A postura, o semblante, até mesmo o olhar.

Deixara de ser Charlotte.

Era a rainha.

– Irmão! Quanta gentileza sua aparecer para me acompanhar.

Os nervos do duque estavam claramente em frangalhos.

– Charlotte, você não pode...

Ela o interrompeu erguendo a mão. Então se virou para Agatha.

– Por favor, agradeça a todos pela hospitalidade, lady Danbury.

– Certamente, Vossa Majestade.

Enquanto Agatha a observava dirigir-se à porta da casa, o duque Adolphus aproximou-se dela.

– Devo agradecer-lhe, lady Danbury. Por sua discrição e graça.

– Tudo por Sua Majestade – disse Agatha.

E falava sério.

Então Charlotte parou. Voltou para junto de Agatha e tomou sua mão. *Força*, ela parecia dizer com aquele gesto.

Agatha apertou-a. *Força.*

– Estou pronta – disse Charlotte.

Agatha os levou até a porta: Charlotte, acompanhada pelo irmão, com Brimsley cinco passos atrás.

– A maior responsabilidade de uma rainha não é para com seus caprichos, mas com seu povo – Agatha ouviu Adolphus dizer.

Pobre Charlotte. Já estava ouvindo um sermão.

– Desde tempos imemoriais, as rainhas enfrentam o mesmo fardo – prosseguiu ele –, e você não terá sorte pior que a delas. Com o tempo, passará a amar suas responsabilidades nobres. É um desenvolvimento natural para seu caráter nobre.

Charlotte parou de andar.

– Charlotte? – chamou o irmão.

Ela ficou ali parada. Agatha tentou não ficar de boca aberta, apreensiva com o que viria.

– Brimsley – chamou Charlotte.

Ele apareceu ao seu lado no mesmo segundo.

Charlotte virou-se para o irmão:

– Você vai precisar encontrar um meio de voltar para a Casa Buckingham. Talvez lady Danbury possa lhe emprestar sua carruagem.

– Do que está falando? Acabamos de resgatá-la. Para onde vai?

– Você me vendeu para ser a rainha da Inglaterra – disse Charlotte, com altivez. – Vou ocupar meu lugar: *serei* a rainha da Inglaterra.

Por fora, lady Agatha Danbury era a encarnação da graça e da compostura, pedindo ao lacaio, com toda a calma, que preparasse a carruagem para o duque alemão.

Mas por dentro... ah, como ela vibrava!

CHARLOTTE

Palácio Kew
Estrada de acesso
25 de abril de 1762

Charlotte mal havia pisado no chão e já se afastava apressadamente em direção à entrada do palácio. Hora de ser rainha.

– Onde está o rei? – exigiu saber ao entrar.

Reynolds veio correndo. Ela tentou lembrar a si mesma que ele era um homem bom, que prezava profundamente pelo bem-estar de George, mas no momento só conseguia vê-lo como um obstáculo enfurecedor.

Reynolds se curvou e disse:

– Sinto muito, Vossa Majestade, mas o rei não pode vê-la no momento.

– Bobagem. Leve-me até ele.

– Vossa Majestade, não há nada que eu gostaria mais do que...

– Ela precisa vê-lo – interrompeu Brimsley, incisivo. – É o direito da rainha.

Reynolds pareceu dividido.

– Eu gostaria de poder...

Mas naquele momento outro homem veio correndo, enxugando as mãos num trapo. Era o tal médico. Aquele de que Charlotte não gostava.

– Vossa Majestade – cumprimentou ele, num tom grave e autoritário. – Lamento o transtorno de fazer tal viagem em vão, mas temo que seja impossível ver o rei.

Charlotte se manteve firme.

– É perfeitamente possível. Quero vê-lo. Onde ele está?

– Não – disse o médico, com ar arrogante. – Vossa Majestade não quer isso.

Charlotte precisou se obrigar a manter a postura régia. O que ela realmente queria era pular no pescoço do sujeitinho.

– Não ouse me dizer o que quero, doutor. Agora me leve até o rei ou mandarei meus homens vasculharem o palácio inteiro.

A mandíbula do médico se retesou, e ele deu um pequeno passo adiante. Um movimento ínfimo, mas que deixou claro que sua intenção era bloquear a passagem da rainha.

Charlotte virou-se para Reynolds.

– Qual é o nome dele?

– Dr. Monro, Vossa Majestade.

– Dr. Monro, *eu sou sua rainha* – disse ela, pronunciando cada sílaba como se lapidasse um diamante.

Ele permaneceu imóvel.

Foi quando Reynolds se colocou entre os dois, dando as costas explicitamente para o médico.

– Venha comigo, Majestade. Eu a levarei até o rei.

– Não – protestou o Dr. Monro. – Não pode fazer isso. Meu trabalho... Estamos num ponto muito delicado.

Charlotte o ignorou.

Ela e Brimsley seguiram Reynolds pelo palácio, passando pelos gloriosos salões públicos, pelos confortáveis aposentos particulares. Seguiram por um grande corredor até chegarem a uma porta um tanto discreta. Monro foi atrás deles durante todo o caminho, o tempo todo despejando uma torrente de ameaças terríveis.

– Alguém cale a boca desse homem – resmungou Charlotte.

– Não abra essa porta! – urrou Monro, em fúria.

Charlotte a abriu com um empurrão.

E se viu adentrando o inferno.

Havia gaiolas em todas as superfícies. Algumas abertas, algumas com animaizinhos tristes presos lá dentro. Nenhuma em que coubesse um ser humano, graças a Deus, mas o que aquelas coisas estavam fazendo ali?

E sangue. Havia sangue. Não muito, mas vestígios aqui e ali, além de terríveis manchas amareladas no piso.

Havia cadeiras viradas, instrumentos metálicos grotescos espalhados. Chicotes. Correntes. E no meio de tudo, preso a uma monstruosa cadeira de ferro, estava George.

Ele gemia palavras incoerentes, a cabeça caída, mechas de cabelo suado grudadas na testa. Havia hematomas no corpo, marcas em vermelho vivo. E ele estava tão magro, uma magreza aflitiva.

– *Mein Gott* – murmurou Charlotte.

Ela jamais teria imaginado aquilo. Jamais.

Os assistentes do médico não a viram entrar, de tão concentrados que estavam no trabalho. Embora George estivesse completamente amarrado à cadeira, um deles ainda segurava seus ombros enquanto o outro aplicava um atiçador em brasa em sua pele.

George gritou em agonia.

Assim como Charlotte.

– Soltem-no – ordenou ela, mal conseguindo fazer as palavras saírem.

Os assistentes olharam para o médico, esperando confirmação.

– *Soltem o rei!* – rugiu ela.

Eles se apressaram em desfazer os nós nas mãos dele, enquanto Brimsley e Reynolds cuidaram das amarras nos pés. Pareceu levar uma eternidade. Charlotte olhou em volta à procura de uma faca. Seus olhos finalmente avistaram uma quando Brimsley desfazia o último nó e George finalmente se viu livre das amarras. Ele se levantou e correu para ela, soluçando, agarrando-se aos seus ombros.

– Todos para fora! – gritou Charlotte. – Já!

Monro e seus assistentes saíram correndo, mas Reynolds e Brimsley hesitaram.

– Tem certeza, Majestade? – perguntou Brimsley. – Ele está muito agitado. E é mais forte que a senhora.

– Tenho certeza.

Mas, enquanto ela respondia, George a empurrou contra a parede.

– Não, sim, George, agricultor – gemeu ele, e enfiou o rosto no pescoço dela, o que tornou seus balbucios incompreensíveis.

Brimsley correu para junto dela.

– Ele é forte demais, não posso deixá-la sozinha com ele.

– Está tudo bem, tudo bem. – Charlotte virou o pescoço de modo a olhar para Brimsley por cima do ombro de George. – Ele está só tentando escapar da maldita cadeira. Vão! Por favor.

Ele e Reynolds deixaram a sala. Charlotte esperava fortemente que permanecessem a cinco passos de distância.

– Ninguém ninguém. Não sou ninguém mas vou tentar. Vou tentar vou tentar. Eu vou. – Ele lhe agarrou os ombros, os olhos alucinados. – Vou tentar. Vou tentar. Só pare com isso. Vou tentar. Eu vou. Eu vou.

– George, pare – implorou Charlotte.

Aquilo não lembrava nem um pouco o episódio em que ele saíra correndo sob as estrelas. O que ela via agora era um homem em sofrimento. Completamente perdido, quase destroçado.

– Não – implorou ele. Balançava a cabeça cada vez mais depressa. E mais e mais. – Não, não. Eu faço, eu faço. Não fiz.

– George, olhe para mim, sou eu.

Os olhos dele percorreram todo o rosto de Charlotte.

– Vênus – tentou ela. – Vênus está aqui com você, George.

Mesmo assim ele não a reconheceu. Agarrava-se a ela, suplicava, mas não a reconhecia.

– Ah, dane-se Vênus – praguejou ela. – Sou eu, Charlotte. Sou eu e preciso que você volte a ser George. Preciso que tente.

Ela segurou o rosto dele nas mãos, tentando conter os tremores.

– Você é Apenas George e eu sou Apenas Charlotte. Volte para mim. Por favor, George. Volte.

Ele choramingou. As palavras saíram de sua boca num sussurro, mas ela não conseguia compreendê-las. Desesperada, pegou a mão dele e colocou-a em sua barriga.

– Está sentindo, George? Está chutando. Crescendo. *É nosso filho.*

Ele pareceu ficar mais tranquilo, o movimento incessante dos olhos aos poucos se suavizando.

– Sou eu, Charlotte – repetiu ela mais uma vez –, e este é nosso filho. Precisamos que você seja George. Senão nenhum de nós é ninguém.

Ele entrelaçou os dedos nos dela e ergueu os olhos.

– Charlotte – sussurrou. – Charlotte.

– Sim.

Ela assentiu, trêmula, e todas as lágrimas que havia jurado conter desceram por seu rosto.

– Estou com você – prometeu ela. – Estou aqui e nunca mais o deixarei.

– Eu só estava tentando ser bom – choramingou ele. – Estava só tentando ficar bem.

– Você vai ficar bem. Mas não assim.

George assentiu, mas em seus olhos ela enxergou uma criança assustada.

O que tinham feito com ele? Como ela havia permitido que aquilo acontecesse?

– Aquele médico nunca mais vai chegar perto de você. Eu prometo.

– Quero ficar bem. – Ele tocou no rosto dela, quase como se quisesse ter certeza de que Charlotte realmente estava ali. – Quero ficar bem por você.

– Você vai ficar bem – respondeu ela, sem saber se suas palavras eram verdadeiras.

Talvez ele fosse ficar doente daquele jeito para sempre. Ela não conseguia enxergar dentro de sua mente. Não poderia alcançá-la e curar o que a levara a se perder.

Mas nada poderia ser pior do que aquilo que o Dr. Monro havia feito. Charlotte talvez não fosse capaz de curar George, mas com certeza o deixaria em melhor estado.

– O que você gostaria de comer? – perguntou ela, tomando o cuidado de manter a voz sempre suave e gentil. – Está magro demais. Quer algo doce ou salgado?

– Os dois?

Ele deu um sorrisinho, e Charlotte vislumbrou a sombra do homem que ela tanto adorava.

– E um banho – acrescentou ela, tentando não afastar o rosto em aversão ao cheiro dele. – Vamos cuidar disso também.

– Obrigado.

Ela olhou o rosto dele com atenção. Ainda parecia vazio.

Assombrado.

Mas talvez, agora, com uma minúscula esperança.

Charlotte o puxou pela mão até a porta. Reynolds e Brimsley esperavam logo ali fora.

– Vossas Majestades – disseram os dois no mesmo instante.

– Reynolds, poderia ajudar o rei? – pediu Charlotte. – Ele precisa de um banho e de algo para comer enquanto providenciamos uma refeição completa.

– Qualquer coisa menos mingau – disse George a Reynolds, e os dois trocaram um olhar cúmplice.

Charlotte achou bonito aquele momento que acabara de testemunhar. Refletia amizade. Refletia humanidade.

– Estarei novamente com você daqui a pouco – disse ela. – Antes, tenho que resolver algumas questões importantes.

Ela esperou Reynolds levar George para só então falar com Brimsley:

– Venha. Precisamos dar um jeito nesse médico.

– Com prazer, Majestade.

Eles atravessaram de volta o palácio a passos firmes. Sem querer pegaram um caminho errado, mas por fim conseguiram localizar o Dr. Monro e seus assistentes: já estavam lá fora, na frente do palácio. O sol tinha começado a se pôr e a atmosfera ao redor tinha o brilho dourado de um futuro cheio de possibilidades.

– Você – disse Charlotte, ameaçadoramente, apontando para o médico. – Vá embora daqui e nunca mais volte.

O Dr. Monro se aproximou a passos seguros, a postura de um homem que ainda esperava ter sucesso em sua empreitada.

– Peço perdão se Sua Majestade...

– Não se aproxime! – rosnou Brimsley, colocando-se na frente da rainha.

O médico recuou um passo.

– Não esperávamos a visita de Vossa Majestade.

– Reparei – disse Charlotte.

– Compreenda: aquela não era a parte do tratamento que eu preferiria que Vossa Majestade tivesse visto.

– Há partes *bonitas* no tratamento? – perguntou Charlotte. – Quais seriam? Aquelas que deixam marcas? Ou os hematomas?

– Vossa Maj...

Mas ela não havia acabado.

– A parte em que o senhor o faz *passar fome*? – prosseguiu ela, a voz se tornando perigosamente instável.

Monro uniu as mãos, quase como um sacerdote.

– Vossa Majestade precisa compreender. Embora perturbadores, meus métodos são comprovados. Desejo a sanidade do rei com tanto fervor quanto Vossa Majestade.

– Eu não me importo com a sanidade dele – retorquiu Charlotte. – Eu me importo com sua felicidade. Com sua alma. Que seja louco, se é da loucura que precisa.

– Está errada – disse o médico.

– Cuidado com suas palavras – alertou Brimsley.

Charlotte apontou o dedo para o médico.

– Você. Está. Acabado. – Então se virou para os guardas, os mesmos que a haviam acompanhado até ali. – Levem-no daqui.

– Isto é um erro! – gritou o Dr. Monro. – Um erro que vai destruí-lo!

Charlotte virou-se bruscamente para encará-lo, furiosa.

– Agradeça aos céus por eu não estar ordenando a *sua* destruição.

Charlotte ficou observando enquanto os guardas o arrastavam para fora da propriedade. Encontrou prazer no espetáculo. E, quando já não podia mais ouvi-lo uivando em fúria, disse a Brimsley:

– Preciso que embalem todos os meus pertences. Tudo. Vamos nos instalar em Kew.

Palácio Kew
Observatório
Uma hora depois

Charlotte pensou que fosse encontrar George em seus aposentos, mas até que fazia sentido que ele tivesse se dirigido ao observatório com Reynolds. Era onde se sentia mais feliz.

Ele estava sentado à mesa, recém-banhado e vestido, comendo avidamente o banquete que lhe fora servido. Cordeiro (claro), pãezinhos quentes, as batatas ao molho gratinadas que ele adorava. Kew também tinha uma *orangerie*, e várias laranjas tinham sido descascadas e cortadas em gomos para serem saboreadas por ele.

– Uma refeição quente e um banho devem ser um bálsamo – disse Charlotte. – Você parece melhor.

Ele a olhou fixamente, o garfo pairando entre o prato e a boca.

– Sente-se melhor? – perguntou ela.

George baixou o garfo devagar.

– Você não deveria ter vindo.

Ela engoliu em seco. Deveria ter imaginado que não seria fácil. Mas manteve o sorriso ligeiro e alegre.

– Venho com a maior alegria.

– Não. Foi um erro.

– Sinto muito, meu amor. – Ela começou a andar em sua direção, mas a expressão dura dele a fez parar. Mesmo assim, ela disse: – Eu deveria ter vindo antes. Mas não tema. Ficarei ao seu lado e...

– Não, Charlotte. – Ele ergueu a voz. Ela não sabia onde ele havia encontrado energia para isso, mas ele se levantou e disse com clareza: – Escute o que digo. Você não deveria ter vindo. Não a quero aqui.

Ela não acreditava. Recusava-se a acreditar.

– Volte para Buckingham. Por favor.

Charlotte nada falou. Ele estava errado. Ela sabia disso, só precisava fazer com que ele também compreendesse. Foi se aproximando devagar.

– Está me ouvindo? Falei para voltar a Buckingham. É lá que você mora. É seu lugar. – Ele ergueu o braço, trêmulo, apontando para a porta. – Vá embora!

Mas ela não obedeceu.

Ele atravessou o aposento até alcançá-la e gritou:

– Não a quero. Não quero vê-la nunca mais. Saia! *Vá embora!*

– Não.

O corpo inteiro dele estremecia.

– Eu ordeno!

– Não. Não, George.

– Charlotte...

Ela permaneceu firme.

– Você não pode me obrigar a ir embora. Eu não irei.

– Eu ordeno. Vá!

Por fim, ela gritou também:

– Vou ficar aqui! *Eu* ordeno!

George ficou em silêncio, atordoado, encarando-a enquanto ela se aproximava.

– Por favor, Charlotte. – A voz dele tinha ficado mais baixa e parecia a ponto de falhar. – Por favor, vá embora.

– Não.

– Charlotte, você não ouviu o que eu disse?

– Ouvi. Ouvi que você preferia que eu não tivesse vindo, que quer que eu vá embora, que não quer me ver.

– Então escute – implorou ele.

– O que não ouvi é que você não me ama.

Ele ficou imóvel.

– Venho sofrendo sozinha, acreditando que sou um fracasso como esposa e como rainha, porque você insiste em me manter longe como se eu fosse uma doença contagiosa. Então hoje me ocorreu, de súbito, que talvez existisse um outro motivo. Um motivo mais nobre. Talvez você me queira longe por se importar comigo. Talvez você me mantenha longe por me amar.

Ela se aproximou mais.

– Você me ama, George?

– Estou tentando protegê-la.

– Você me ama?

Ele balançou a cabeça.

– Não posso... Não podemos... Esta conversa não é...

Charlotte o observava com as sobrancelhas erguidas.

– Não posso fazer isso – disse ele.

Ela não toleraria aquilo.

– Você me ama?

– Nunca pretendi me casar – disse ele, balançando a cabeça. – Nunca quis...

– Você me ama?

Ela foi implacável. Precisava ser.

– Pare, Charlotte, eu lhe peço, por favor!

Mas o rosto dele era o próprio retrato de um coração partido. Talvez seu coração tivesse se partido tanto para que ela pudesse juntar os pedaços.

– É porque não acredita que eu possa amá-lo? Porque eu te amo. Eu te amo, George. Amo tanto que farei como quiser.

Ele abriu a boca para falar, mas ela ergueu a mão e disse:

– *Se* você não me amar.

Ela sentiu uma súbita necessidade de se mexer, de balançar o bebê que crescia em seu corpo, por isso foi até a janela e olhou para fora.

– Basta você dizer que não me ama e irei embora. – Ela se virou, e seus olhos encontraram os dele com uma clareza inabalável. – Voltarei para a Casa Buckingham e podemos levar vidas separadas. Terei este bebê sozinha, me contentarei, preencherei meus dias e sobreviverei a tudo sozinha. Eu o farei. Mas primeiro você precisa dizer que não me ama. – E acrescentou: – Precisa me dizer que estou completamente sozinha neste mundo.

Os olhos de George procuraram os dela. Havia uma tensão dolorosa em seu corpo, como se ele estivesse com medo de se partir em pedaços. Ou talvez como se estivesse encolhido, preparando-se para a fuga. Finalmente, quando o silêncio prolongado começava a ficar mais denso, ele disse:

– Sou louco. Sou um perigo para você.

Ela balançou a cabeça.

– Não. Escute. Dentro da minha cabeça há outras palavras se insinuando. Os céus e a terra colidem e não sei onde estou. – Charlotte então fez a única pergunta que importava. – Você me ama?

– Isso não muda nada – disse ele. – Você não deseja uma vida ao meu lado. Ninguém desejaria isso.

Ela estava cansada de homens lhe dizendo o que ela queria. Especialmente naquele momento, quando seu coração estava em jogo.

– George – implorou ela –, eu ficarei com você entre os céus e a terra. Eu lhe direi onde está.

– Charlotte, você...

– Você me ama? – Ela praticamente gritou.

E lá estava ela. Implorando. Tinha se desnudado, entregado a ele seu orgulho, seu coração e tudo o que era e...

– *Eu te amo.*

As palavras pareciam ter sido arrancadas da alma de George. Ele as calara até então, negando os próprios sentimentos. Era o que Charlotte percebia nos olhos dele enquanto se enchiam de lágrimas.

– George... – sussurrou ela.

– Não, deixe-me terminar. Desde o momento em que a vi tentando pular aquele muro, eu a amei desesperadamente. Não consigo respirar quando você não está perto de mim. Eu te amo, Charlotte. – Ele tomou o rosto dela nas mãos. – Meu coração chama seu nome.

Ele lhe deu um beijo de amor, de fome, de desespero. Beijou-a como se não pudesse se aproximar o suficiente, como se nunca fosse conseguir se aproximar o suficiente.

Como se nunca fosse soltá-la.

– Eu quis lhe contar – disse ele. – Queria que você soubesse, mas a loucura tem sido meu segredo a vida inteira, a escuridão é meu fardo. Você me traz a luz.

– George...

Ela olhou para seu rosto amado, aquelas sobrancelhas escuras, o lábio inferior que ele gostava de morder quando se divertia. Ela conhecia George, percebeu. Conhecia o homem que havia por dentro, e, se às vezes aquele homem afundasse em águas torturantes, ela o ajudaria a voltar à tona. Não sairia do seu lado.

– Somos nós dois – prometeu ela. – Podemos fazer isso. Juntos.

Brimsley

Palácio Kew
8 de maio 1762

Brimsley decidiu que gostava bastante de morar em Kew.

O ambiente era bem mais informal do que na Casa Buckingham, até o ponto em que uma residência real poderia ser chamada de informal. Ele e Reynolds eram tratados como os criados mais graduados, apesar de haver um mordomo e uma governanta. Mas, acima de tudo, Kew era encantador porque o rei e a rainha eram encantadores – e estavam encantados um com o outro.

Os primeiros dias foram difíceis. O rei demorou a se recuperar de sua provação. Brimsley nunca afirmaria saber muito sobre medicina, mas não compreendia como alguém poderia achar que torturas fariam o rei recuperar a sanidade mental.

Estava também começando a perceber a tensão sob a qual Reynolds vinha vivendo até então, cuidando do rei ao mesmo tempo que mantinha tudo em segredo. Na primeira noite, quando a rainha despachou o Dr. Monro daquele jeito magnífico, Brimsley tentou auxiliá-lo, mas Reynolds estava tão acostumado a suportar sozinho seu fardo que tinha dificuldade de aceitar ajuda.

Assim que o furor passou, tendo o rei e a rainha se recolhido para dormir, Brimsley e Reynolds saíram para uma caminhada e se viram no estábulo. Entraram para se proteger da chuva leve que caía. O local até que não cheirava tão mal quanto temia Brimsley. Estava claro que os trabalhadores eram excelentes e faziam o que era preciso para manter o lugar agradável.

Os dois encontraram um espaço para se sentarem, recostados num fardo de feno. Reynolds suspirou. Brimsley achava que nunca o vira tão cansado.

– Já contei como comecei neste trabalho? – perguntou Reynolds.

Brimsley inclinou a cabeça, deixando a têmpora roçar no ombro de Reynolds.

– Imagino que tenha se destacado desde a juventude por seu fervor e arrogância ímpares.

Reynolds se fez de ofendido, mas com um traço de bom humor.

– O rei e eu fomos criados juntos. Eu era seu companheiro para brincar. Pescávamos, subíamos em árvores, fomos crianças juntos.

Reynolds já havia mencionado isso. Não com frequência; tendia a ser circunspecto em relação a seu passado.

– Ainda não sei bem por que o palácio permitia – prosseguiu Reynolds. – Eram rigorosíssimos com as pessoas que conviviam com os príncipes e princesas. Suponho que tenha sido porque minha mãe era uma aia de confiança e porque meu pai era joalheiro do palácio. E eu tinha a idade certa. Fazemos aniversário com dois meses de diferença.

– Quem é o mais velho? – perguntou Brimsley.

– Eu. – Reynolds acrescentou, com um daqueles sorrisos que Brimsley amava tanto: – Claro.

– Claro.

– Não havia mais ninguém para lhe fazer companhia, a não ser quando algum dignatário estrangeiro ou príncipe aparecia para visitar o palácio, mas era sempre uma situação constrangedora: dois meninos ridiculamente vestidos com suas melhores roupas, sob a ordem de se tornarem amigos.

– Não me parece algo que funcionaria bem.

– Não. Nunca funcionava. Na metade do tempo, os dois nem falavam a mesma língua. Então era só eu – continuou Reynolds. – Eu e George. Eu ainda o chamava de George naquele tempo.

– Não chama mais?

Reynolds lhe lançou um olhar.

– Você sabe que não. E mesmo na época eu não o chamava assim quando havia alguém por perto.

Brimsley riu.

– Ah, sim. Imagino que não seria recomendável.

– Claro que eu conhecia meu lugar, mas gostava de George. Gostava dele mesmo quando os adultos me empurravam de lado, ansiosos para se curvarem diante dele e o bajularem.

Reynolds levantou os olhos e deu um sorrisinho. Era um sorriso um tanto sentimental, com um levíssimo traço de tristeza.

– Ele era afável – continuou. – Bem-humorado. Não se fazia de importante. Eu fui, talvez, o primeiro a identificar suas... peculiaridades. Mas não deixei de gostar dele. Eu era o mais próximo que ele tinha de um amigo, por isso guardei seu segredo. Cantava para distraí-lo quando ele perdia o controle dos pensamentos. Segurava seus braços quando tremiam.

Ele olhou para Brimsley mais diretamente.

– Eu o escondia de seu avô monstruoso.

– Foi uma boa ação da sua parte – disse Brimsley, baixinho.

Tinha ouvido falar de George II. Não fora um homem bondoso.

Reynolds assentiu lentamente, o tipo de movimento que não se faz em concordância, mas quando se tem uma recordação.

– Quando chegou a hora de seguir os passos de meu pai e entrar para a Guilda dos Joalheiros, pedi para ficar com George em vez disso. O ordenado não seria tão bom, mas fiquei feliz em fazer essa escolha. Porque ele precisava de mim. E porque...

Ele engoliu em seco.

– Porque ele também conhecia meus segredos. Minha própria... peculiaridade. E não se importava. Guardou o meu segredo como eu guardei o dele. Como tive que esconder. Mesmo de você.

– Sinto muito por ter ficado tão zangado com você – disse Brimsley.

– Eu teria reagido da mesma forma – admitiu Reynolds.

– Era só que... a rainha...

– Eu compreendo.

– Eu jurei protegê-la.

Reynolds deu um sorrisinho ao dizer:

– E eu jurei proteger o rei.

– Que vida estranha nós levamos – refletiu Brimsley. – Quando teremos a chance de proteger a nós mesmos? Ou de proteger um ao outro?

Reynolds o beijou no rosto.

– Quem sabe todos os dias? Mas nunca viremos em primeiro lugar.

Brimsley fez um suspiro dramático.

– Bem, se tenho que vir em segundo lugar, que seja depois de um rei.

Reynolds riu, mas logo ficou sério.

– O segredo de George não é mais só nosso. Não pude guardá-lo. Tentei. Mas primeiro teve a mãe, depois Bute e Harcourt. Todas as malditas camareiras por aqui cochicham sobre ele. E agora o tal médico. – Reynolds segurou a mão de Brimsley. Com força. – Agora você entende por que implorei que o mantivesse longe da rainha.

– Sim – Brimsley apressou-se em responder. – Não posso nem imaginar o que ele teria feito. Meu estômago revira só de pensar.

– Sua Majestade sofreu muito. Eu não saberia nem começar a descrever.

– O pouco que vi...

– Tentei intervir – disse Reynolds. – Poderia ter me esforçado mais, suponho.

Brimsley não podia mais aguentar. Não suportava a dor no olhar de Reynolds. Queria fazer com que ela fosse embora, nem que fosse por apenas um momento. Tomou o rosto dele nas mãos e o beijou.

Com carinho.

Com amor.

Com uma promessa que não sabia se poderia cumprir.

Palácio Kew
Sala de visitas da rainha
1º de junho de 1762

A rainha bordava, coisa que Brimsley sempre achou estranha. Nunca tinha pensado que ela tivesse temperamento para um passatempo tão repetitivo, mas ela parecia gostar, e ele gostava que ela gostasse, especialmente porque ela lhe permitira se sentar numa cadeira perto da porta em vez de ficar de pé, a postos, o tempo todo.

Mas então o rei entrou saltitante, o que significava que Brimsley, com toda a certeza, precisava ficar de pé. Reynolds chegou cinco passos atrás e se postou ao seu lado.

– Estou indo trabalhar no campo – anunciou o rei. De fato, ele estava vestido para a lavoura, sem suas roupas elegantes habituais. – Estamos plantando milhete. – Ele se abaixou para dar um beijo no topo da cabeça da rainha. – Gostaria de me acompanhar?

– Jamais – disse ela, com uma risada. – Ficarei aqui cultivando nosso reizinho.

Ele depositou um beijo nos próprios dedos para então tocar a barriga dela. Quando estava para sair, a rainha o chamou:

– George! Quase esqueci. Você recebeu uma carta. Onde está, Brimsley?
– Bem aqui.
Brimsley pegou a carta de uma mesinha lateral e a entregou ao rei.
– É da princesa Augusta.
– Minha mãe escrevendo para mim?
O rei revirou os olhos e jogou a carta fechada na lareira. Brimsley não sabia se ficava horrorizado ou encantado.
Mas a felicidade do rei era contagiante. George voltou para junto de Charlotte e a beijou mais uma vez.
– Você é linda! – proclamou. – Minha esposa é linda!
E saiu.
Brimsley estava estupefato. Era como se uma bola giratória luminosa tivesse feito uma passagem veloz pelo aposento. Já fazia algumas semanas que a rainha o resgatara daquele médico horrendo, mas a diferença ainda se mostrava um verdadeiro milagre.
Ele se virou para lançar um sorriso a Reynolds, que não tinha ido embora junto com o rei, mas observava a rainha com uma expressão contemplativa.
– Quer me dizer algo, Reynolds? – perguntou ela.
– Não, Majestade.
Brimsley observou o diálogo com interesse. Estava *claro* que Reynolds queria dizer algo.
A rainha tirou os olhos do bordado mais uma vez e deu com Reynolds ainda a contemplando.
– Fale – ordenou ela.
Ele pigarreou.
– Sua Majestade tem dias bons. E dias ruins.
– Ele tinha – respondeu a rainha. – Mas agora que estou aqui, seus dias são bons. Ele está melhor, não está?
– Ele está melhor agora – concordou Reynolds, mas seu rosto contava uma história diferente. Brimsley o conhecia o suficiente para ver a preocupação em seu olhar.
– Mas...? – instou a rainha.
– Talvez um pouco de cautela fosse...
– Reynolds, deixe-o – interrompeu Charlotte. – Ele só precisava da esposa ao lado, construir uma rotina e se livrar daquele médico terrível. Ele está bem.

Reynolds não se deu por convencido, mas se curvou e disse:
– Claro, Vossa Majestade.
– Você vai acompanhá-lo ao campo? – perguntou ela.
– Sim, Majestade. Aprecio imensamente o cultivo do milhete.
Brimsley engoliu o riso.
A rainha lançou um olhar astuto para Reynolds.
– Você é um homem bom, Reynolds.
– Obrigado, Majestade.
– Aproveite o milhete.
– Isso mesmo, Reynolds – disse Brimsley –, aproveite o milhete.
Reynolds fez uma careta tão feia para ele antes de sair que até a rainha riu.
Brimsley voltou a se sentar na cadeira próxima à porta e sorriu. Era assim que a vida deveria ser.

Palácio Kew
Aposentos de Reynolds
Mais tarde naquela noite

Estava tarde. O rei e a rainha já haviam se retirado, o que significava que Brimsley e Reynolds estavam, teoricamente, dispensados.

Como Reynolds tinha uma banheira de corpo inteiro, foi lá que os dois decidiram passar a noite.

Era o final perfeito para um lindo dia.
– Acha que vai durar? – perguntou Brimsley.
– O quê?
– O rei. Ele vai continuar bem?
– Só podemos torcer para que sim – disse Reynolds misteriosamente.
Ele começou a ensaboar as costas de Brimsley. Era maravilhoso.
– Reynolds?
– Hum?
– Se durar, eles terão um ao outro. Ficarão juntos. Terão um casamento de verdade. Envelhecerão juntos.
Reynolds despejou água nas costas de Brimsley para enxaguá-lo.
– Serviremos juntos aos dois – disse Brimsley, baixinho.
– A vida inteira – murmurou Reynolds.

Era o tipo de coisa que homens como eles jamais ousariam sonhar ter. Como o rei e a rainha, os dois também ficariam juntos. Teriam um relacionamento verdadeiro. Envelheceriam juntos.

Brimsley se virou para olhar no rosto de Reynolds. Tão belo, tão nobre. Os outros criados gostavam de brincar que ele tinha o semblante de um duque e não estavam muito errados. Às vezes, Brimsley não conseguia acreditar que alguém como Reynolds o tivesse escolhido.

Então ele lembrava que Reynolds também tinha sorte. Brimsley podia não ser um Adônis, mas também não era um ogro. E, mais importante, era inteligente, era leal. Era um bom homem e sabia seu valor.

– Acha possível? – perguntou Brimsley.

– Não sei. Talvez. Um grande amor pode fazer milagres.

– Pode mesmo.

E talvez fizesse. Tomara.

Agatha

Casa Danbury
Quarto de lady Danbury
28 de junho de 1762

Agatha estava sentada diante da penteadeira enquanto Coral preparava seu cabelo para dormir. Podia ser um procedimento complicado, dependendo do nível de formalidade que ela pretendesse para o dia seguinte.

E os preparativos daquela noite eram complicados. Agatha recebera uma convocação da princesa Augusta. Mais um daqueles chás da tarde. Sabia o que a princesa viúva queria: informações dos bastidores sobre a recente mudança da rainha para Kew.

Haviam começado a circular boatos sobre o casal real. Nada sobre as faculdades mentais do rei. Pelo menos isso não ultrapassara as paredes do palácio. Mas a sociedade queria saber por que o rei e a rainha estavam reclusos, por que nunca saíam de Kew. O Parlamento estava ficando inquieto. No dia anterior, Agatha ouvira um homem numa loja dizer que se o rei não se pronunciasse em breve, correria o risco de perder a confiança dos representantes.

A princesa Augusta devia estar ficando nervosa. Bem nervosa. Daí o convite.

– O que dirá à princesa? – perguntou Coral.

– Nada. O que posso dizer?

– Poderia dar algumas migalhas. Peras, por exemplo. Sua Majestade pediu peras quando estava aqui.

Agatha não se lembrava de nada relacionado a peras, mas pouco importava. Augusta não se daria por satisfeita com histórias sobre frutas.

– Não vou me envolver com a princesa – disse Agatha. – Prometi amizade à rainha.

– Se são amigas, talvez possa a pedir a Sua Majestade que interfira – disse

Coral. – Ela me pareceu muito bondosa. Tenho certeza de que faria o pequeno Dominic se tornar lorde Danbury se a senhora pedisse.

– Sua Majestade foi para Kew – disse Agatha com firmeza. – Não posso simplesmente aparecer por lá pedindo favores. E ela espera um filho. Está numa condição delicada. Não posso fazer algo que a abale ou a preocupe.

– Ela já tem preocupações demais no momento – concluiu Coral, com um suspiro dramático.

Agatha se virou bruscamente.

– O que quer dizer?

Coral prendeu o tecido em torno de um cacho pronto e pegou outro para fazer mais um na mecha de cabelo seguinte.

– Bom, há boatos a considerar.

– Boatos?

Agatha ficou nervosa. Os boatos ouvidos pelos criados não eram os mesmos que chegavam aos ouvidos da sociedade. Costumavam ser mais precisos.

Coral parou de fingir que cuidava do cabelo de Agatha e se sentou na frente dela.

– Ouvi dizer que o Palácio não se encontra em terreno muito firme. Que o rei está doente ou se feriu, ou... Bem, algo está errado.

– Coral, isso não passa de *mexerico*.

– Não, não sou de prestar atenção em mexericos. Se fosse – ela fez uma pausa incisiva –, eu diria que ouvi diversas criadas da cozinha dizerem que os membros da Câmara dos Lordes estavam preocupados com o bem-estar do rei. Fala-se que o Palácio está em perigo.

– Mas você não é de prestar atenção em mexericos.

– Jamais.

Agatha suspirou, exausta. Aquilo só confirmava o que ouvira na loja.

– Realmente, não posso pedir ajuda a Sua Majestade se isso for verdade.

– Não pode. Mas, repito, se eu fosse de mexericos... e é claro que não sou... eu diria que no momento todo o poder está nas mãos da princesa Augusta e de lorde Bute.

Agatha fitou seu reflexo enquanto Coral voltava a cuidar de seu cabelo. O que deveria fazer? Não podia trair a rainha. *Não* faria isso. Mas a única forma de garantir o futuro do Grande Experimento era por intermédio da princesa Augusta.

E ela exigia segredos.

Palácio St. James
Sala de visitas da princesa Augusta
No dia seguinte

Lá estava ela de volta.

De volta à sala de visitas cansativamente formal da princesa Augusta, onde tudo era ornamentado com ouro e até o teto era a epítome da elegância: um domo oval com uma pintura que devia rivalizar com a da Capela Sistina, na opinião de Agatha.

– Obrigada por me receber, Vossa Alteza.

– Eu que agradeço a visita, lady Danbury.

– Estou muito feliz que tenha conhecido lorde Danbury. – Agatha fez uma pausa intencional. – O novo lorde Danbury.

– Foi? – A princesa Augusta aguardou enquanto uma de suas damas preparava uma xícara de chá, em seguida fez um gesto indicando que servisse Agatha. – Sei que conheci seu filho. Belíssimo rapaz. Um encanto.

Agatha aguardou a princesa Augusta tomar o primeiro gole de chá antes de fazer o mesmo.

– Pelo que ouvi, a senhora teve a honra de receber uma visita de Sua Majestade – disse Augusta.

– Faz dois meses. – Agatha fez questão de deixar claro que não via a rainha desde que ela se mudara para Kew.

– Estou ciente.

Claro.

– Não é habitual que a rainha visite a casa de suas damas de companhia – prosseguiu Augusta.

– A rainha teve a bondade de me oferecer condolências pela perda de meu querido marido. O falecido lorde Danbury.

– Sim. Minhas condolências. Perder um marido é... inconveniente. – A princesa Augusta sorriu, mas seus lábios mal se mexeram. – A rainha deve ter grande estima pela senhora. Para visitá-la estando na condição em que ela se encontra.

– Sim.

Agatha percebia o jogo que Augusta jogava e se recusava a participar. Dessa vez, não. Tinha jurado ser uma boa amiga para Charlotte.

– Sim – repetiu Augusta.

Agatha espiou-a por trás da beirada da xícara.

Augusta fez o mesmo.

Agatha respirou fundo. Era agora ou nunca.

– Como está estabelecido que meu filho herdará o título do pai...

– Está? – interrompeu a princesa. – Estabelecido?

– Não está?

– Apenas Sua Majestade pode determinar se o Grande Experimento prosseguirá na próxima geração. – Augusta pousou a xícara e fez um gesto vago com as mãos. – Um debate tão complicado... – Suspirou.

– Entendo.

– Claro que eu poderia ajudar a apressar sua resposta. Se me der alguma informação que possa ser útil.

– Não sei bem que tipo de informação eu teria que alguém tão brilhante quanto Vossa Alteza não possa obter.

E, para ser sincera, era verdade. O que Agatha sabia? Que o rei estava doente? Isso não era novidade para a princesa. Mas talvez ela não soubesse da gravidade. O que Charlotte contara a Agatha era de fato perturbador.

No entanto, não falaria nada. Para ninguém. Tinha jurado fidelidade a Charlotte e não quebraria sua promessa.

As mulheres tinham pouquíssimo poder. Precisavam se manter unidas. Mesmo que para isso, como agora, precisassem enfrentar outra mulher.

– Pois bem – disse a princesa Augusta. – Neste caso, acredito que será difícil garantir a herança do título. Mais chá?

– Não, obrigada. Acredito que é melhor que eu me vá.

– Sim, tem muito no que pensar.

– Sempre tenho muito no que pensar.

A princesa riu de verdade ao ouvir aquilo. E não de modo cruel.

– A senhora é uma mulher muito inteligente, lady Danbury.

– Considero este o maior dos elogios – disse Agatha –, posto que Vossa Alteza também o é.

A princesa Augusta fez um sinal régio com a cabeça.

– As mulheres precisam se orientar por este mundo de forma diferente dos homens. Creio que compreenda isso.

– Compreendo, Vossa Alteza.

E era por isso que sentia o coração rígido como uma rocha todas as noites quando tentava dormir.

– Espero que voltemos a nos encontrar em breve – disse a princesa Augusta.

Agatha assentiu, fez uma reverência e saiu. Era só o que podia fazer para não desabar contra a parede e inspirar fundo longamente.

– Lady Danbury!

Ela ergueu o olhar. Era o irmão da rainha, o duque Adolphus. Vinha na sua direção com ar decidido. Era um homem atraente. O que não chegava a surpreender, visto que sua irmã era muito bonita.

– Ah, boa tarde – disse ela com uma reverência. – Eu estava tomando chá com a princesa Augusta.

– Que bom. São amigas?

– Algo parecido – respondeu ela, evasiva.

– É bom vê-la – disse ele. Falava um inglês perfeito e com um sotaque encantador.

– Digo o mesmo – retribuiu Agatha.

– Posso acompanhá-la? – perguntou ele.

– Claro.

Ele abriu um enorme sorriso.

– Com a chegada iminente do novo membro, parece que devo permanecer na Inglaterra por mais tempo que o esperado.

– Que bom para o senhor. Isto é, presumo que seja bom. Talvez tenha obrigações que o aguardam em seu país.

– Tenho, claro, mas nada que não possa esperar. Não é todo dia que um homem tem a chance de testemunhar o nascimento de um sobrinho. – Ele se inclinou ligeiramente para a frente, com um sorriso maroto, e acrescentou: – Que por acaso é um futuro rei.

– Talvez seja uma menina – lembrou Agatha.

– Verdade. E, se for o caso, desejo toda a sorte do mundo para o rei George. Meu pai faleceu quando Charlotte tinha apenas 8 anos. Eu me envolvi bastante na educação dela.

– Por que tenho a impressão de que está querendo dizer que ela deu trabalho?

– E quanto trabalho! – Ele soltou uma gargalhada. – Mas seu espírito lhe favorece. Acredito que será uma grande rainha.

– Tem razão.

Ele voltou a sorrir para ela. Agatha sentiu o estômago dar uma pequena cambalhota. Quando havia flertado com um homem tão atraente? Tinha sido prometida a Herman aos 3 anos e os pais a mantiveram longe da sociedade até o casamento. Não havia motivo para apresentá-la à vida social quando seu destino já estava garantido.

– Acha que a rainha sente falta de sua casa em Mecklenburg-Strelitz? – perguntou Agatha.

– De algumas coisas, suponho. Espero que sinta falta de mim.

Agatha riu.

– Imagino que ela sinta falta de certa liberdade – acrescentou ele. – Mas com a perda da liberdade vem um grande poder. E, se conheço bem minha irmã, sei que ela gosta desse poder.

Agatha voltou a rir. Que conversa divertida. Que surpresa agradável, depois de uma tarde tão tensa com a princesa Augusta.

– Mas ela se sente solitária em alguns momentos – prosseguiu Adolphus. – Fico feliz que ela possa contar com a senhora.

– Sinto-me honrada por ser amiga dela.

– Pode ser difícil para quem está no poder encontrar amizade verdadeira. Estou certo de que ela encontrará outras no devido tempo. Mas no momento ela conta com a senhora, o que é bom.

– Obrigada – disse Agatha. – Ou deveria dizer *danke*?

Ele riu, encantado.

– *Danke schön*, se quiser demonstrar verdadeira gratidão. – Ele se curvou, com um brilho nos olhos. – Significa "muito obrigado". Eu não a aconselharia a dizer nada sem lhe explicar antes o significado.

– Pois bem, agora lhe devo *verdadeira* gratidão.

Ele sorriu.

Ela sorriu.

Chegaram à porta principal do palácio. Dali, ele a acompanhou até a carruagem que a aguardava.

– Lady Danbury, como *devo* ficar na Inglaterra por mais algum tempo, pensei se não poderia visitá-la.

Agatha quase tropeçou nos próprios pés.

– Visitar-me?

– Sim. Já terminou seu período de luto? Ou estou enganado?

– Acabou. Ou quase. Agora é meio luto – explicou ela, mostrando o vestido lilás.

– Ah. Então espero que não me considere excessivamente audacioso.

– Não – respondeu ela.

– Posso visitá-la, então?

– Eu adoraria.

Ele tomou sua mão e a ajudou a entrar na carruagem. Agatha se sentou de frente, como era seu costume, mas, meio minuto depois de partirem, virou-se.

O duque Adolphus ainda a olhava.

Residência Danbury
Quarto de lady Danbury
Mais tarde na mesma noite

Agatha estava sentada diante da penteadeira enquanto Coral preparava seu cabelo, antes de dormir. Era uma tarefa bem mais simples do que na noite anterior, pois não pretendia ir a nenhum lugar mais distante do que sua sala de visitas no dia seguinte.

– Coral, acho que resolvi meu problema.

Coral se colocou ao seu lado para olhar o rosto de Agatha.

– Pediu à princesa? Ela vai garantir o título?

– Não. Ela foi intransigente como sempre.

– Então...

– Falei com o irmão da rainha.

– O príncipe Adolphus? O que ele pode fazer?

– Disse que gostaria de me cortejar. Aceitei.

– Um príncipe! – exclamou Coral.

– Tecnicamente, acho que ele é um duque.

– Ainda assim.

Agatha mordeu o lábio, pensativa.

– Acredito que vou me casar com ele.

– Ele é alemão – lembrou Coral.

– É um bom homem. Com certeza, melhor do que lorde Danbury. Ele me fez rir. Várias vezes.

– Ah, bem, aí está algo que lorde Danbury certamente nunca fez.

Agatha assentiu.

– Ele governa a própria nação, e não por causa de um experimento. Seu título está garantido.

Coral tentava absorver todas as informações.

– A senhora precisará aprender alemão.

– Sim. – Ela sorriu e bateu no braço de Coral. – Você também.

– Eu?

– Não posso viver sem você. Sabe disso.

– Acha que sou capaz de aprender alemão?

– Claro que é. Já aprendi um pouquinho hoje. *Danke schön*.

– O que quer dizer?

– "Muito obrigada".

– Parece útil.

– Quase tão útil quanto "Onde está o urinol?".

As duas riram juntas.

– Será que as pessoas na Alemanha são gentis? – perguntou Coral.

– A rainha é gentil. O irmão dela é muito gentil.

– Alemanha... – refletia Coral. – Imagine só.

Agatha assentia devagar.

– Imagine só...

Charlotte

Palácio Kew
Observatório
2 de julho de 1762

V ários meses haviam se passado desde que Charlotte se instalara em Kew. George havia recuperado peso e não se viam mais hematomas e marcas. Charlotte decidiu que aquela era a verdadeira lua de mel deles. Estavam relativamente a sós, em condições de desfrutar a companhia um do outro.

Em condições de se tornarem amigos, além de amantes.

Ele não teve outro episódio, mas ela aprendeu a identificar os sinais de instabilidade. As mãos se agitavam e ele fechava os olhos de um modo estranho, trêmulo, quase como se lutasse contra os próprios pensamentos. Às vezes repetia algumas palavras, em geral sobre Vênus ou o trânsito de Vênus, ou sobre 1769, que ela agora sabia ser o ano em que deveria ocorrer o próximo Trânsito de Vênus.

– Achei que seria antes – disse ela certo dia, no observatório. – Pelo modo como você fala.

Ele ergueu o olhar com um sorriso. Parecia gostar quando ela interrompia seu trabalho.

– Na verdade, aconteceu em junho passado.

– O quê? E você não me contou?

– Você ainda não estava aqui.

– Sim, mas obviamente é algo muito importante para você. Esperava que me contasse.

Ele deu um sorriso seco.

– Durante boa parte do tempo eu estava ocupado de outro modo.

– Não sei como você consegue fazer piada sobre aquele monstro.

Charlotte havia sugerido mandarem prender o Dr. Monro em punição pelo que ele fizera ao rei, mas George a convencera de que isso só lhes traria mais problemas.

– Às vezes o humor é a única forma de lidar com as dores – disse ele, dando de ombros.

– Se você diz...

Ela se dirigiu ao telescópio, passando os dedos pelo longo tubo. Teve cuidado para não encostar em nenhum botão ou em nada que pudesse sair do lugar. George sempre ajustava tudo com muita precisão.

– Como foi o Trânsito? – perguntou ela. – Foi glorioso?

– Infelizmente, não foi possível vê-lo inteiramente daqui. Uma pena. Eu não precisaria viajar muito. Teria bastado ir à Noruega.

– E por que não foi?

Ele lhe lançou um olhar condescendente.

– Sou o rei. Não posso ir passear na Noruega para ver as estrelas.

– Pois me parece justamente algo que um rei faria. Você não tem permissão para desfrutar nenhum dos prazeres da vida?

– Tenho você – respondeu ele, com um sorriso malicioso.

Ela foi para o lado dele, gingando.

– É verdade. E tem cada vez mais de mim a cada dia.

George tocou na sua barriga.

– Quando ele vai chegar? Nosso reizinho.

– Em breve, acho. Muito em breve.

Ele se abaixou para falar diretamente com a barriga:

– Olá, reizinho. Oi.

Charlotte riu quando sentiu um chute.

– Acho que ele está respondendo. – Ela tomou a mão do marido e a pousou na barriga. – Espere só um momento. Ele vai chutar de novo.

– Tem certeza?

– Ele não para nunca.

George sorriu.

– Um rapaz saudável.

Charlotte voltou para o telescópio.

– Posso olhar?

Ele a seguiu.

– Claro, embora eu não saiba bem o que há para ser visto agora, bem no meio do dia.

– Nuvens, talvez. Adoro nuvens.

– E eu adoro que você adore nuvens.

Ela revirou os olhos. Ele era incorrigível. E ela o amava.

Charlotte espiou pelo telescópio, que, como ele adiantara, não revelou nada de empolgante.

– Você vai conseguir ver o próximo Trânsito de Vênus? – perguntou ela.

– Se nossos cálculos estiverem certos, teremos de novo uma visão parcial.

Ela afastou o rosto da ocular para encará-lo.

– Não pode viajar para ter uma visão melhor? Acho que você deveria.

– Infelizmente, desta vez seria uma viagem ainda mais inconveniente. Eu precisaria ir para as Américas ou para os mares do Sul.

– Minha nossa. Deveria ter ido à Noruega.

– Talvez. Mas temos sorte por ter vistas parciais dos dois fenômenos. Não são muitas as localizações geográficas com essa sorte.

– E quanto ao seguinte? Que será em... – Charlotte fez cálculos mentais – 1787, correto?

– Incorreto, lamento.

– Não acontece a cada oito anos?

– Infelizmente, não. É um ciclo de 243 anos, na verdade.

Charlotte estranhou, convencida de ter ouvido mal.

– Mas dessa vez tivemos um intervalo de oito anos?

– Sim, faz todo o sentido, na verdade. Leva 105 anos, depois 8 anos, aí 122 anos, e por fim 8 anos de novo. No total, 243.

– Ah, sim, todo o sentido – resmungou ela.

– Para ser mais exato, são 105 anos e meio.

– Claro.

– Pois é – disse ele, sem perceber o sarcasmo dela. – E 121 anos e meio também.

Ela não pôde deixar de sorrir. Adorava vê-lo tão apaixonado por um assunto, mesmo que ela pouco entendesse daquilo.

– Como é? – perguntou Charlotte.

– O Trânsito?

– Sim. Você disse que pode ser observado. O que se vê?

– Um ponto preto atravessando o sol. Aqui. – Ele foi até as pilhas de mapas e começou a folheá-los. – Tenho um diagrama em algum lugar. Só um momento... Achei!

Era uma grande folha de pergaminho, que ele abriu na mesa.

Charlotte olhou. Era exatamente como ele dissera: um pontinho preto atravessando uma grande esfera.

– Vendo na vida real é mais impressionante – garantiu George.

– Imagino. – Charlotte se sentou, subitamente cansada. – Gostaria de aprender mais sobre astronomia.

– Sim, você já mencionou isso.

– Mas acho que preferiria aprender mais sobre diferentes tipos de ciência. Coisas que não estejam tão distantes.

– Como o quê?

Ela pensou.

– Talvez medicina. Não. Locomoção.

– Locomoção? – Ele ficou surpreso. Agradavelmente surpreso. – Como assim?

– Pense em todo o tempo que leva uma viagem de um lugar para outro. Eu gostaria de visitar meu país de nascença um dia. Tenho boas lembranças de Schloss Mirow e gostaria que você conhecesse também. Mas não é nada prático. Você é o rei. Se não tem tempo de ir à Noruega para ver o Trânsito de Vênus, então não tem tempo de ir a Mecklenburg-Strelitz para conhecer o lugar onde passei a infância.

– Talvez o lugar onde você passou a infância seja mais significativo para mim do que o Trânsito de Vênus.

– Sei que você só está tentando ser um poeta romântico – disse ela. – Mas pense... E se pudéssemos nos deslocar mais depressa?

– Estradas melhores – sugeriu ele. – Fazem uma grande diferença. Mas são caras.

– Imagino que sim. Não sei se tenho alguma resposta. Na verdade, tenho certeza de que não tenho nenhuma ainda. Mas acho que seria um assunto interessante para ler e estudar.

– Então vamos providenciar livros. Tenho alguém que faz isso para mim o tempo todo.

– Como é conveniente ser rei.

Ele lhe lançou um olhar.

– Na maior parte do tempo.

Não era bem a deixa que ela queria, mas resolveu ir em frente:

– Como tem se sentido nos últimos tempos, meu amor?

Ele apontou para a cabeça como se segurasse uma arma.

– Está falando disso?

– Acho que eu teria feito um gesto diferente.

– Me sinto melhor. – Então ele pareceu mudar de ideia. – Progredindo. – Ele foi até a escrivaninha e começou a mexer nos papéis. – Não quero falar disso.

– Gostaria que se sentisse livre para falar.

Ele suspirou.

– É difícil demais explicar.

– Tente.

– Não agora, que estou me sentindo tão bem. Por que eu gostaria de me lembrar disso? Tenho tudo isto. – Ele estendeu os braços, indicando o glorioso observatório. – Tenho você. Minha mente está se comportando. *Por que* eu desejaria pensar sobre a infelicidade de quando ela não se comporta?

– Para aprender a evitar esses momentos?

– Não há como prever – disse ele, num tom áspero, tentando encerrar o assunto. – Acredite: eu tentei. Posso criar um mundo pacífico e isso ajuda um pouco, mas não é infalível. Não há como saber e não há como fazer parar. E é por isso que sou tão perigoso.

– George. – Ela buscou sua mão, mas ele se esquivou. – Você não é perigoso. Você é um doce. E é gentil. É um rei maravilhoso e será um pai maravilhoso. E ficaremos sozinhos aqui, neste lindo casulo. Eu, você e, em breve, o bebê. Seremos felizes.

– Nunca fui tão feliz quanto agora – disse ele.

Charlotte estendeu a mão de novo, e dessa vez ele a aceitou.

– Só nós três – disse ela.

– Só nós três.

E, por um breve tempo, isso foi verdade.

Palácio Kew
Sala de visitas
8 de julho de 1762

– A princesa Augusta chegou, Majestade.

Charlotte olhou para Brimsley, sem se dar ao trabalho de esconder o desgosto.

– Há alguma chance de convencê-la de que não estamos aqui?

– Nenhuma. Ela já demonstrou ser intratável.

– Pois bem, que entre – disse Charlotte com um suspiro. – Mas só na sala de visitas. E sob nenhuma circunstância ela tem permissão de ver o rei.

A mãe do rei não era uma presença tranquilizadora, e Charlote estava determinada a manter a vida de George com o mínimo de tensão e conflitos possível.

– Vossa Majestade – disse Augusta ao entrar. – Está com uma ótima aparência.

Charlotte levantou-se para recebê-la, embora, estritamente falando, não precisasse fazer isso, pois tinha uma posição superior à de Augusta. Mesmo assim, era um gesto de delicadeza com a sogra, especialmente uma sogra que se estava prestes a desapontar.

– Obrigada – respondeu Charlotte, indo saudá-la com dois beijos no rosto. – Estou maior a cada dia, temo eu.

– É uma notícia maravilhosa. Desconfortável para você, mas maravilhoso para a nação.

Charlotte deu tapinhas na barriga.

– Fazemos o que é preciso.

– Fiz isso nove vezes – afirmou Augusta, com notável serenidade. – Talvez você até me supere.

Como Charlote já perdera a conta de quantas vezes havia enjoado no início da gravidez, não queria contemplar a possibilidade de entrar nos dois dígitos das gestações.

– Aí está uma corrida que ficarei feliz que vença – disse ela com uma risada.

– Desde que gere pelo menos um menino saudável. Por enquanto. Vai querer um a mais, por garantia. – Ela deve ter notado o choque estampado no rosto de Charlotte, pois continuou: – Não pense que sou tão impiedosa assim quando se trata dos meus filhos. Amo todos. Intensamente. Mas não podemos perder de vista o fato de que somos realeza e que temos deveres e responsabilidades diferentes do restante das pessoas. Veja George.

– O que tem ele? – perguntou Charlotte com cautela, e se sentou, indicando que Augusta poderia fazer o mesmo.

– Ora, estávamos convencidos de que ele morreria com poucos dias de vida. Seu nascimento foi bem prematuro.

– Sim, ele mencionou isso.

– Mesmo os primeiros anos foram preocupantes. É preocupante mesmo que a criança nasça gordinha e saudável. O pai de George e eu ficamos bem mais tranquilos com a chegada do príncipe Edward. Apenas nove meses e meio depois – acrescentou, com orgulho.

– Nove meses e meio? – perguntou Charlotte, com certo mal-estar.

– Eu levo a sério minhas responsabilidades.

– Admirável – disse Charlotte.

Augusta resolveu então tratar de negócios:

– Muito bem. O motivo da minha visita. Preciso falar com o rei.

– Ah – disse Charlotte, prendendo as mãos na frente da barriga como uma bonequinha serena. – Temo que não seja possível.

Augusta ficou tensa.

– Não compreendo.

– O rei não está recebendo visitas no momento.

– Não sou uma visita. Sou a mãe dele.

– Será muito bem recebida em algum momento no futuro.

– Estou aqui agora.

Charlotte assumiu uma expressão lamentosa.

– George não está disponível no momento.

– Ele ao menos sabe que estou aqui? – cobrou Augusta.

Charlotte deu de ombros.

– Está ocupado.

– Talvez eu seja obrigada a me preocupar que você esteja detendo o rei contra a vontade dele – alertou Augusta. – O que seria...

– Traição – completou Charlotte, quase alegremente.

– Sim. Poderia ser considerado traição se não me permitir vê-lo.

– Sinto muito, mas o rei não deseja receber ninguém no momento.

– Ousa falar por ele? – sibilou Augusta. – Você não é o rei.

– Não – respondeu Charlotte, decidindo que estava na hora de jogar sujo. – Mas sou *sua* rainha.

Augusta fez uma exclamação de ultraje.

– Ora, vejo que já se sente confortável neste papel.

Charlotte deu um gole no chá.

– A senhora acertou em me escolher.

– Você carrega apenas um rei em seu ventre – disse Augusta com precisão gélida. – O outro rei? George? *Eu* carreguei esse rei. E, enquanto seu reizinho pode ficar escondido, confortável no calor de seu ventre, o *meu* rei não pode.

Ela se levantou, caminhando pelo aposento antes de se virar com uma expressão intensa.

– Como pode não saber o que eu sempre compreendi? Desde o momento em que nasce o rei, não há esconderijo para ele. Não há espaço para doenças ou fraquezas. Só existe o poder. Tudo o que fiz foi para garantir o poder dele. E agora você está pondo tudo a perder.

– Isso não é...

– Ele não está sequer tentando – retrucou Augusta. – E você permite. Não pode permitir que ele se esconda. Sua coroa não sobreviverá. Ele tem um país para cuidar, um povo. Precisa *governar*. Lorde Bute está esperando. O governo está ficando inquieto. E desconfiado. George precisa enfrentar o Parlamento.

– Vossa Alteza... – começou Charlotte, mas, na verdade, não sabia o que dizer. Augusta tinha razão.

– A responsabilidade agora é sua – concluiu Augusta, dirigindo-se para a porta. – Ele é seu.

Charlotte sabia que Augusta não falava a sério. Era mais fácil ela parar de respirar do que parar de se intrometer.

Mas dessa vez Augusta não estava errada. George era o rei. E não poderia se esconder para sempre, por mais que Charlotte desejasse desesperadamente protegê-lo e reconfortá-lo.

Com um suspiro exausto, ela se levantou e se dirigiu ao lugar onde sabia que o encontraria.

Palácio Kew
Observatório
Dez minutos depois

– Charlotte! – saudou George animadamente quando a viu entrar. – Como está sendo seu dia?

– Sua mãe esteve aqui.

Os dedos de George, que vinham mexendo num instrumento científico, ficaram paralisados.

– Não quero vê-la.

– Eu sei. Mandei-a embora.

Ele sorriu. Um sorriso de amor e de gratidão. Ela o compreendia e o protegia. Dava-lhe aquilo de que precisava. E sabia que ele era profundamente grato por isso.

Assim como sabia que precisava finalmente desenhar uma linha entre suas necessidades e seus desejos.

– No entanto, também precisamos ir – prosseguiu Charlotte. – Voltar para a Casa Buckingham.

– Não, Charlotte, não.

– Você precisa se dirigir ao Parlamento. O povo precisa de seu rei.

– Não estou pronto.

– Mas pode ficar. Vai ficar.

– Não. – Ele balançou a cabeça. – Terei que fazer um discurso. Terei que escrever um discurso.

– E será um discurso brilhante. Eu lhe darei todo o apoio possível. Além do mais, suas plantações na Casa Buckingham estão terrivelmente negligenciadas. Devem estar cobertas de ervas daninhas a esta altura.

– Você sabe que os jardineiros jamais permitiriam isso.

– Certo – admitiu ela. – Mas não do jeito que *você* faria.

Ele abriu um leve sorriso. Mordeu o lábio.

– Vai ser diferente desta vez – disse ela. – Desta vez vamos estar juntos. Somos um.

Ele tocou na barriga dela.

– Somos três.

– Somos três – concordou ela. – E um. – Ela subiu na ponta dos pés para beijá-lo. – Você é um grande rei, George. E um homem maior ainda. Você consegue.

Ele assentiu, mas estava um pouco trêmulo.

– Eu consigo.

Charlotte saiu do aposento e cruzou o corredor antes de dar um grande suspiro de alívio. Céus, que ele conseguisse.

Casa Buckingham
Gabinete do rei
11 de agosto de 1762

– Sinto você me olhando.

Charlotte saiu, envergonhada, do seu cantinho na entrada. Vinha espionando George fazia vários minutos.

– Gosto de ficar olhando você.

Ele ergueu os olhos e passou as mãos no cabelo. Os dedos estavam manchados de tinta.

– Você torna minha escrita mais difícil.

– Está fazendo um bom trabalho, tenho certeza.

– É um discurso para o Parlamento. Não posso fazer um bom trabalho. Preciso ser brilhante.

Charlotte foi até a escrivaninha, cheia de esboços descartados. Pegou um deles, no topo da pilha, e leu.

– São certamente as palavras de um homem brilhante – disse ela, e apontou para o resto. – Assim como estas outras.

– Você nem leu o resto.

– Nem preciso. Você é brilhante, George. Portanto suas palavras também serão. Tenho fé em você.

Mas ele não parecia ter fé em si mesmo.

Charlotte voltou para perto dele e começou a massagear seus ombros.

– Talvez precise de um pouco de distração – disse ela, com uma ponta de ousadia.

– Distração?

– Sim, e acho que tenho a distração exata para ajudá-lo. – Ela o beijou bem no cantinho sensível atrás da orelha.

Mas ele não se permitiu ser distraído de sua tarefa. Tampouco de sua ansiedade.

– Não preciso de distração. O que eu preciso é fazer um discurso perfeito diante do Parlamento. Ou você quer que eu deixe de ser rei?

– George, não...

– Talvez eu deva simplesmente me render e oferecer minha cabeça a eles. Pôr um fim na monarquia. Deixar que me chamem de George, o Rei Louco, e riam. É isso que você quer?

– Pare. – Ela não suportava ouvi-lo falar daquele modo.
– Sinto muito – ele se apressou em dizer. – Preciso que isto seja... – Ele fechou os olhos com força e mexeu a mão perto do rosto, quase como se estivesse colhendo bocados de ar. – É importante. Acho que seria melhor deixarmos as distrações para outro momento.

Ele tinha razão, supôs Charlotte. O discurso *era* importante. Crucial. E, por mais que ela tentasse, nunca seria capaz de compreender de fato a pressão que ele sofria para acertar. Mas...

Uma pontada.

Ela levou a mão à barriga.

– George?

– Agora não, Charlotte. Preciso voltar ao trabalho.

Outra pontada. Mais forte, dessa vez.

– O bebê... – disse ela, com a voz mais calma que conseguiu. – Vai nascer.

Ele se levantou de um pulo.

– Agora?

– Acho que sim. – Ela o olhou com um sorriso trêmulo. – Nunca passei por isso antes.

George correu para a porta, seu rosto sendo tomado pelo pânico absoluto.

– Tem certeza?

– Mais certeza, impossível.

Ele abriu a porta e berrou:

– REYNOLDS!

Charlotte quase deu uma gargalhada. Quem mais ele chamaria quando a esposa estava entrando em trabalho de parto?

GEORGE

Casa Buckingham
Algumas horas depois

Estava na hora. O bebê ia nascer e, Deus era testemunha, seria o parto mais fácil da história da humanidade.

Ele era o rei. Isso precisava valer alguma coisa.

Charlotte tinha sido levada para seu quarto, que fora meticulosamente transformado em sala de parto. George tivera apenas um instante para ver a mudança antes de ser enxotado por, bem, por todo mundo.

Mantinha, porém, a orelha grudada na porta. De quando em quando, uma aia saía para pegar toalhas ou artigos semelhantes e acabava submetida a um interrogatório por parte do rei.

Uma ou duas saíram correndo aos prantos.

Mas pelo menos ele estava recebendo atualizações regulares.

Charlotte ia bem.

Mas sentia dor.

Mas era normal.

Mas sentia dor.

Mas, Vossa Majestade, isso é normal. E ela está suportando tudo como uma rainha.

– Mas que diabo isso quer dizer? – pressionou ele.

A jovem da vez caiu no choro. Era a terceira.

Foi a essa altura que ele decidiu que já havia passado da hora de ter um médico para acompanhar Charlotte. Ela era a rainha da Grã-Bretanha e Irlanda, ora essa. Todas as mentes médicas da nação deveriam estar ao seu lado.

Exceto o Dr. Monro. Não era nem preciso dizer.

Ele saiu correndo em busca de Reynolds, a única pessoa em quem George confiava naquele momento – com a possível exceção de Brimsley, mas por algum motivo Brimsley tinha recebido permissão para entrar no quarto da parturiente. Segundo informações obtidas por George, Brimsley passara as últimas quatro horas olhando na direção da janela.

– Reynolds! – gritou George.

Dois lacaios apareceram correndo.

– Saiam do meu caminho! – rosnou George.

Os lacaios fugiram.

George derrapou ao fazer uma curva e parou bem a tempo de não atropelar Reynolds.

– Cadê o médico? – cobrou George. – Por que ainda não chegou? Ela não pode continuar sem a presença de um médico. Ópio! Ela precisa de ópio!

– Eu estava justamente à sua procura para informar que o médico real chegou. Há alguns momentos. Já deve estar com Sua Majestade a esta altura.

George levou uma fração de segundo para processar a informação, girou nos calcanhares e voltou correndo por onde tinha vindo. No entanto, ao chegar ao quarto de Charlotte, encontrou seis homens reunidos em frente à porta. Céus! Eles não podiam ter o mínimo de privacidade?

– Vossa Majestade! – saudaram os homens, em coro.

George tentou cumprimentar todos.

– Arcebispo. Primeiro-ministro. Lorde Bute. Olá. Obrigado por terem vindo. Agora me deem licença.

Ele passou pelo grupo para entrar no quarto e conversar com o médico, mas o arcebispo o agarrou pelo punho.

– Vossa Majestade com certeza não vai entrar na sala de parto – disse lorde Bute. – Está se desenrolando trabalho de mulheres.

– Vamos esperar aqui – disse o arcebispo, serenamente.

– Certo – disse George, batendo com as mãos nervosamente na lateral das coxas. – Tudo bem.

Ele se pôs a andar de um lado para o outro. Procurou Reynolds com o olhar, em busca de apoio. Andou um pouco mais. Estremeceu quando o ar foi rasgado por um grito.

– Charlotte – sussurrou ele, tentando avançar.

Dessa vez foi Reynolds quem o segurou.

– É normal – disse ele com sua voz grave e reconfortante.

– Como sabe?

– Hã... ouvi falar.

– Ouviu falar – repetiu George, com irritação.

– Tenho irmãs. Ambas têm filhos.

– E você estava presente quando nasceram?

George não sabia bem por que estava sendo tão hostil com Reynolds. Provavelmente precisava descontar seu nervosismo em alguém e não seria aconselhável fazê-lo com o arcebispo.

– Eu não estava presente, mas as duas são contadoras de histórias prodigiosas e me informaram de todos os detalhes – disse Reynolds, com aquele seu jeito muito calmo.

Mais um grito, talvez menos intenso que o anterior.

– Isso não pode ser normal – disse George.

Reynolds fez menção de falar algo, mas naquele momento a porta se abriu e pela fresta apareceu a cabeça de lady Danbury.

George a olhou um tanto surpreso. Quando ela havia chegado?

– Vossa Majestade, ela pede a sua presença – disse lady Danbury.

– Ele não pode entrar – interveio o arcebispo.

Lady Danbury manteve o olhar firme em George.

– Vossa Majestade.

George dirigiu-se ao clérigo:

– Gosta de ser o arcebispo de Canterbury? Gostaria de permanecer sendo o arcebispo de Canterbury?

O arcebispo recolheu o queixo a ponto de encostá-lo no pescoço.

– Vossa Majestade...

Com o rosto bem junto ao do arcebispo, George disse:

– Acredita que conseguirá permanecer arcebispo desafiando o chefe da Igreja da Inglaterra? SAIA!

A boca do arcebispo formou um arco invertido que não pareceria fora de lugar numa tartaruga. Com um resmungo de derrota, ele saiu do caminho de George.

– Por aqui, Vossa Majestade – disse lady Danbury, levando-o para a lateral da cama.

– Minha querida – disse ele, tomando a mão de Charlotte. – Estou aqui.

Ela conseguiu abrir o mais débil dos sorrisos.

– Não quero fazer isso.

– Tarde demais, sinto lhe dizer. – Ele deu um sorriso também, tentando transmitir força por meio do bom humor. – Mas estou com você. Eu tomaria para mim toda a sua dor se pudesse.

– Talvez um novo experimento científico – disse Charlotte.

– Vou tratar disso imediatamente – garantiu George, tentando brincar.

Os dois riram um pouco, o que foi suficiente para amenizar a atmosfera no cômodo, até vir uma nova contração.

– Aaaaaaaaahhhh! – gemeu Charlotte.

– Não há nada que se possa fazer para aliviar a dor? – cobrou George.

– Já dei láudano a ela – disse o médico. – Mas não ouso dar mais. A dose deve ser precisa.

George dirigiu-se a lady Danbury:

– Talvez alguma coisa que ela pudesse morder. Ajudaria? A senhora já passou por isso, não?

– Quatro vezes, Majestade.

– E o que está achando?

Lady Danbury olhou para o médico e depois novamente para George.

– Ela está perdendo sangue.

– Isso é normal?

– É – respondeu lady Danbury, hesitante. – Mas me parece muito.

– Doutor! – vociferou George. – Por que isso está acontecendo? Por que há tanto sangue?

– Toda mulher perde sangue durante o parto – disse o médico, num tom condescendente –, é parte do revestimento do...

– Eu *conheço* anatomia – retrucou George. – Quero saber por que ela está perdendo *tanto* sangue.

O médico voltou a se colocar entre as pernas de Charlotte, em seguida apertou seu ventre e introduziu a mão. George tremeu. Todos os movimentos do médico faziam Charlotte gemer de dor.

– O bebê está sentado – disse o médico, por fim. – Precisamos esperar a evolução natural.

– Quanto tempo vai levar? – quis saber George.

O médico deu de ombros.

– Não há como saber. É diferente com cada paciente.

George olhou para lady Danbury. Ela balançou a cabeça.

– Tudo é muito natural – disse o médico. – Está tudo normal.

– Doutor – disse George –, se deixarmos todas as decisões para a natureza...

Charlotte voltou a gritar. George correu para o lado dela e passou um pano úmido em seu pescoço e em sua testa.

– Charlotte, não – disse ele, tentando brincar. – Não pode fazer assim. Vai acabar acordando os vizinhos.

– Nossos muitos vizinhos – resmungou ela.

– Minha garota – disse ele, apertando sua mão.

Como ela conseguia brincar numa hora daquelas? Que mulher magnífica. Tinha percebido assim que a vira. Mas naquele momento ela precisava de sua ajuda.

Ele voltou-se para o médico.

– Eu tinha um cavalo, meu favorito quando era menino. Ao nascer, ele estava sentado na barriga da mãe. Os cavalariços, eles... Já vi fazerem também com ovelhas, com filhotes... Existem formas de ajudar os animais numa situação dessas. Para virar o bebê não há?

O médico ficou visivelmente horrorizado.

– Sim, existem métodos. No entanto, com uma paciente da realeza...

– Então prepare esses métodos! – ordenou George. – Agora!

– Majestade, ela não é uma égua. Nem uma ovelha.

– Somos todos animais, doutor, e está claro para mim que este bebê precisa sair. Se podemos fazer isso com um potro ou um cordeiro, com certeza podemos fazê-lo com um ser humano minúsculo.

– Como posso ajudar? – perguntou lady Danbury.

– Nós dois precisaremos segurá-la enquanto o médico trabalha – disse George.

Ela assentiu e foi depressa para o lado dele.

– Creio que precisamos mover você – disse George a Charlotte. – Mais para baixo, até a beirada. Segure-se ao meu pescoço. – Então se dirigiu a lady Danbury: – Segure-a firme em torno dos ombros.

– Estou pronto – disse o médico.

– Eu não estou! – gritou Charlotte.

– Está, sim, meu amor – garantiu George. – Lembra? Juntos. Podemos fazer qualquer coisa juntos.

– Vossa Majestade é a mulher mais forte que conheço – disse lady Danbury.

– E teria pulado aquele muro se não fossem todas aquelas saias – disse George. – Embora eu fique muito feliz por não ter conseguido.

– Preciso que me ensine a praguejar em alemão – disse lady Danbury.

– O quê? – perguntou Charlotte.

Lady Danbury olhou para George e deu de ombros. Juntos, estavam fazendo um ótimo trabalho de distrair Charlotte enquanto o médico ajustava a posição do bebê.

– Ela gosta de inventar palavras – disse George para lady Danbury. – Sabia disso?

– Para falar a verdade, eu sabia. É coisa de alemão.

– É coisa de alemão – Charlotte conseguiu dizer.

– Mais uma coisa que você pode me ensinar – disse lady Danbury.

– Por que quer... AI!... aprender alemão? – perguntou Charlotte, ofegante em meio à dor.

– Ah, quero expandir minha mente. Além do mais, somos amigas. Não seria divertido se tivéssemos uma linguagem secreta?

– Nem tão secreta assim – disse George. – Metade do palácio fala alemão.

– Quase lá – disse o médico.

Graças a Deus, pensou George.

– Ouviu isso? – perguntou lady Danbury. – Ele está quase acabando, Majestade. Em breve...

– Pronto – anunciou o médico. – Consegui virar o bebê.

Todos suspiraram de alívio.

– E agora? – perguntou George.

– Agora esperamos que ele nasça como qualquer outro bebê.

– Está falando sério? – George quase berrou.

– Tenho fé de que não vai demorar muito mais – disse o médico.

E de fato não demorou. Trinta minutos depois, George segurava no colo o filho recém-nascido.

– Ele é perfeito, Charlotte. Quer segurá-lo?

Ela assentiu.

Com cuidado, George colocou o bebê em seus braços. Assim que estavam acomodados, ele se virou para lady Danbury, em quem confiava mais do que no médico.

– E agora? Tudo parece bem?

– Sim. A placenta foi eliminada e o sangramento parou. – Ela olhou de relance para o médico. – Posso falar com franqueza, Majestade?

– Claro.

Ela baixou a voz:

– Acredito que Sua Majestade... e sua pequena Alteza, o príncipe... talvez devam a vida a Vossa Majestade. Não sou especialista em partos...

– Tendo passado por apenas quatro deles – interveio George.

– Mesmo tendo passado por quatro deles – repetiu ela, com um sorriso. – Mas as mulheres falam. Escuto histórias. Uma mulher não pode ficar indefinidamente em trabalho de parto com um bebê sentado. Estava na hora de agir.

George engoliu em seco. Não tinha certeza se aquelas palavras aumentavam sua confiança ou se o enchiam de terror. Tudo poderia ter dado errado.

– Obrigado – disse ele, por fim. – Por estar aqui. Foi um enorme apoio para a rainha. E para mim.

Agatha arregalou os olhos e aceitou o elogio com um meneio gracioso. Depois, fez um gesto para a porta.

– Acho que há algumas pessoas à espera de conhecer o novo príncipe.

George ergueu as sobrancelhas.

– Sua mãe – esclareceu lady Danbury –, e o irmão de Sua Majestade.

– Ah, é melhor que não os façamos esperar.

– Tem razão – disse lady Danbury, com um sorrisinho.

– Vejo que já conhece bem minha mãe.

– Ela me convidou para tomar chá diversas vezes – confirmou lady Danbury.

– Não nos livraremos dela enquanto não vir o bebê, mas não quero que entre aqui. Charlotte precisa descansar. Pode ficar com ela enquanto levo o príncipe, lady Danbury?

– Claro.

George deu um beijo na testa de Charlotte e perguntou:

– Posso pegá-lo emprestado por um momento?

– Pode. Na verdade, estou muito cansada.

– Repouse – recomendou George. – Lady Danbury vai lhe fazer companhia enquanto apresento nosso filho para minha mãe e para o duque Adolphus.

Charlotte assentiu, sonolenta, e fechou os olhos. George pegou no colo, com cuidado, o bebê enroladinho em mantas e o levou para o corredor, onde Augusta e Adolphus aguardavam.

– Meu neto! – exclamou a princesa viúva.

– Ele é maravilhoso – disse Adolphus. – Como está Sua Majestade?

– No momento está fazendo um merecido repouso – respondeu George. Augusta se aproximou.

– Ele é saudável? Ah, queria contar os dedos das mãos e dos pés.

– Posso garantir que há cinco em cada mão e em cada pé – disse George. – E fui avisado pela babá que em nenhuma circunstância devo libertá-lo dessas mantas.

– Parece uma sequência de dobras muito bem elaborada – brincou Adolphus.

Augusta espiou o rostinho do príncipe.

– Tão lindo – murmurou. Então, depois de um olhar furtivo para Adolphus, perguntou para George, em voz baixa: – Há algum sinal de...?

– De quê, mãe? – indagou George, quase a desafiando a dizer.

Mas Augusta estava muito ciente da presença de Adolphus. Por isso, respondeu apenas:

– Só estou perguntando.

– É nosso próximo rei – disse George. E olhou bem nos olhos da mãe. – Como poderia ser algo senão perfeito?

Charlotte

Casa Buckingham
Quarto do bebê
15 de setembro 1762

– Vossa Majestade, ele precisa da senhora – avisou Brimsley.
Charlotte assentiu e saiu correndo do aposento. Já era para estar com George, mas o pequeno George estava manhoso e consumira mais tempo que o habitual.
Aquele era o grande dia. O discurso no Parlamento. Ele vinha se esforçando tremendamente. Rascunhos e mais rascunhos. Charlotte lera tudo, oferecera reflexões e opiniões, mas, por ainda ser nova no país, havia sutilezas culturais que não compreendia por completo.
– Como ele está? – perguntou ela a Brimsley.
– Nervoso. Reynolds parece preocupado.
Mau sinal. Se Reynolds, estoico como era, parecia preocupado, então George com toda a certeza precisava de ajuda.
– Me acompanhe.
– Eu sempre a acompanho.
Aquilo provocou um sorrisinho.
– É verdade.
– Se eu puder lhe falar com franqueza, Majestade…
– Outro costume seu.
Ele o admitiu com um meneio da cabeça e então falou:
– Talvez ele necessite apenas de um pouco de ânimo.
– Encorajamento, quer dizer?
– Sim, Majestade. Ele tem andado bem. Não concorda? É provável que seja apenas nervosismo. Qualquer um ficaria nervoso nessa situação.
– É verdade – disse Charlotte. – Até eu ficaria.
Brimsley conteve um sorriso.

– Você não é estoico como Reynolds – murmurou ela.

– Perdão?

Ela fez um gesto para que ele se aquietasse. Tinham chegado à sala de visitas formal. George andava de um lado para outro perto da janela, murmurando frases e fazendo gestos com a mão. Reynolds o olhava com preocupação.

– Aqui estou! – anunciou ela, alegre e animada.

– Eu estava esperando você – disse George.

Estava magnífico em seu uniforme militar formal, mas as mãos tremiam.

– Eu estava com o bebê – disse ela. – Não está tarde. Temos bastante tempo.

George assentiu, mas foi um movimento instável e trêmulo.

– Você está belíssimo – disse Charlotte, escovando uma sujeirinha imaginária do paletó dele. – Está com seu discurso aí?

– Na mão. Mas estou repensando aquele trecho no meio sobre as colônias...

– O Parlamento apreciará todas as suas ponderações – garantiu ela. – Você se esforçou muito. Está pronto.

Ela foi beijá-lo, mas George pousou a testa na dela e aquela ligação pareceu tranquilizá-lo. Charlotte levou um momento a mais para tomar as mãos dele. Segurou-as até que o tremor cessasse.

Ele soltou o ar ruidosamente.

– Obrigado.

Era agora ou nunca, e ambos sabiam que "nunca" não era uma opção.

George partiu, seguido por Reynolds logo atrás. Charlotte contou até dez e se virou para Brimsley.

– Será um discurso brilhante – disse ela.

– Claro, Majestade. Ele é o rei.

Casa Buckingham
Sala de estar da rainha
Uma hora depois

– Vossa Majestade.

Charlotte ergueu o olhar e encontrou Reynolds postado na entrada da sala. Era uma surpresa. Não o esperava de volta tão depressa.

E a cara dele... não estava boa.

Charlotte começou a sentir um frio na barriga.

– O que houve? O discurso não foi bem?

Reynolds olhou de relance para Brimsley, depois se dirigiu a ela com uma expressão de sofrimento.

– Sua Majestade não discursou. Nem chegou a sair da carruagem.

Charlotte se levantou.

– Como assim? Como não saiu da carruagem?

– Sua Majestade *não conseguiu* sair da carruagem.

– Muito bem, o que aconteceu? O que você fez? Ele estava muito bem ao sair daqui – retrucou Charlotte.

– Ele não estava bem! – explodiu Reynolds.

Charlotte ficou sem reação, paralisada. Ao lado dela, Brimsley soltou uma exclamação de surpresa audível, chocado com o descontrole de Reynolds.

– Vossa Majestade, perdoe-me – disse Reynolds. – Por favor. É que... Ele não estava bem. Não mesmo. Era apenas... uma esperança.

– Esperança – repetiu Charlotte.

Reynolds assentiu. Seus olhos estavam tristes e muito cansados.

– Eu tentei avisar... – começou ele.

– Eu sei – disse Charlotte. Simplesmente não quisera saber a verdade. Mas naquele momento não tinha escolha. – O que aconteceu, afinal? Me conte tudo.

– No começo, estava tudo bem – relatou Reynolds. – Fui no estribo para vê-lo pela janela traseira. Ele estava estudando o discurso. Praticando, ensaiando. Mas quando estávamos chegando...

Charlotte respirou fundo, temerosa.

– As mãos dele começaram a tremer.

Ela sentiu um peso no coração. Sabia o que aquilo significava.

– E ele começou a... – Reynolds olhou-a com um ar torturado. – Não sei como descrever, Majestade. Eu diria que ele começou a encolher.

– Encolher? – perguntou Brimsley no lugar de Charlotte, quando ficou claro que ela não conseguia dizer nada.

– Como se estivesse se fechando. – Reynolds demonstrou, curvando os ombros e deixando o abdome côncavo. – E, quando vi, ele estava no chão.

Charlotte tapou a boca.

– No chão? Da carruagem?

Reynolds assentiu.

– Estava no chão, mas ninguém sabia disso além de mim. Eu era o único que se encontrava no estribo. Eu não sabia o que fazer quando parássemos diante do Parlamento. Desci o mais depressa que pude e não deixei ninguém se aproximar da porta.

– Obrigada – sussurrou Charlotte.

– Tentei abri-la, mas ele a havia trancado por dentro.

Charlotte fechou os olhos.

– Ah, não.

– Havia muita gente por lá? – perguntou Brimsley.

– Havia – respondeu Reynolds com um levíssimo traço de algo que só poderia ser descrito como histeria. – Muita gente. O Parlamento inteiro o aguardava. Fiz a única coisa que me ocorreu: subi no estribo e olhei no interior da carruagem.

Charlotte e Brimsley o olharam como se perguntassem silenciosamente: *E aí?*

– Ele ainda estava no chão, mas era pior do que antes. Tinha se encolhido até formar uma bolinha tensa, como se estivesse tentando se tornar o menor possível, tentando desaparecer.

Charlotte abafou um soluço.

– Falei para todos que a porta tinha enguiçado – disse Reynolds. Ele olhou para Charlotte com pesar. – Acho que ninguém acreditou em mim.

– Não havia mais nada que você pudesse ter feito – disse Brimsley.

Ele fez menção de estender a mão, como se fosse consolar Reynolds, mas recuou.

Reynolds engolia em seco espasmodicamente. Por um momento, Charlotte achou que ele fosse chorar.

– Vou vê-lo.

– Majestade, não sei se... – começou Reynolds.

– Sou a esposa dele. Vou vê-lo.

Antes de ela chegar à porta, Brimsley já estava lá, oferecendo um copinho com bebida.

– Schnapps de maçã – disse ele.

Ela tomou um gole. E outro. Tinha gosto de lar. Não, tinha o gosto de Mecklenburg-Strelitz. Londres era seu lar agora.

– Estou pronta – disse ela.

Brimsley pegou o copinho vazio e assentiu.
– Vou levá-la até lá.

Casa Buckingham
Quarto do rei
Minutos depois

O quarto estava escuro quando Charlotte entrou, as cortinas fechadas impedindo a passagem da luz do sol vespertino.

– George? – chamou ela. – George, sou eu.

– Charlotte? – Sua voz saiu abafada.

Ela olhou em volta. Não o viu.

– Sim, querido, sou eu. Reynolds me contou o que aconteceu. Estou aqui, George.

Ela foi até as janelas e abriu as cortinas. A luz entrou, mas ela ainda não conseguia vê-lo.

Atrás do biombo? Não. Na escrivaninha? Debaixo da escrivaninha? Não.

– George? Cadê você, George?

Então ouviu a mais fraca e mais triste das vozes:

– Me perdoe.

Ela levou um momento para identificar de onde vinha a voz. Então se pôs de joelhos e olhou debaixo da cama. Lá estava ele, estirado de costas, ainda vestindo seu esplêndido uniforme.

Com o coração se partindo, ela disse:

– George, meu querido, pode sair daí para ficar comigo?

– Eu quero. Mas não consigo. É o céu. O céu não vai me encontrar aqui embaixo. Estou me escondendo.

– Está se escondendo – repetiu ela, com paciência. – Do céu.

– Aqui embaixo ele não me alcança.

– George, está tudo bem.

– Não. Está tudo muito, muito errado.

Charlotte não sabia como poderia continuar mentindo para ele. George tinha razão: estava tudo muito errado. Ela respirou fundo, deitou-se no chão e deslizou para debaixo da cama. Ficou ali, ao lado dele, encarando o estrado da cama.

– Me conte como foi.

– Eu não consegui sair da carruagem. Não consegui sequer ler as palavras na página. Não sou rei nenhum. Não sou rei de ninguém.

– Da próxima vez será melhor.

– Não. Não existe melhora. Não existe cura. Este é quem eu sou.

– Eu amo quem você é – afirmou ela.

George balançou a cabeça.

– Você não compreende. Estarei aqui algumas vezes e outras vezes estarei... – Ele a olhou, atormentado. – Pode me deixar. Eu compreenderia e permitiria que partisse.

– Eu não vou deixá-lo.

– Deveria.

– Mas não vou.

– Você tem meio marido, Charlotte. Meia vida. Não posso lhe dar o futuro que você merece. Não posso me dar por inteiro. Não posso lhe dar um casamento inteiro. Só metade. Meio homem. Meio rei. Meia vida.

– Se o que temos é metade, então que seja a melhor das metades. Eu te amo. E isso basta.

Charlotte tomou a mão dele e entrelaçou os dedos dos dois.

– Eu sou sua rainha. E, enquanto for, nunca o deixarei. Você é o rei e será rei. Seus filhos governarão. – Ela apertou um pouco mais a mão dele. – Juntos, somos inteiros.

Os dois ficaram deitados ali, olhando para cima.

– Tem um bocado de poeira acumulada por aqui – comentou George, por fim.

Charlotte abafou uma risadinha.

– Tem mesmo.

Ele apontou para um ponto no estrado.

– Aquela ali parece uma nuvem cumulus.

Ela apontou para outro ponto no estrado.

– E aquela parece um coelho deformado.

– Quer dizer um lulu-da-pomerânia?

– Não, quero dizer um coelho deformado. Lulus-da-pomerânia são régios e dignos.

Ele sorriu. Ela não viu porque não estava olhando para seu rosto, mas percebeu pelo ritmo da sua respiração.

Então a voz dele ficou séria. Abatida.

– Me perdoe por não ter lhe dado uma escolha. Por não ter lhe contado a verdade sobre quem eu era antes de nos casarmos.

– Você me disse a verdade. Disse que era Apenas George. E é quem você é. Metade rei. Metade agricultor. Mas sempre Apenas George. É só isso que você precisa ser.

Eles ficaram deitados em silêncio por alguns minutos. O único som que se ouvia era o leve ruído do ar que exalavam, o ritmo aos poucos se acalmando até estarem respirando em uníssono.

– Não sei como remediar o que aconteceu no Parlamento – disse George. – Temo que queiram me destronar.

– Se o rei não pode ir ao Parlamento, então vamos trazer o Parlamento até o rei. Talvez esteja na hora de abrirmos as portas da Casa Buckingham.

– O que quer dizer?

– Um baile.

– Aqui?

– Por que não?

– Muita gente.

– O baile Danbury tinha muita gente – lembrou Charlotte –, e você se saiu belissimamente bem.

Ele virou o rosto para olhá-la nos olhos.

– Foi porque você estava comigo.

Ela virou o rosto também. Sorriu.

– Exatamente.

Agatha

Palácio de St. James
Sala de visitas da princesa Augusta
21 de setembro de 1762

– É uma surpresa voltar a vê-la tão cedo – disse a princesa. – Tem notícias?
– Notícias?
– Da Casa Buckingham.
– Não – respondeu Agatha. – Não tenho notícias.

Augusta ergueu as sobrancelhas como se dissesse: *Então o que está fazendo aqui?*

Agatha respirou fundo.
– Preciso saber, Vossa Alteza Real: há uma decisão?

Mas Augusta claramente decidiu fingir ignorância.
– Sobre o quê?
– Sobre o título. Meu filho será lorde Danbury?

Aquela era a pergunta – junto com tanta coisa que deixara de ser dita. Lorde e lady Smythe-Smith passariam os títulos para os filhos? Haveria um segundo duque de Hastings? O destino de muitos dependia daquela decisão.

– Como eu disse, é uma decisão que só pode ser tomada por Sua Majestade – respondeu a princesa Augusta. – Imaginei que você fosse obter notícias da questão por conta própria, já que é próxima do casal real. Esteve presente no parto, afinal. No nascimento do meu neto.

– Não posso... – Agatha engoliu em seco, tentando manter o controle. – Não posso falar de tais assuntos com o rei ou com a rainha.

– É uma pena. Eu poderia lhe ser muito útil.

Fez-se silêncio por um momento. Então a princesa se curvou para a frente, os olhos muito ferinos.

– Sua Majestade, a rainha Charlotte, está tentando comandar a Coroa. Estou certa disso. O que sabe a respeito?

Agatha segurou a língua. Não voltaria a trair Charlotte. Mesmo com tudo o que estava em jogo.

– O baile, então – tentou Augusta. – Fui informada de que pretendem organizar um baile na Casa Buckingham. O que sabe do assunto?

– Não sei de nada – disse Agatha, com muita sinceridade. – Não recebi convite nenhum.

– Os convites ainda não foram distribuídos, mas tenho certeza de que está na lista de convidados. Como toda a alta sociedade... Os dois lados, não?

– Não sei, Vossa Alteza. Não vejo Sua Majestade há semanas.

A princesa Augusta fechou a boca numa linha reta e irritada.

– Suponho que tenha ouvido o que aconteceu no Parlamento.

– Ouvi apenas que Sua Majestade não estava se sentindo bem – disse Agatha, com cautela. – Um problema de garganta, pelo que soube.

Não ouvira nada parecido, mas tinha a sensação de que era o que a princesa Augusta mais queria ouvir. Por ter conhecimento da condição do rei, Agatha tinha feito todo tipo de especulação terrível em relação ao que *realmente* havia acontecido, mas nunca perguntaria à rainha. Não era da sua conta. Muito menos discutiria o assunto com a mãe do rei.

– O que será que esperam conseguir com este baile? É o que me pergunto – insistiu a princesa Augusta.

– Volto a dizer, Vossa Alteza, que não posso sequer especular. Até esta tarde, nem sabia que planejavam um baile.

A princesa a encarou com desconfiança. Estava claro que não sabia se acreditava em Agatha.

– Muito bem. Uma pena que não queira falar abertamente comigo – disse ela. – Tínhamos um arranjo tão bom... Todas as suas necessidades foram atendidas, não foram? Não seria uma vergonha se você perdesse aquela belíssima propriedade onde reside no momento?

Agatha ficou sem fôlego. Não tinha imaginado que corria o risco de perder a casa. Era bem verdade que não tinha dinheiro e que Dominic dificilmente viria a herdar o título Danbury, mas jamais lhe ocorrera que a Coroa pudesse lhe tomar a Residência Danbury.

E foi então que...

Ah, não...

Por favor, não...

Ela se desfez em lágrimas.

Lágrimas feias, de soluçar.

Augusta a encarou em absoluto terror.

– Controle-se – disse ela, meio sem jeito. – Pare com isso. Não, não faça isso. Não. Pare.

Mas Agatha não conseguia parar. Todas as tensões do ano anterior... todas as tensões de *sua vida inteira* de algum modo se aglutinaram, culminando naquele momento humilhante, de tal modo que não era mais possível conter as lágrimas assim como não era possível parar de respirar por vontade própria.

Ela chorou pelos anos com Herman, que nunca a enxergara como uma pessoa de verdade.

Chorou por todo o trabalho que tivera para manter o Grande Experimento, sem receber o menor crédito por isso.

Chorou por perceber agora que todo aquele trabalho fora em vão, pois a princesa, lorde Bute e todos os outros eram egoístas demais para abrir o coração e a mente para pessoas de aparência diferente da deles.

Chorou pelo filho, chorou por si mesma e chorou porque simplesmente tinha uma bruta necessidade de chorar.

– Saiam, saiam – dizia Augusta, enquanto expulsava os criados do aposento. Então se dirigiu a Agatha: – Pare logo com isso.

Agatha não conseguia parar. Tinha anos de lágrimas dentro de si. Décadas.

A princesa pegou um frasco de sob uma almofada e derramou um líquido no chá de Agatha.

– Brandy de pera – disse ela. – Mandei trazer da Alemanha. Beba. E pare de chorar neste instante. Por favor.

Agatha bebeu.

– Sinto muito – conseguiu balbuciar. – Eu...

– Não – interrompeu Augusta. – Não quero saber quais são seus fardos nem ouvir os problemas que afligem sua vida. Não me importo.

Agatha a fitou com os olhos molhados. A princesa era a mais estranha das criaturas. Agia de modo maternal e depois falava com aspereza brutal.

Agatha bebeu mais um gole do brandy. Era bom. E realmente ajudava. Augusta reabasteceu sua xícara.

– Quero que me escute – disse Augusta. – Quando meu marido morreu, tive que me colocar sob a mercê do pai dele, o rei. George II. Você não o conheceu. Era um homem cruel, perverso. Meu marido o odiava. Eu o odiava. Ele era terrível com o pequeno George. Tantas marcas... Eu também tinha marcas. Mas não havia alternativa.

Agatha nunca havia pensado que se identificaria com aquela mulher. Mas naquele momento se identificou, só um pouquinho.

– Eu resisti – prosseguiu Augusta. – E, com o passar dos anos, aprendi que não precisava me render apenas a inúteis ocupações femininas. Em vez disso, garanti a posição de meu filho como rei. Descobri um modo de controlar meu próprio destino.

Ela ofereceu a bebida de novo. Agatha assentiu e aceitou mais um pouco.

– Não gosto de você – disse Augusta, sem rodeios. – Porém tem sido uma adversária admirável. Nossas batalhas me trazem satisfação. Agora, isso? – Ela fez um gesto para o ar, indicando o rosto cheio de lágrimas de Agatha. – Isso não dá. Não vou tolerar que venha até aqui e se comporte desse modo. Você não pode desistir. É uma mulher. Então engula sua dor e resista. Não perca o controle de seu destino, Agatha.

Agatha assentiu, respirando fundo algumas vezes para se recompor. Talvez houvesse outro modo. Talvez não tivesse que trair Charlotte. Talvez pudesse satisfazer a princesa com algumas bobagens. Ou pelo menos ganhar tempo.

– Agora me diga. Como anda a vida na Casa Buckingham? – perguntou a princesa.

Agatha ergueu a cabeça. Poderia pensar em algo para dizer que não comprometesse sua devoção à rainha.

– Acredito que a notícia vai depender do destino do título do meu filho, Vossa Alteza.

Augusta sorriu. Sua adversária estava de volta.

Casa Danbury
Sala de visitas
23 de setembro de 1762

– Você está quieta hoje – disse Adolphus.

Agatha sorriu. O irmão da rainha vinha lhe fazendo visitas frequentes desde o nascimento do principezinho. Tinham forjado uma amizade.

– Não era minha intenção – disse ela.

Na verdade, ainda estava pensando sobre a conversa que tivera com a princesa. Tinha inventado uma história sobre mexericos a respeito de uma laringite que acometera o rei, mas duvidava que fosse o suficiente para persuadi-la a interceder por ela – e por Dominic. Afinal de contas, Agatha não havia fornecido nenhuma informação *concreta* sobre o rei e a rainha. Apenas mexericos. E mexericos falsos, ainda por cima.

– Vamos, me conte suas aventuras da semana – pediu ela a Adolphus.

– Fiz alguns avanços com acordos de comércio – contou ele, um tanto orgulhoso. – Os britânicos são teimosos. – Ele inclinou a cabeça de modo sedutor. – Não falo das damas, claro.

– Claro que não.

Ele sorriu, mas os pensamentos de Agatha permaneciam com a princesa. Não gostava daquela mulher. Provavelmente nunca gostaria, mas a respeitava. Fazia quanto tempo que o príncipe Frederick morrera? Mais de dez anos. Durante aquele tempo, Augusta tinha lutado por sua família e por si mesma. Estava cercada por homens que lhe diziam o que pensar e o que fazer e esse tempo todo se mantivera independente.

Agatha não necessariamente concordava com os métodos ou com as opiniões da princesa, mas não podia deixar de admirá-la por ter conquistado um lugar ao sol num mundo governado pelos homens.

– Agatha, concluí os negócios que tinha a resolver por aqui, meu sobrinho nasceu... Devo retornar para casa em breve.

– Não tinha ilusões de que pudesse ficar mais, mas espero que possamos nos ver de novo na sua próxima visita.

– Não. Quer dizer... eu esperava que...

Ela o observou com curiosidade. Em geral ele se portava com muita classe e confiança. Aquela hesitação era extremamente atípica.

– Agatha, você consideraria me acompanhar de volta para casa? Como minha esposa?

– E-eu...

Ela não deveria ter se surpreendido. Adolphus tinha deixado bem claro seu desejo de cortejá-la e ela mesma dissera a Coral que o considerava (assim como sua proposta inevitável) uma solução para seus problemas.

Mas agora que estava realmente acontecendo, não sabia o que fazer.

– É muito cedo, eu sei – disse Adolphus. – Você mal saiu do luto e mal começamos a corte. Mas acredito que podemos ser felizes juntos.

– Não sei bem o que responder – murmurou ela.

– Não precisa me dar uma resposta ainda. Não vou dizer palavras bonitas porque sei que não é uma mulher de palavras bonitas, mas acredito que há algo aqui... – Ele se levantou e se sentou ao lado de Agatha. Tocou seu queixo. – Há algo entre nós.

Adolphus então a beijou, a princípio com delicadeza, depois com uma paixão crescente.

– Não me responda agora. Pense no assunto. Vou esperar sua decisão.

Ele se levantou, com sua postura perfeita, e fez uma saudação elegante antes de sair. Agatha permaneceu sentada em um silêncio aturdido por cerca de um minuto, até que Coral entrou correndo.

– Vai aceitar? – quis saber.

– Você estava ouvindo atrás da porta?

– A senhora acreditaria se eu negasse?

Agatha revirou os olhos.

– É um homem muito atraente – disse Coral.

– É.

– A senhora não precisaria mais se preocupar com o futuro.

– É.

– Nem com a questão do título.

– É.

– E não esqueçamos que a irmã dele é a rainha Charlotte. Imagine se hospedar no palácio quando viermos para uma visita.

– É – repetiu Agatha mais uma vez.

Coral deixou-se cair ao lado dela no sofá, algo que não costumava fazer.

– Andei praticando alemão. *Ich diene der Konigin*. Quer dizer "Eu sirvo à rainha". Ou seja, a senhora. A senhora seria rainha. Nunca mais teria um momento de preocupação, sendo parte da realeza.

– Pare de falar, Coral, por favor – implorou Agatha.

Precisava *pensar*.

Com uma leve cara feia, Coral se levantou e se dirigiu à porta. No último momento antes de sair, virou-se e perguntou:

– Vai aceitar a proposta dele, não vai?

– *Saia*.

Agatha não tinha a menor ideia do que ia fazer.

George

Casa Buckingham
Galeria

– Bastante fiel, não acha?

George segurava a mão da esposa enquanto contemplava o retrato nupcial.

– Um retrato para o qual não posei. Sou uma inserção.

– Ainda assim somos nós. Você e eu.

– Sim. Mas não é real.

E era isso que o preocupava. Muitas coisas em sua vida não eram reais. Charlotte não sabia a verdadeira dimensão do problema, afinal, ele tinha se tornado hábil em esconder sua confusão mental, exceto pelos piores momentos. Mas o céu nunca parava. Mesmo nos períodos em que era capaz de conversar e agir normalmente, sentia que o céu fechava o cerco.

Mesmo agora. Mesmo ao lado de sua amada, no palácio que era seu lar, uma pequena parte de sua mente disparava em outra direção.

Vênus, chamava ela. *Vênus*.

– George?

Ele se obrigou a voltar à realidade e olhou para Charlotte. Ela estava magnífica, uma rainha da cabeça aos pés. Usava uma peruca (era a primeira vez que ele a via com uma) da cor de seu cabelo natural, o que lhe dava mais uns trinta centímetros de altura, tornando-a mais alta que ele.

– Olhe só para você. Uma joia rara – disse ele.

George quis tocar no rosto dela, mas sua mão tremia. De modo incontrolável. Não lembrava quando tinha sido a última vez que a vira tremer tanto.

Desviou o olhar do rosto dela para a própria mão. Não conseguia parar de observar seus dedos. Tremiam, tremiam, e de algum modo era o rosto de Charlotte que parecia borrado por trás deles.

Não a tocou. Não ousava fazê-lo. Não com aquela mão.

Mas Charlotte ousava. Sempre ousava. Ela tomou a mão de George e a segurou com firmeza.

– Eu e você – disse ela.

George conseguiu assentir minimamente.

– Eu e você.

– Está pronto?

– Estou – respondeu ele, rezando para que fosse verdade.

Os dois seguiram para o salão de baile, que já estava cheio. Reynolds e Brimsley iam atrás deles.

Por via das dúvidas.

George odiava aquilo. Charlotte não deveria ser obrigada a passar a vida com alguém que sempre precisava de um *por via das dúvidas*.

– Vossa Majestade? – perguntou Reynolds quando chegaram à porta do salão.

George assentiu.

Reynolds deu um passo à frente e anunciou:

– Suas Majestades o rei George III e a rainha Charlotte!

Vênus. Trânsito de Vênus.

George apertou a mão de Charlotte. Com força.

– Estou aqui – sussurrou ela. – Sou eu, Charlotte.

Ele assentiu, mas os pés não queriam sair do lugar.

A multidão tinha ficado em silêncio diante do anúncio de Reynolds, mas quando o casal real demorou a aparecer, um rumor começou a vibrar no ar.

Tantas vozes.

Tantas pessoas.

Vênus. Vênus.

E entre elas, de algum modo, a voz de lorde Bute:

– Se não consegue nem encarar seu povo, ele está acabado.

– Não consigo – disse George a Charlotte.

– Consegue, sim. Eu e você – lembrou ela. – Juntos. Somos um.

Ele voltou a assentir, e de algum modo (não saberia dizer como) seus pés começaram a se mexer. George entrou no salão de baile com Charlotte ao lado.

Tanto barulho.

Tantos rostos.

– George. – Era a voz de Charlotte. – George?

Ele se concentrou no rosto dela. Em seu sorriso.

– Não fique nervoso – disse ela.

– Estou bem. Não pareço bem?

– Está machucando minha mão.

Ele olhou para baixo. Céus, estava quase esmagando os dedos dela. Soltou-a no mesmo instante.

– Charlote, não tive a intenção de... Isso foi um erro.

Ele precisava sair dali. Começou a se virar.

Mas ela pegou a mão dele, com delicadeza.

– George, olhe para mim. Só para mim. Aperte minha mão se precisar. Está tudo bem. Respire. Isso. Agora sim. Vamos sorrir e acenar. Pronto?

Ele sorriu. Um sorriso forçado, mas servia.

– Agora vamos acenar – disse ela.

E assim fizeram. Sorriram e acenaram, e a multidão vibrou.

– Você é Apenas George. *Meu* George. Vamos dançar.

Foram juntos para o meio da pista de dança.

– Olhe só para mim – disse Charlotte. – Para mais ninguém. Não há mais ninguém aqui além de nós.

– Eu e você – disse George quando a música começou.

– Eu e você.

As primeiras notas soaram pelo salão e a música tomou conta do lugar. George não tirou os olhos do rosto de Charlotte. Não precisava. Os passos de dança estavam inculcados em seus músculos de modo tão natural quanto caminhar ou cavalgar. Seu corpo sabia o que fazer. E sua mente... bastava que ele se concentrasse em Charlotte.

Apenas Charlotte.

Suas mãos se tocaram e se separaram. Eles se uniram e se afastaram. Fizeram círculos. Meneios. E, enquanto ele era atravessado pela música, algo milagroso aconteceu. Aquele pedacinho de seu cérebro, a parte que era possuída pelo céu...

Ficou em silêncio.

Não ia durar para sempre, ele sabia. Mas naquele momento, naquele lugar, com aquela música e, principalmente, com aquela mulher...

Ele estava ali.

Por inteiro.

Quando a música terminou, ele tomou a mão da rainha e beijou seus dedos. E foi então que pensou...

Não é suficiente. Nunca será suficiente.

Bem ali, diante de toda a sociedade, diante de sua mãe, de lorde Bute e todo o resto, ele a beijou. Beijou a esposa, sua rainha.

Sua Charlotte.

Talvez ele fosse louco e talvez estivesse piorando. Mas não deixaria escapar aquele momento. Todos saberiam que ele a amava, que ela era a rainha e que, se algo acontecesse, era para *ela* que deveriam se voltar.

– George? – sussurrou ela, sem fôlego, depois do beijo.

– Vou ficar bem – garantiu ele. – Eu *estou* bem.

O sorriso dela aumentou.

– Apenas George.

– *Seu* George. Mas, se puder me dar licença, tenho algumas responsabilidades de rei para cuidar.

– À vontade, Vossa Majestade.

Ele se afastou. Tinha nobres a encantar, parlamentares a tranquilizar. Havia muito a fazer, e ele sabia que precisava aproveitar aquele momento em que se sentia tão bem.

Passou mais ou menos uma hora desempenhando seu papel. Dançou com várias damas: a mãe, claro, e lady Danbury, a quem sempre demonstraria deferência. Conversou com lorde Bute, fez graça com o irmão de Charlotte. Agiu exatamente como um rei deveria agir.

Estava orgulhoso de si.

Mas queria estar com Charlotte. Tinha cumprido seu dever. Estava na hora de mais uma dança com sua esposa.

Ele a ouviu antes de vê-la. Estava contornando um canto do salão quando a ouviu falando com a mãe dele, a princesa. Parou, bisbilhotando sem o menor pudor.

– É um lindo baile – dizia a princesa Augusta.

– Sim. Gostamos de receber em nossa residência.

George quase deixou escapar uma risada. Era uma mentira deslavada. Ele detestava receber. Mas o faria. Se fosse para ter mais momentos como aqueles, ele o faria.

– Faremos isso com mais frequência daqui em diante – disse Charlotte.

– Ótimo – respondeu a princesa.

– Sim.

Estava ficando um tanto constrangedor. Talvez ele devesse intervir.

Mas então a princesa falou:

– Tudo que eu sempre quis era que ele fosse feliz.

– Ele *está* feliz – disse Charlotte.

– Você o faz feliz.

George conteve um sorriso. Sabia que a mãe não era uma pessoa fácil e que se orgulhava de si mesma em excesso. Tinha dedicado sua vida a torná--lo rei. E agora cedia seu lugar a Charlotte.

Ele esticou o corpo para espiar.

– Obrigada – disse a princesa, e fez uma reverência, a mais profunda que ele já a vira fazer –, Vossa Majestade.

Então ela voltou a se erguer, empertigou-se, e o momento passou.

– Preciso falar com lorde Bute – disse a princesa, e se afastou, deixando Charlotte ali, ligeiramente atordoada.

George enfim foi até ela e a abraçou.

– Você viu isso? – perguntou Charlotte.

– Vi.

– Não sei se...

– Não questione. – Ele sorriu. – Vamos dançar?

– Sim, mas... – Ela olhou em volta.

– O que foi, meu amor?

– Que tal termos uma dança só nossa? Onde ninguém nos veja...

– Um lugar em que eu poderia beijá-la?

– Desde que não desarrume meu cabelo – avisou ela.

– Eu não ousaria.

– Que tal o jardim?

Ele assentiu, em seguida pegou a mão dela e partiu, os dois dando risinhos como adolescentes fazendo gazeta.

– Shh... – advertiu Charlotte. – Alguém vai ouvir.

– Quem vai ouvir? – respondeu ele num sussurro.

– Não sei. Mesmo assim, acho que devemos...

Ela se calou.

– Que foi?

Charlotte o cutucou com o cotovelo e depois fez um sinal com a cabeça para algo que se encontrava na frente deles.

George acompanhou seu olhar. Era outro casal dançando.

Reynolds e Brimsley.

George pôs um dedo sobre os lábios e puxou Charlotte para trás de uma moita.

– Você sabia? – sussurrou ela.

– Sabia que Reynolds preferia homens, mas não sabia de Brimsley.

Charlotte espiou.

– Parecem tão felizes...

George a puxou de volta para trás da moita para poder ver também. Estavam dançando como um casal apaixonado. Reynolds conduzia. Eles riam e conversavam em sussurros. George teve a impressão de que se pareciam muito com Charlotte e ele.

Apaixonados.

Felizes.

– Vamos – sussurrou ele para Charlotte. – Eles precisam desse momento mais do que nós.

Os dois voltaram para o palácio na ponta dos pés. O rei e a rainha, na ponta dos pés como gatunos.

– Muito bem – disse Charlotte, assim que estavam a certa distância.

– Muito bem.

– Foi... surpreendente.

– Mas bom.

Ela assentiu devagar.

– Foi. É.

George pigarreou e olhou para o salão.

– Provavelmente está na hora de fazer um brinde.

– Espere – disse ela. – Preciso lhe contar uma coisa.

Ele a contemplou com deleite. De repente parecia tímida, um comportamento que ele não costumava associar a ela.

– Eu e você, George, mudamos o mundo com nosso amor. Mas a Coroa pode ser frágil e os destinos de muitos dependem de nós e do futuro de nossa linhagem.

Enquanto ele absorvia as palavras dela, Charlotte tomou sua mão e a colocou sobre a seda verde-clara que cobria sua barriga.

– Nossa linhagem – murmurou ele, encarando-a com algo próximo a assombro. – Você e eu.

– E eles – disse ela. – O pequeno Georgie e este que ainda não sabemos quem é.

Ele a beijou. Depois beijou os próprios dedos e encostou-os na barriga de Charlotte.

– Essa notícia por enquanto é só nossa, não é?

– Ah, com toda a certeza.

– Eu gostaria muito de me retirar – disse ele com tristeza. – Mas precisamos voltar a ser rei e rainha.

Então retornaram ao salão de baile. Foi servido vinho, e George se colocou no meio da multidão. A gravidez de Charlotte seria um segredo por mais alguns meses, mas eles tinham um filho pequeno para celebrar.

George ergueu a taça, esperou que o barulho diminuísse e então disse:

– Agradecemos a todos que se juntaram a nós para celebrar a chegada do novo príncipe.

Todos vibraram. Um bebê era sempre algo mágico. Um bebê real, mais ainda.

– Como imaginam, levando em conta que sou o terceiro, escolhemos lhe dar o nome de George IV! – Ele voltou a erguer a taça. – Ao futuro rei!

O salão repetiu em coro:

– Ao futuro rei!

Ao futuro.

Ao que quer que ele trouxesse.

Agatha

Casa Buckingham
Jardins
Pouco depois do brinde

Agatha gostava de uma boa festa. E passara a gostar ainda mais desde a morte de Herman, pois não precisava vigiar o comportamento dele – ou o dela próprio, em que ele sempre conseguia encontrar algum tipo de erro ou infração.

Mas a festa estava cansativa. Cheia de segredos e de batalhas ocultas. Ela percebera o terror nos olhos do rei ao chegar ao salão com a rainha. Tinha visto Charlotte segurar a mão dele e murmurar palavras que ninguém mais ouviria.

Porém Agatha tinha obtido um profundo acesso a seus segredos e fazia ideia do que poderiam ser aquelas palavras.

Sentia pela amiga.

Não podia saber o que o futuro reservava – ninguém podia –, mas desconfiava que Charlotte tinha muitos anos pela frente apoiando o rei, mantendo-o bem e seguro. Protegendo-o de mexericos e intrigas.

Em algum momento, ele poderia vacilar e ela *seria* a Coroa. Era um fardo pesado.

A festa ainda estava a toda, mas Agatha decidiu que precisava fazer uma pausa. Por isso foi caminhar pelos jardins. Não foi muito longe – uma dama precisava pensar em sua reputação, mesmo quando se tratava de uma viúva respeitável como ela. Mas o ar estava perfumado e fresco e lhe trouxera um bem-vindo sentimento de paz.

Depois de alguns minutos, descobriu que tinha companhia. Adolphus. Teve a sensação de que ele vinha procurando por ela.

– Você também não gosta de multidões – disse ele assim que chegou ao seu lado. – Como eu. Também combinamos nesse aspecto.

– Verdade. Eu precisava de um momento para respirar. Está muito cheio lá dentro.

– Minha irmã é um grande sucesso – disse Adolphus. – Estou feliz por ela.

Agatha deu um pequeno sorriso. Charlotte não havia dividido nenhum de seus problemas com ele. Agatha tinha certeza. Adolphus não sabia nada sobre a doença de George, nem sobre a força e a determinação que Charlotte precisaria utilizar para enfrentar os anos à frente.

Ele via uma rainha cintilante.

E ela *era* uma rainha cintilante. Mas também era bem mais que isso.

Adolphus se aproximou mais.

– Seria bom ficar feliz por mim também – disse ele.

Agatha não fingiu não ter compreendido.

– Como seria nossa vida? – perguntou ela. – Se nos casássemos e eu fosse com você?

Ele deu um grande sorriso, o peito cheio de orgulho.

– Provavelmente é traição dizer tal coisa, mas minha província é o melhor lugar do mundo. É de uma beleza ímpar, com campos verdejantes e lagos de águas cristalinas. As melhores pessoas, as melhores comidas...

– Parece ótimo.

– E é. Eu governo, claro, mas, como consorte, você teria também algumas obrigações. Somos mais igualitários por lá.

"Igualitários". Aquilo parecia bom.

– A maioria das esposas da corte é mais velha que você, mas você vai gostar delas – prosseguiu Adolphus. – Assim que aprender a língua.

– Claro – murmurou ela. Sabia que isso seria uma exigência.

– E é bom que você ainda seja tão jovem. Significa que pode ter mais filhos.

– Mais filhos – repetiu ela.

Meu bom Deus. Ela já tinha quatro. Não queria mais. Não apreciara as gestações e menos ainda os partos.

Não que alguém gostasse, mas ela estava ciente de que um parto acarretava perigo. Charlotte quase morrera ao dar à luz o novo príncipe de Gales. Tinha sido aterrorizante.

E era comum demais.

– Agatha, vou criar as crianças Danbury como se fossem minhas. Cuidarei delas e de você. Mas sabe que preciso ter um herdeiro. Talvez dois ou três.

– Dois ou três.

Ela engoliu em seco. Dois ou três outros filhos. Ela não queria mais dois ou três filhos.

– Pode viajar comigo – disse ele, feliz. – Podemos até mesmo voltar à Inglaterra de tempos em tempos se estiver preocupada em sentir falta de seu lar. Mas você não sentirá saudade por muito tempo. Haverá festivais, bailes, obras de caridade e...

– Não – balbuciou ela.

Não tinha ideia do que ia dizer. Saiu de dentro dela. Sem que tivesse a intenção, mas nem por isso foi menos verdadeiro.

– Agatha? – disse ele, claramente surpreso.

– Não posso me casar com você – disse ela, percebendo a verdade de suas palavras ao dizê-las. – Sinto muito.

O rosto dele demonstrava confusão.

– Deixei você nervosa ao falar de tantas mudanças.

– Não, não posso me casar com você. Mas apenas porque... – E foi naquele momento que ela compreendeu. – Não posso me casar com ninguém.

Ele deu um passo para trás, com um ar de total incompreensão.

– Você é um homem maravilhoso – disse ela. – E, ao me cortejar, algo despertou dentro de mim e me senti esperançosa. Você teria me salvado de milhares de problemas. Teria me resgatado. Teria me ouvido e cuidado de mim.

– Então me permita fazê-lo – implorou ele.

– Não muda o que sei que é verdade. Não posso me casar com você. Não posso me casar com ninguém. Nunca mais quero me casar. Adolphus, passei a vida inteira respirando o mesmo ar de outra pessoa. Não conhecia nenhuma outra forma de ser. Está na hora de aprender a respirar sozinha.

– Agatha, não faça isso. Você... está cometendo um erro terrível.

– Talvez esteja. Mas é um erro meu. Espero que me perdoe. – Ela sorriu com afeto e deu um beijo no rosto dele. – Adeus, Adolphus.

Agatha deu um passo. E outro. Caminhando sozinha. Por conta própria. Era dona de si.

Finalmente.

Casa Buckingham
Entrada dos fundos
Uma hora depois

Era hora de partir. Tinha sido uma noite maravilhosa, mas cheia de acontecimentos, e Agatha estava exausta. Dirigia-se à carruagem, mas, antes de conseguir subir, ouviu a voz inconfundível da rainha.

– *Lady Danbury.*

Agatha nunca a ouvira empregar aquele tom antes. Nem com ela, nem com ninguém. Marchava em sua direção com um propósito e a passos tão firmes que era verdadeiramente perturbadora.

– Vossa Majestade – disse ela depressa, fazendo uma reverência. – Muito obrigada pelo...

– Recusa meu irmão? – cobrou Charlotte. – Oferece a ele a esperança de uma união, de felicidade, para depois partir seu coração? No meu baile? *Na minha casa?*

Claro que Charlotte sabia que Adolphus vinha lhe fazendo a corte. Agatha não se lembrava de ter falado com ela especificamente sobre o assunto, mas Adolphus devia ter feito isso. E devia ter dito também que Agatha negara o pedido.

O coração de Agatha quase parou e suas pernas quase cederam.

– Vossa Majestade, eu...

– Tudo bem que ele não tem um senso de humor incrível – prosseguiu Charlotte. – E tem um ar de condescendência sem limites. Mas é uma pessoa de bom caráter e coração puro. Uma mulher na sua posição poderia encontrar opções bem piores, *não é verdade?*

– Com certeza – disse Agatha, apressadamente. – Vossa Majestade. Por favor, suplico que aceite minhas desculpas. Diga-me... o que preciso fazer para...

– Adolphus vai sobreviver – disse Charlote, ríspida. – O que me preocupa é o que vou fazer com *você*.

– Comigo?

– Com o fato de que não trouxe para mim suas preocupações. Seus medos em relação à herança. O título. O destino de sua família. De todas as famílias que receberam seus títulos recentemente.

– Como soube? – disse Agatha quase num suspiro.

Charlotte ergueu as sobrancelhas.

– Importa?

– Claro que não.

– Sou a rainha. É minha função saber dessas coisas. Meu dever. E preciso confiar que meus amigos mais próximos podem me procurar com honestidade, com franqueza.

Agatha curvou a cabeça.

– Peço perdão, Vossa Majestade. Não queria aumentar seu fardo. O seu, que parece tão...

Ela não terminou a frase, por isso Charlotte insistiu.

– Tão...?

– Uma coroa já é suficientemente pesada – disse Agatha, em voz baixa. – Mas carregar duas...

Charlotte não respondeu de imediato. Fitou Agatha com uma intensidade que fez com que ela se perguntasse se não teria cometido um erro. Não deveria ter feito alusões aos problemas do rei, às responsabilidades impossíveis de Charlotte. Deveria ter sido mais circunspecta.

Mas Charlotte falou, enfim. E, quando falou, tinha a autoridade de quem havia nascido para viver aquele momento.

– Somos uma só coroa. O peso dele é meu, o meu é dele. Uma. Coroa. Governamos em nome do bem-estar de nossos súditos. Novos e velhos. Rivais e inimigos. Com ou sem título. Você não me disse que os muros do palácio são altos demais? Pois eu digo que é preciso que sejam assim. Altos como o céu se necessário for. Para protegê-la, para proteger todos os nossos súditos dignos.

Agatha só a olhava, sentindo que, de alguma forma, testemunhava o nascimento de algo grandioso. Algo milagroso.

– Sugiro que transforme seu medo em fé. Procure-nos em busca de solução para suas preocupações – disse Charlotte, com um ar ligeiramente mais brando. – Diretamente. Se não fizer isso, estará sugerindo que não somos capazes de resolvê-las. A não ser que acredite nisso. Acredita, lady Danbury?

Agatha não conseguia falar. Aquela menina, ou melhor, *aquela mulher* era um assombro. Ela ia mudar a história. Já havia mudado.

– Pode ir – disse Charlotte. – Mandarei chamá-la em breve.

– Vossa Majestade – Agatha acabou conseguindo dizer. Fez uma reverência profunda.

Charlotte deu meia-volta, mas, após alguns passos, virou-se e disse:

– Mande minhas lembranças ao jovem lorde Danbury. Dominic é o nome dele, não é?

Esperança e, sim, alegria desabrocharam no peito de Agatha.

– Sim, Majestade. Dominic.

– É um garotinho lindo. Não tão lindo quanto o meu pequeno George vai ser, é claro.

Agatha conteve um sorriso.

– Claro.

Ela esperou que a rainha partisse e então aceitou a mão de um lacaio para subir à carruagem. Enquanto ia para casa, para a maravilhosa mansão que havia garantido para sua família, Agatha se recostou no estofado com um suspiro e um sorriso.

O Grande Experimento?

Não era mais um experimento.

Era uma realidade.

E era grande, muito importante.

Cinquenta e seis anos depois...

CHARLOTTE

Palácio Kew
Quarto do rei
30 de outubro de 1818

A distância entre a Casa Buckingham e Kew não era grande, mas para Charlotte, rainha do Reino Unido da Grã-Bretanha e Irlanda, parecia se tratar de uma viagem para outro planeta.

Não fazia aquele percurso com a frequência que deveria. *Doía* ver George. Doía no coração. Doía nos ossos. Doía na alma. Ela havia passado tantos anos vendo-o desmanchar-se lentamente e agora...

Ele não a reconhecia. No ano anterior, talvez ela tivesse conseguido alcançá-lo em uma única ocasião. Duas vezes no ano antes daquele. Era de partir o coração. Estabelecer aquela ligação fugaz, o breve momento em que ela podia se lembrar de Apenas George e *ser* Apenas Charlotte.

A alegria não compensava a dor inevitável que se seguia quando ele voltava à sua loucura, com o céu, as estrelas e as equações. E, nos últimos tempos, com a total incoerência. Antes ela ainda compreendia o que ele dizia, mesmo quando fazia pouco sentido. Agora eram apenas balbucios sem nexo.

Seu George era um fantasma, à espera da morte.

Mas naquele dia ela trazia notícias importantes. E contaria a ele, mesmo que ele não a ouvisse. Ele era seu amor e sempre seria seu amor. Ela lhe devia isso.

Charlotte entrou no quarto e encontrou-o escrevendo nas paredes, como de hábito. Um acompanhante se encontrava num canto. Tinha sido instruído a deixar George desenhar qualquer coisa que quisesse, sempre que quisesse.

Aquilo o deixava feliz. E era o que Charlotte mais queria: que ele fosse feliz.

– Pode sair – disse ela ao acompanhante.

Ele lhe lançou um olhar que dizia: *Tem certeza?* Às vezes George tinha momentos difíceis, de acessos.

Ela respondeu com um olhar: *Sou sua rainha. Saia.*

O acompanhante obedeceu.

– George? – chamou Charlotte, assim que o acompanhante fechou a porta.

Ele não se virou, mas sacudiu a mão como se a mandasse embora.

– Não me incomode no céu.

– George, sou eu. Sua Charlotte.

Ele continuou a ignorá-la, balbuciando palavras incoerentes.

– Tenho novidades, George. Ótimas novidades. – Charlotte deu um passo na direção dele. – George? George?

Era como se ela não se encontrasse ali. Ele continuava balbuciando e escrevendo as palavras, e Charlotte começou a questionar se não era *ela* o fantasma, à espera da morte.

Olhou para a cama. Não era a mesma de seu quarto na Casa Buckingham, mas ainda era uma cama. E ela pensou: *Talvez, quem sabe...*

Ela se ajoelhou, pigarreando ruidosamente.

Ele olhou e franziu a testa.

Ela se deitou de barriga para cima e deslizou para debaixo da cama, o que não era uma tarefa simples, com seu vestido.

– Apenas George? – chamou. – Agricultor George?

Esperou, prendendo a respiração. E lá estava ele, espiando-a debaixo da cama.

– Venha – disse ela com um sorriso. – Esconda-se do céu comigo.

Ele considerou o pedido por um momento, fez um pequeno meneio com a cabeça e se juntou a ela.

– Charlotte? – disse ele, com a maior alegria. – Olá.

– Olá, George.

Ela não chorou porque *não chorava*. Mas os olhos pareciam um tanto estranhos.

– Está tranquilo aqui embaixo – disse ele.

– George, nós conseguimos. Nosso filho Edward se casou e sua esposa espera um filho.

– Edward vai ser pai?

– Vai. Sua linhagem permanecerá viva.

– Nossa linhagem – lembrou ele.

– Nossa linhagem – repetiu ela.

Então, de um jeito muito doce, ele a beijou. Tinha o gosto do passado. Tinha o gosto do coração dela.

– É curioso encontrá-la por aqui – disse ele.

Ela começou a rir. Mas aí ele a olhou com uma expressão que ela raramente via em seu rosto nos últimos tempos. Sóbrio, sério, mas ainda cheio de amor.

– Você não pulou o muro – disse ele.

Ela sorriu.

– Não, George. Eu não pulei o muro.

Conheça as obras de Shonda Rhimes

LIVROS
O ano em que disse sim
Inside Bridgerton (escrito com Betsy Beers)

SÉRIES E MINISSÉRIES
Grey's Anatomy
Private Practice
Scandal
Como Defender um Assassino
Bridgerton
Inventando Anna
Rainha Charlotte

FILMES
Dorothy Dandridge: O Brilho de uma Estrela
Crossroads: Amigas para Sempre
O Diário da Princesa 2: Casamento Real

Conheça os livros de Julia Quinn

OS BRIDGERTONS
O duque e eu
O visconde que me amava
Um perfeito cavalheiro
Os segredos de Colin Bridgerton
Para Sir Phillip, com amor
O conde enfeitiçado
Um beijo inesquecível
A caminho do altar
E viveram felizes para sempre

Os Bridgertons, um amor de família

QUARTETO SMYTHE-SMITH
Simplesmente o paraíso
Uma noite como esta
A soma de todos os beijos
Os mistérios de Sir Richard

AGENTES DA COROA
Como agarrar uma herdeira
Como se casar com um marquês

IRMÃS LYNDON
Mais lindo que a lua
Mais forte que o sol

OS ROKESBYS
Uma dama fora dos padrões
Um marido de faz de conta
Um cavalheiro a bordo
Uma noiva rebelde

TRILOGIA BEVELSTOKE
História de um grande amor
O que acontece em Londres
Dez coisas que eu amo em você

DAMAS REBELDES
Esplêndida – A história de Emma
Brilhante – A história de Belle
Indomável – A história de Henry

Os dois duques de Wyndham – O fora da lei / O aristocrata

A Srta. Butterworth e o barão louco

Para saber mais sobre os títulos e autores da Editora Arqueiro,
visite o nosso site e siga as nossas redes sociais.
Além de informações sobre os próximos lançamentos,
você terá acesso a conteúdos exclusivos
e poderá participar de promoções e sorteios.

editoraarqueiro.com.br